최 광 선교사의 탈북자 선교 실화

내래,
죽어도
좋습네다

내려서,
죽어도 좋습네다

ⓒ 생명의말씀사 2006

2006년 12월 1일 1판 1쇄 발행
2017년 5월 4일 19쇄 발행

펴낸이 | 김재권
펴낸곳 | 생명의말씀사

등록 | 1962. 1. 10. No.300-1962-1
주소 | 서울시 종로구 경희궁1길 5-9(03176)
전화 | 02)738-6555(본사) · 02)3159-7979(영업)
팩스 | 02)739-3824(본사) · 080-022-8585(영업)

지은이 | 최광

기획편집 | 김정옥, 이은정
디자인 | 박소정, 김은경
인쇄 | 영진문원
제본 | 정문바인텍

ISBN 89-04-17086-9 (03230)

내래,
죽어도 좋습네다

최광 선교사의 탈북자 선교 실화

최
광

생명의말씀사

추천의 글

책머리에 이런 글을 쓰면 책의 가치가 높아지거나 내용이 공인되는 일에 보탬이 되어야 할 터인데… 그런 의미에서 이 글을 쓰기에 적합하지 못한 사람이라는 생각이 여전하지만, 오랫동안 기다려주며 꼭 써야 한다기에 이렇게 써 봅니다.

중국에는 이런 말이 있습니다. '상부上部에는 정책政策이 있지만, 하부下部에는 대책對策이 있다.' 그런데 정책도 대책도 없이, 그 광활한 땅에서 그 많은 사람들을 거느리고, 여러 일 중에서도 가장 힘들고 위험한 일, 가장 엄중한 처벌을 받게 되는 일을 하는 사람이 있었습니다. 정책도 대책도 없이 말입니다. 오직 정책이 있다면 하나님 아버지가 그의 정책이고, 죽기로 작정한 듯한 기도가 그의 대책인 채 말입니다.

어느 봄 날, 중국 땅 조그만 도시의 모 대학 캠퍼스 잔디밭에서, 그를 처음 만나 대화를 시작한 지 10분도 안 되어 저는 알 수 있었습니다. 그가 정말 아무 대책이 없는 사람이라는 것을 말입니다.

신학대학원도 한 학기만 더 다니면 졸업이고, 졸업하고 강도사 되고 목사 되고 나서 이 일을 하면 얼마든지 폼 잡고 할 수 있을 텐데, 그 땅에 잠시 들어와 그들을 만난 것이 화근(?)이 되었습니다. 유리방황하던 인생을 민망히 여기시는 주님의 마음이 가득하여, 고국에 돌아가 한 학기를 마저 공부하고 다시 오기에는 그의 마음이 너무 급했습니다. 그 시간이 사치스럽게 여겨질 만큼 그들에게 사로잡혀 그냥 주저앉아 이 일을 한다는 그의 이야기를 들으며, 저는 그가 정책도 없고 대책도 없는 사람이라는 것을 더 확실하게 알게 되었습니다. 오직 그를 사로잡은 주님께서 하시지 않으면 안 되겠다는 생각이 가득하게 되었습니다. 그의 사역은 계획도 없이, 예산도 없이 그렇게 시작되었습니다.

언젠가 삭풍이 몰아치던 날 뼛속 깊이 한기를 느끼며 그의 집에 가게 되었습니다. 긴 골목을 지나 허름한 아파트에 도착하는 순간, 만 입이 내게 있어도 할 말이 없었습니다. 거기에 그의 노모老母까지 모셔왔는데, 매일 김치를 담가 여기저기 사역장에 보내신다는 말에 눈물이 났습니다. 그의 동생 부부도 불러들여 그 일들을 돕게 했습니다. 대책 없이 그냥 하는 것이었습니다. 그들에게 사로잡혀서 말입니다. 그의 아내와 1남 3녀의 자녀들에 대해서 정책 없는 남편이요, 대책 없는 아빠의 무책임은 차마 글로 쓸 수 없고, 어떻게 표현할 수 없어 제 가슴에 그냥 담아 두렵니다.

다만 제가 목도目睹한 것은, 오직 그의 정책인 하나님 아버지께서 그 많은 사람들을 먹이고 입히고 살게 하셨고, 신구약 66권을 통하여 완악했던 인생들을 변화시키는 것이었으며, 오직 그의 대책인 기도가 그 험난한 세월의 터널들을 지나 지금도 여전히 그들을 섬기도록 하는 모습뿐입니다.

오, 자비하신 하나님! 여기 정책 없는 종의 눈물을 거두어 주시고, 대책 없는 아들의 기도를 응답하여 주소서. 주가 친히 정책으로 임하시고 대책으로 일하여 주소서.

중국 사역에 동참하는
한 무익한 종

들어가는 글

1998년 8월부터 2001년 6월까지 하나님의 은혜와 인도하심 가운데, 중국 여러 지역에서 탈북자들을 북한 선교사로 양육하는 일을 감당하였다. 영입된 350여 명의 탈북자들 중 250여 명이 예수를 믿게 되었고, 70명 이상이 북한 선교 일꾼으로 세워졌다. 그러던 2001년 6월 11일, 함께 사역하던 조선족 선생의 밀고로 모두 76명이 체포되어 탈북자 형제들은 북한으로 이송되었고, 나는 한국으로 추방되었다.

추방 이후, 중국에서의 3년간의 사역이 오직 하나님의 은혜요, 하나님께서 부족한 나를 사용하셔서 친히 이루셨던 일이기에 덮어두기로 하였다. 그리고 그동안 지칠 대로 지친 육체를 회복하는 일과 하나님의 음성을 잘 듣고 따르기 위해 성령 충만을 구하는 일에 전념하고 있었다. 그러던 중 탈북자 출신 북한 선교사 김성근 선생과 대화 중에, 사건 중심으로 책을 한 권 써서 북한 선교 자료로 남기는 것이 좋겠다고 의견이 모아졌다. 2004년 말까지 김성근 선생이 책을 썼고, 자료를 남겼으니 이제 덮어두는 것이 좋겠다는 생각으로 다시 수개월이 지나갔다.

그 후 2005년 5월 28일부터 1년을 작정으로, 신학대학원 동기 목사님과 함께 밤 11시부터 새벽 4시까지 관악산 정상에서 산 기도를 하였다. 그때 목사님으로부터 "하나님께서 이 글을 책으로 펴내기를 강력하게 원하신다. 최 선교사를 위해서가 아니라 선교에 비전을 가진 많은 분들과 하나님의 사람들을 위해, 하나님께서 친히 행하셨던 일을 나누면서 북한 선교에 기도와 물질로 동참할 수 있도록 하라고 하신다. 순종하지 않으면 악한 종이라고 하신다."는 말씀을 전해 듣게 되었다. 기도하는 가운데 이것이 하나님의 뜻임을 깨닫고 역사 자료로 기록된 것을 더 보충하여 출간하기로 하였다.

그러나 하나님이 기뻐하시는 일이다보니 영적 공격과 방해가 너무 심했다. 자료를 열기만 해도 악성 두통이 오면서 모든 생각이 마비되고, 머리, 어깨, 목까지 마비되었으며, 예상치 못한 많은 일들이 가정과 선교회에 일어났다. 그렇게 힘든 시간 속에서 수개월에 걸쳐 조금씩 보충 작업이 진행되었다.

책이 나오기까지 안현숙 자매가 많은 수고를 해주었다. 자매는 사역 현장에서 동역했던 여러 목사님들과 북한 선생들을 만나 인터뷰를 하고, 내용을 수정, 보충, 편집하여 읽기 좋도록 정리하였다.

이 책에 기록된 내용들은 사역 기간 동안 있었던 많은 일들 중 극히 일부에 불과하다. 만일 있었던 모든 일들을 다 기록한다면 몇 권의 책으로도 부족하지 않을까 싶다. 앞으로 기회가 되고 필요하다면, 하나님께서 하신 일들을 더 자세히 나눌 수 있으리라 기대해본다.

지금까지 북한 선교라 하면 보지 말라, 듣지 말라, 말하지 말라는 선교 보고들 때문에 북한 선교에 대한 많은 분들의 열정이 식어버리지 않았나 하는 생각이 든다. 아무쪼록 이 책을 통해 북한 선교를 보고, 듣고, 함께 은혜를 나누면서 북한 선교의 사명을 회복할 수 있기를 바란다. 아울러 하늘과 땅의 모든 권세를 가지시고 인간의 생사화복을 주관하시는 하나님께서 하나님의 사명을 감당하는 사람들의 물질, 건강, 가족 그리고 생명까지도 책임져주심을 확실히 믿을 수 있기를 간절히 바란다.

최 광

목차

"내 이름으로 일컫는 내 백성이 그 악한 길에서 떠나

스스로 겸비하고 기도하여 내 얼굴을 구하면

내가 하늘에서 듣고 그 죄를 사하고 그 땅을 고칠지라."

대하 7:14

주의 부르심

너는 가서 내 백성을 구하라

어렸을 적에 선교사는 하나님의 특별한 은혜와 부르심을 받은, 아주 특별한 사람들만 하는 것인 줄 알았다. 그러기에 내가 감히 선교사로 하나님께 부름을 받으리라고는 상상도 못했었고, 더군다나 북한은 몇몇 정치인이나 신경 쓰는 곳일 뿐 내 삶과는 아무런 상관도 없는 곳이라고 생각했었다. 그 북한이 내 생명을 드리겠다고 고백하며 나 자신보다 더 사랑하는 곳이 될 줄이야 누가 알았겠는가.

우리 집은 증조모로부터 친가 4대, 외조부로부터 외가 3대째 기독교 집안이었다. 조상 대대로 물려받은 전답이 넉넉하고 아버님이 초등학교 교사이셨기에 경제적으로도 부족함이 없었다. 나는 이러한 유복한 가정의 3남 1녀 중 장남으로 태어나 부모님의 사랑을 많이 받으며 어려움을 모르고 자랐다.

신앙에 있어서도 청년기까지는 그저 평범한 모태신앙이었다. 하지만 군에 입대한 이후 교회와 멀어지기 시작하면서 자신도 모르게 점점 세상 속으로 빠져 들어갔다. 결혼과 함께 사업을 시작하면서 경산 청년회의소에 드나

들었고, 지역의 여러 저명 인사들과 관계를 맺게 되었다. 그들과 어울리며 세상의 좋다는 것은 다 해보고, 마지막엔 도박 등 방탕한 생활 속에서 부모님께 물려받은 많은 재산을 탕진하였다. 이런 나를 위해 어머니, 아내, 제수씨들까지도 3일을 금식하며 기도해 주었다.

그러던 어느 날 꿈 속에서 "다시 죄 가운데 빠져들면 가만 두지 않겠다."는 예수님의 무서운 음성을 듣고 죄악의 길에서 돌이키게 되었다. 하나님께서 가족들의 간절한 기도를 들으시고 나를 구해 주셨다는 생각이 든다. 그 때부터 좋지 못한 생각을 조금이라도 마음에 품으면 즉각 사고가 생기는 등 하나님께서 나의 삶을 철저하게 간섭하기 시작하셨다.

그리고 이것도 가족들의 기도의 응답이라고 할까? 1992년 36세의 늦은 나이로 대구신학교 3학년에 편입하게 되었다. 신학교는 내가 이제껏 살아왔던 세상과는 너무나도 다른 곳이었다. '도대체 이 풍족한 시대에 이런 데도 다 있나!' 하는 생각이 들 정도였다. 그곳에는 라면도 못 먹어 쩔쩔매면서도 오직 하나님만 추구하는 경건한 사람들로 가득했다. 나는 처음 두 달 동안은 완전히 정신 나간 사람처럼 멍하니 앉아 있었다.

신학교에 편입한 지 몇 달 후, 아버님이 정년퇴임을 6개월 앞두고 갑자기 위암 진단을 받으셨다. 의사가 수술하기 위해 배를 열었으나 이미 여러 곳에 전이되어 수술이 도저히 불가능한 상태였다. 이런 아버님을 위해 온 가족이 3일간 금식 기도를 하며 하나님께 매달렸고, 나중에는 기도원으로 모셔서 온 가족이 24시간 릴레이로 기도하였다. 이 기도에 힘입어 아버님은 예수님을 영접하고 암 환자 같지 않은 환한 얼굴로 천국으로 가셨다.

갑작스러운 아버님의 소천을 접하며, 인생이 정말 한순간이라는 것이 새삼 깊이 다가왔다. 이렇게 하룻밤 꿈 같은 인생을 살면서 하나님의 일을 어떻게 감당해야 할 것인가 스스로에게 물었다. 신실하게, 그야말로 최선을 다해 오직 하나님만 바라보고 하나님의 일을 감당하리라 결심하였다.

그 후 로마서 강해 수업 시간에 나야말로 죄인의 괴수 중에 괴수임을 깨닫고, 하나님 앞에 통회 자복하며 회개하였다. 하나님께서 죄 사함과 구원의 큰 은혜를 주셔서, 하늘을 전부 얻은 것 같은 기쁨 속에서 늘 울며 학교를 다녔다. 나 같은 죄인을 살려주실 뿐 아니라 당신의 일꾼으로까지 세워주시는 하나님의 은혜가 너무 감사하기만 했다.

어려서부터 신앙생활을 해왔지만 부끄럽게도 성경을 별로 읽지 못했다. 하지만 신학교에 입학해서 회복의 은혜를 맛보면서 한 달 만에 신구약을 태어나서 처음으로 완독할 수 있었다. 가슴 뿌듯했고 기쁨이 넘쳤다.

36년 만에 처음으로 영이요 생명인 말씀을 한 번 읽었으니 그 밤에 하나님의 살아계심과 은사 체험도 하게 해달라고 기도했다.

그날 밤, 내 발걸음은 어느덧 대구 주암산 기도원을 향해 가고 있었다. 그날은 매주 화요일마다 북한 선교를 위해 특별 철야 기도회를 하는 날이었다. 커다란 기대감을 가지고 열심히 기도회에 참여했지만 기도회가 다 끝나가도록 아무 일도 일어나지 않았다. 그러다 축도하기 전 마지막 통성 기도 시간이 되자, 갑자기 혀가 꼬부라지면서 방언이 터져 나오기 시작했다. 그때부터 1년 동안 시도 때도 없이 터져 나오는 방언으로 인해 큰 감격 속에서 살았다.

나는 하나님의 일을 가장 잘 할 수 있는 일꾼으로 준비되기 위해 말씀과 기도에 더욱 열심을 내었다. 신학교 졸업 후, 하나님께서는 나를 서울에 있는 말씀사관학교라는 곳으로 인도해 주셨다. 그 곳에서 1년 반 동안 낮에는 성경 말씀을 체계적으로 공부하고, 밤에는 삼각산에 올라가 밤 10시부터 새벽 3시까지 부르짖어 기도하였다.

말씀사관학교를 운영하시는 목사님과 사모님의 삶을 보면서 많은 감동과 도전을 받았다. 사모님은 학생들에게 자신의 모든 것을 오픈하고, 자신의 생명을 쏟아 부어 학생들을 가르치고 섬기셨으며, 들것에 실려서까지 하루도 산 기도를 빠뜨리지 않는 분이셨다. 그 곳에서 얻은 또 한 가지 유익은, 말씀 암송의 중요성을 깨닫고 있었으나 실행하지 못하던 터에, 함께 공부하던 김태식 집사를 통해 말씀 1,000절을 암송하고 반복하는 방법을 구체적으로 배울 수 있었다는 사실이다.

내가 북한 선교와 관련을 맺게 된 것은, 신학대학원의 동아리 NSM● 선배인 박베드로 선교사의 소개로 신학대학원 3학년 때 중국 길림吉林으로 20일간의 선교를 다녀오면서부터였다. 그는 이 동아리의 해외 선교부 총책임자로 중국 선교와 북한 선교를 귀하게 감당해 오던 분이셨다. 박 선교사를 만난 것은 신학대학원 2학년 때였는데, 알고보니 우리 아버님의 제자여서 이를 계기로 가까운 사이가 되었다.

그리고 1년 후에 다시 만나게 되었는데, 나를 보자마자 대뜸 더 이상 준비하지 말고 빨리 선교 현장으로 나가라고 야단을 치셨다. 그때 마침, 3년 전에 박 선교사의 성경 통독 사역장에서 3개월간 공부한 적이 있는 주광호라는 선생에게서 북한 형제들을 돌봐줄 선교사가 있으면 보내달라는 연락이 왔다. 박 선교사는 그에게 걱정 말라고 하면서, 나에게 묻지도 않고 8월 8일에 가는 것으로 약속 날짜를 잡았다. 그리고 NSM 선배면서 국내 모某 선교단체에서 파송 받아 중국에서 사역하고 있던 김요엘 선교사에게 사역장으로 쓸 아파트를 구하게 하셨다. 내가 그렇게 멀게만 느껴왔던 미지의 땅 북한, 그리고 그 곳 사람들과의 만남은 이렇게 해서 시작되었다.

【NSM 선교회】 NSM(New Spark Movement)은 신학교 동아리사역, 한국교회의 부흥의 불씨를 배출하는 청소년 캠프 사역, 열방을 복음화하는 세계 선교사역, 능력 제자도를 실천하는 교회사역 등을 비전으로 삼고 있다. 대표 권순웅목사.

찢어진 북쪽 하늘

내래 어케 왔는지 아십니까?

중국에는 이런 말이 있습니다. '상부에는 정책이 있지만, 하부에는 대책이 있다.' 그런데 정책도 대책도 없

그 광활한 땅에서 그 많은 사람들을 가느다... 여러 일 중에서도, 가장 힘들고 위험한 일, 가장 안전한 재배를 받

하는 일을 하는 사람이 있었습니다. ...에도 없이 말입니다. 오직 설명이 있다면 하나님 아버지가 그의 걸어

고, 죽기도 작정한 충직한 기도가 그의 ...인 것 같입니다.

▶ 연변조선족자치주 지도

찢어진 북쪽 하늘

내래 어케 왔는지 아십니까?

길림吉林 사역

20일간의 단기 선교

1998년 8월 8일, 김포공항에서 중국 길림성吉林省에 있는 장춘長春공항으로 가는 비행기에 올랐다. 소지품은 옷가지 몇 벌, 성경 한 권, 성경 1,000절 암송 노트, 18개로 된 빠른 통독 테이프 2세트.

자리에 앉고부터 여러 가지 생각으로 머릿속이 복잡해졌다. '생전 처음 만나게 될 북한 형제들은 어떤 사람들일까?', '북한 사람들이면 빨갱이인데 뭐가 빨갱이인가?', '눈알이 빨개서 빨갱이인가?' 잠깐 눈을 감았다 뜨니 비행기는 어느새 장춘공항에 도착해 있었다.

마중나온 형제와 함께 주광호 선생과 그가 모아놓은 몇몇 북한 형제들이 살고 있는 집을 찾아 길림吉林시로 갔다. 장춘長春에서 길림으로 가는 차창 밖에는 옥수수밭과 밀밭이 끝없이 펼쳐져 있어 마치 어릴 적 고향 풍경같이 정겹게 느껴졌다. 몇 시간 후, 다 낡아서 우중충한 아파트 단지에 도착하여 동 호수를 찾아 긴장된 마음으로 초인종을 눌렀다.

잠시 후 아파트 문이 삐걱 하고 열리며 키 175cm 정도에 어깨가 떡 벌어진 형제가 얼굴을 내밀었다. 무장공비를 연상케 하는 눈빛 사나운 이 사람이 바로 주광호 선생이었다. 북한 특수 부대출신으로 김정일 위원장의 비자금을 관리하다 중국으로 도망나온 사람이라고 들었다.

"어서 오시오, 최 선생님. 기다리고 있었습다."

주광호 선생이 먼저 인사를 건넨 후, 뒤에 서 있는 4명의 북한 형제들과 조선족 강길호 형제를 소개해 주었다.

간단히 인사를 나눈 후, 먼저 거실 바닥에 무릎을 꿇고 무사히 도착하게 해 주신 하나님께 감사 기도를 드렸다. 15평 남짓해 보이는 아파트는 방 세 개에 조그만 부엌 겸 거실이 있었다. 장판도 깔지 않고 천장과 벽에도 전혀 도배를 하지 않아 집 안은 전체적으로 어두컴컴했다.

형제들은 하나같이 시커먼 얼굴로 나를 뚫어져라 쳐다보았다. 눈빛에서는 말로 다 설명하기 어려운 살기가 뿜어져 나와 순간 숨이 턱 막혔다. 하지만 자세히 보니 몸 여기저기에 상처가 있고, 몸집들도 우리의 초등학생들만 했다. 잔뜩 움츠리고 앉아 한시도 가만있지 못하고 주위를 두리번거리는 모습이 안 되어 보였다. 같이 예배를 드리자고 하며 일부러 더 활달한 목소리로 내 소개를 했다.

"한국에서 온 최광 선교사라고 해요. 앞으로 잘 지내봅시다."

그러자 광호 형제가 자기소개를 했다. 15명 정도는 2~3분 내로 간단히 해치울 수 있으며, 나를 만나기 전에 이미 20~30명의 선교사들을 만났고, 중국 공안公安에 잡혀 몇 번이나 죽을 고비를 넘겼는데, 그때마다 말을 잘하고 연기에 능해서 공안이 스스로 풀어주었다고 했다. 그러나 다른 형제들은 여전히 경계의 눈빛으로 힐끗거리기만 할 뿐 한마디도 하지 않았다. 북한에서 교육받은 대로 중국에 있는 한국 사람은 무조건 안기부국가안전기획부, 현 국가정보원 요원인 줄 알았던 것이다.

다음날, 아침을 먹고 함께 예배를 드렸다. 나는 그동안 못 먹고 쫓겨 다니느라 찌들어 있는 북한 형제들에게 자부심과 소망을 주고 싶었다.

"자, 허리를 펴 봅시다. 가슴을 쫙 펴고 턱을 앞으로 약간 내밀어 봐요. 여러분은 살아계신 하나님이 함께 하시는 하나님의 귀한 사람들이에요. 여러분은 다른 탈북자들과 달라요. 하나님이 부르신 이곳은 하나님의 전적인 주권 안에 있습니다."

내가 이렇게 말하자, 모두들 '무슨 소리야?' 하는 눈빛으로 나를 바라보았다. 그래도 어제보다는 분위기가 한결 부드러워진 듯했다.

"와당탕!"

갑자기 요란한 소리가 나더니 거실에서 두 사람이 싸우는 소리가 들렸다.

"이 미국 놈 같은 새끼! 왜 자꾸 이래? 야, 야, 너 왜 이래? 자꾸 이럴 끼여?"

방상수 형제의 목소리였다. 몹시 화가 난 듯했다.

"임마, 뭐 안다고 새끼, 아무 소리나 해 제낀? 맞아 죽자구 그런 소리야?"

이번에는 주철진 형제의 목소리였다. 거친 말이 몇 번 더 오가더니 이어 "으악! 으악!" 악을 쓰면서 싸우는 소리로 변했다. 놀라서 방문을 열고 나갔을 때는 이미 엉겨붙어 바닥을 뒹굴고 있는 중이었다. 으르렁거리면서 악쓰는 것이 무섭기만 했다.

그 소리에, 낮잠 자던 형제들이 하나 둘 거실로 나왔다. 진창욱 형제와 지간구 형제가 여기저기 붙들고 뜯어말렸지만 아무 소용이 없었다.

"…"

처음으로 북한 형제들이 싸우는 것을 보고 나는 아무 말도 할 수 없었다. 나도 소싯 적에 한 싸움 했지만 북한 형제들이 어찌나 사나운지 말릴 엄두조차 못냈다. 그저 멍하니 바라보다 방으로 들어와 조용히 하나님께 기도하였다. 2시간은 족히 싸운 것 같았다.

그때 장보러 나갔던 광호 선생과 길호 형제가 들어왔다. 아직도 씩씩거리며 싸우고 있는 두 사람을 본 광호 선생이 벼락같이 고함을 질렀다.

"야! 이 새끼들아! 니들은 이렇게 하자구 여기까지 왔니? 지금 이 시간에도 저 북조선에는 풀도 없어서 땅을 움켜쥐고 죽는 사람들이 부지기순데 엉? 잘 먹구 편안하니 이제는 힘 쓸 데가 없어서 서로 치구 박구 싸움질만 하려구 해? 엉? 두 놈 새끼 어디 나한테 죽구 싶어?"

광호 선생의 성난 언성이 몇 번 더 들리고 꾸짖는 소리가 들리더니 이내 밖이 잠잠해졌다.

나는 광호 선생의 고함 소리를 들으며 한참을 하나님께 기도하였다.

"하나님, 어찌해야 됩니까? 전부 처음 듣는 소리밖에 없습니다. 하나님, 저는 하루도 이 형제들을 감당할 자신이 없습니다. 어떻게 해야 합니까?"

"하나님…"

"하나님…"

"시편 119편 18절, 내 눈을 열어서 주의 법의 기이한 것을 보게 하소서. 시편 119편 130절, 주의 말씀을 열므로 우둔한 자에게 비춰어 깨닫게 하나이다… 다니엘 12장 3절, 지혜 있는 자는 궁창의 빛과 같이 빛날 것이요 많은 사람을 옳은 데로 돌아오게 한 자는 별과 같이 영원토록 비취리라… 시편 121편, 내가 산을 향하여 눈을 들리라 나의 도움이 어디서 올꼬… 여호와께서 너의 출입을 지금부터 영원까지 지키시리로다 아멘."

기도하다가 이어 2시간 반쯤 말씀을 암송하고 나니 마음이 차분해졌다. 대학 때 3박 4일 동안 ROTC학도군사훈련단 입단 훈련을 받을 때가 생각났다. 훈련 교관들이 훈련생들의 시계를 모조리 회수하고 훈련 기간 내내 10분도 여유를 주지 않고 계속 뺑뺑이를 돌렸었다. 밤이 되면 훈련생들은 말할 기운도 없어 인사불성 쓰러져 자기에 바빴다.

북한 형제들과 며칠을 더 지내보니, 한두 시간 여유만 생기면 깨고 부수고 온 집 안을 난장판을 만들었다. 한 나절 정도 자유 시간만 주어져도 전부 나가서 담배 사 피우고, 술 사 마시고 들어왔다. 이러다가는 3일도 못 가서 사역장이 무너질 것 같았다.

언젠가는 잡혀서 북한으로 끌려갈지도 모른다는 불안감과 고향에 두고 온 가족들이 굶어 죽지나 않았나 하는 염려 때문에, 스트레스가 쌓이다 못해 폭발하면 사소한 말다툼에도 언성이 높아지고 격한 몸싸움이 되곤 했던 것이다.

나는 이들이 딴 생각을 하거나 싸울 틈을 아예 주지 않기로 했다. 이야기를 나눌 때는 큰 방에 전부 모여 나의 인도하에 하였다. 잠시도 틈을 주지 않는 것, 이것이 바로 제멋대로 날뛰는 사나운 북한 형제들을 다스릴 수 있는, 하나님께서 내게 주신 전략이었다.

1998년 8월, 이렇게 나의 단기 선교는 시작되었다.

하루 8시간 통독, 2시간 기도

"딱! 딱! 딱!"

"일어들 나세요. 일어들 나세요."

곤하게 자던 형제들은 아무리 박수를 쳐도 꿈쩍도 않는다. '꼭두새벽부터 왜 이래?' 하는 눈길로 나를 흘깃 쳐다보고는 다시 코를 골며 자는 형제도 있다. 형제들을 일일이 깨우느라 고요하던 새벽 정적이 순식간에 깨졌다. 잠이 덜 깬 형제들을 큰 방에 모아놓고 새벽 예배를 드렸다. 졸리지 않게 왈왈 소리내서 하라고 하면서 1시간 동안 새벽 기도를 시켰다.

아침 식사를 마치고, 안전을 위해서, 또 하나님 안에서 새 사람으로 거듭나라는 뜻에서 형제들의 이름을 바꿔주었다. 내 이름은 중국으로 들어오기 전 '예수 그리스도의 빛을 발하라'는 뜻의 최광崔光으로 바꾸었다. 형제들에게 내 이름에 대해 설명한 후, 아까부터 나를 뚫어지게 쳐다보는 방상수 형제에게 말했다.

"상수 형제, 상수 형제 이름은 어떻게 바꿀까요? 음… 뭐가 좋을까? 음… 무디, 무디 어때요?"

"무디? 무신 말이 그런 말이 있슴까? 그거는 무신 소립까?"

"19세기에 미국에 디엘 무디라는 부흥사가 있었어요. 그분은 수십만 명의 사람들을 주님께로 돌아오게 한 위대한 부흥사예요…."

내 말이 끝나기도 전에 그는 고함을 버럭 질렀다.

"아니? 이보시오. 남조선에서 왔다는 선교사 양반! 그게 한마디로 말하자문 미국 놈 이름이 아니오? 아니 사람을 어떻게 보구 그런 말을 함부로 함까? 그래 이제부터 내를 미국 놈 만들려고 그럼까? 안 됩다! 절대 안 됩다!"

"무디가 어때서 그래요? 무디는 미국 사람 중에서도 아주아주 특별한 사람이에요. 나는 상수 형제가 무디 같은 대부흥사가 되기를 바래요."

"아니? 그게 말이 되는 소림까? 어디 미 제국주의 침략자 이름을 사람에게 갖다 막 붙이라구 그럼까? 절대 안 됩다!"

무디 목사님이 아주 위대한 분이라고 아무리 설명해도 막무가내였다.

"아니! 절대로 안 되꾸마! 글케 좋다문 당신이나 가지오! 나는 안 되꾸마!"

계속 고집부리는 상수 형제를 내버려두고, 진창욱 형제에게 말했다.

"창욱 형제, 창욱 형제 공부하는 거 좋아해요? 내가 보니 열심히 하면 칼빈 같은 위대한 신학자도 될 수 있겠는데… 성경 공부 열심히 해 보세요."

그러자 창욱 형제는 계속 떠들어대며 고집부리는 상수 형제가 귀찮은지 고개를 끄덕거렸다. 주철진 형제는 성이 주씨라 순교자 주기철 목사님의 함자를 따서 주기철로 지어주었다.

이름 바꾸는 일이 끝나자 광호 선생이 기다렸다는 듯 엄숙히 선포했다.

"우리는 여기에 공부하러 온 사람들이오! 술과 담배는 금지함다! 이제부터 술과 담배는 절대로 할 수 없슴다!"

광호 선생은 이어 형제들에게서 담배를 회수하고, 담배를 살 수 있는 돈도 모조리 빼앗아 버렸다.

사역장에 규칙을 세우고 본격적인 사역에 들어갔다. 아침부터 저녁 늦게까지 하루 일과는 내가 짜놓은 대로 진행하였다.

아침 6시에 일어나 7시까지 새벽 기도, 아침을 먹고 7시 반부터 12시까지 쉬는 시간을 제외하고 4시간 오전 통독, 오후 3시까지 점심 식사와 낮잠, 오후 3시부터 4시까지 1시간 기도, 4시부터 저녁 7시 반까지 3시간 통독, 저녁을 먹고 8시 반부터 9시 반까지 1시간 통독.

그동안 허허 웃으며 사람 좋아 보이던 선교사라는 양반이 갑자기 이렇게 나오자 모두 어리둥절해졌다.

"아니 남조선 선생, 꼭 이케 해야 함까? 왜 이리 못살게 구는 겜까? 아? 대체 왜 이럼까?"

하지만 들은 척도 않고 계속 통독 테이프를 틀어놓았다. 이 테이프는 8시간 만에 신약 성경을 한 번 다 들을 수 있도록 빠르게 녹음된 속독 성경 테이프였다. 정한 일과대로라면 하루에 신약 성경 1독을 마칠 수 있다.

잠시도 쉴 틈을 주지 않자, 하루 일과가 끝날 즈음 형제들 모두 파김치가 되었다. 말할 기력조차 없는지 저녁 통독이 끝나기가 무섭게 침실로 들어가 버렸다. 이렇게 통독 첫날은 조용히 지나갔다. 처음으로 아무도 싸우지 않은 날이었다. '야호!' 나는 속으로 쾌재를 불렀다.

광호 선생은 이렇게 군대식으로 일과를 밀고 나가는 나를 굉장히 좋아했다. 지금까지 학생들을 이끌면서 통솔하기 어렵다는 것을 잘 알았고 이렇게 하고 싶어도 실천에 옮기지 못했었다고 했다. 하지만 형제들은 이구동성으로 항의했다.

무디 형제는 북한에서 군대 생활할 때보다 훨씬 더 힘들다고 불만이었다.

"북조선에서 군대 생활할 때는 썩어질 정도루 힘들고 배도 고팠지만 그래두 담배는 피우게 했단 말이여! 안 그래여? 다들? 아 근데, 이젠 맘대루 살아두 되는 중국에서 이 도깨비 같은 책만 하루 쬥일 읽게 하구, 담배두 못 피게 하구, 술도 못 먹게 하니 사람이 살갔시여 응? 응?"

멍하니 천장만 올려다보고 있던 기철 형제도 발칵 성을 냈다.

"선생님, 이거이 뭡까? 지금 우리가 뭐 하구 있는 겜까? 왜 담배도 못 피게 하구 술도 못 먹게 함까? 왜 밖에도 맘대루 나가지 못하게 함까? 이거 이거 지금 우릴 살리자는 겜까, 죽이자는 겜까? 이거야 원 삐쳐_{견뎌}내겠습까?"

기철 형제는 통독 시간에 한시도 가만히 앉아 있지 못했다. 엎드려서 성경책을 노려보다가, 뒤로 잔뜩 젖히고 누워 천장을 올려다보았다. 그러다 나의 박수 경고를 받고는 마지못해 바로 앉아 심드렁한 눈길로 성경책 여기저기를 뒤적거렸다. 그러다가 다시 오른쪽으로 왼쪽으로 삐딱하게 앉아 보기도 하고, 아예 일어나서 떡 버티고 서기도 하고, 못 본 척하고 통독하고 있는 나를 한참씩 노려보기도 했다. 그러는 그를 말없이 바라보노라니 정신병원에 와 있는 것 같았다.

　사역장에 새로운 형제들이 왔다. 8월 13일, 광호 선생이 의란依蘭에 가서 칼빈 형제가 소개한 두 형제를 데려 왔다. 칼빈 형제가 사역장에 들어오기 전에, 돌 공장에서 일했던 동료로 북한에서 전문대까지 나온 형제들이었다. 최권능, 김익두 목사님에 대해 말해 주며 김권능, 허익두라 이름을 고쳐주었다.

　권능 형제는 가족들이 모두 탈북하여 연변延邊 연변조선족자치주의 깊은 산 속에서 숨어 지낸다고 하였다. 그래서 늘 자기만 이런 사역장에 와서 잘 먹고 잘 산다고 부모님과 동생들에게 미안해했다. 그런 그에게 가족들을 위해 하나님께 기도하자고 했더니 도무지 믿지 못하는 눈치였다.

　8월 22일엔 다리를 심하게 저는 민상국 형제를 의란에서 데려 왔다. 이 형제는 길선주 목사의 함자를 따 민선주라 하였다.

　며칠 후, 하진복 전도사가 우리 사역장을 방문했다. 하 전도사는 동생 친구면서 신학대학원 후배로 중국 문서선교에 비전을 가지고 당시 대구에서 기독 서점을 운영하고 있었다.

　북한 형제들은 자기들을 만나러 온 한국 사람을 사뭇 경계하면서도 매우 반가워했다. 하 전도사는 방문 기념으로 형제들 외식을 시켜주고 소풍을 데려 가겠다고 했다. 꼼짝없이 갇혀 난생 처음하는 속독 통독에 지쳐있던 형제들은 소풍이라는 소리에 환호성을 지르며 집 안을 껑충껑충 뛰어 다녔다.

　다음날, 우리는 통화通化시 집안集安 고구려 유적지로 갔다. 공원에 들어서자 형제들은 여기저기 기웃거리며 떠들어대느라 정신이 없었다. 특히 무디 형제와 기철 형제가 몹시 좋아했다. 무디 형제는 체조 선수처럼 몇 번이나 연속 공중회전을 하기도 했다.

"우리까 한 번 사격 경기 해봅시다여!"

신이 난 무디 형제가 하 전도사에게 불쑥 말했다.

하 전도사도 사격이라면 자신있었기에 흔쾌히 승낙하고 열심히 쏘아 10발 중 8발을 명중시켰다. 하지만 무디 형제와 기철 형제는 조준도 하지 않고 그것도 한 손으로 마구 쏘아댔는데도 10발 모두 명중이었다. 놀라서 입을 벌리고 바라보는 하 전도사의 등 뒤로 무디 형제가 우쭐대며 말했다.

"남조선 아덜은 군대 복무를 3년밖에 안 하지 않습까? 우리는 10년이나 함다. 남조선 아덜까 맞붙으문 간단히 해 제낄 수 있슴다! 하하~"

무디 형제의 말에 그는 그만 아연실색하였다.

북한 형제들과의 첫 만남에서 큰 감동을 받은 하 전도사는 이후 3년간 15차례 이상 사역장을 방문하며 사역장에 필요한 모든 성경책과 신앙서적을 공급해 주었다.

북한의 상황과 기독교 탄압

탈북자들의 탈북 시기는 대부분 97년부터이다. 그때가 북한의 식량 사정이 가장 어려웠던 시기로, 97, 98년 두 해 동안 200만 명 가량의 북한 주민이 굶어 죽었다. 평양에서는 하루에 3, 40명이, 함흥에서는 매일 200~300명이 굶어 죽었다. 이 과정에서 수십만의 탈북자가 발생하였다. 그들은 중국으로 넘어와 주로 흑룡강성黑龍江省, 길림성吉林省, 요녕성遼寧省의 동북 3성 지역에서 중국 공안과 북한 보위부국가안전보위부, 북한의 최고 공안 기구特務들의 눈을 피해 숨어 살고 있었다.

이들의 탈북 이유는 거의 비슷했다. 눈 앞에서 부모, 자식이 굶어 죽고 더 이상 풀도 뜯어먹을 수 없는 상황에서, 굶어 죽을 바에는 중국에라도 한번

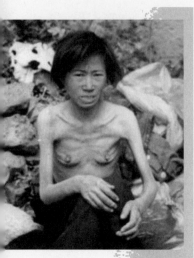
▶ 뼈만 앙상히 남은 북한 여인(30세)

가봐야겠다는 생각으로 탈북을 시도한 것이었다. 잡히면 정치범 수용소에 끌려가 죽게 되지만, 이래도 죽고 저래도 죽을 바에는 밥이라도 실컷 먹다 죽어야겠다는 일념에 탈북했다고 한다.

이들은 하나같이, 풀로라도 허기를 달래 목숨을 부지할 수 있었다면 탈북할 마음 같은 것은 애초에 갖지 않았을 것이라고 했다. 북한 사람들은 김일성, 김정일 우상화 사상에 철저하게 세뇌되어 감히 '조국과 인민과 당과 장군님과 수령님을 배반하고' 탈북할 생각은 전혀 하지 못한다.

어떻게 1년에 100만 명 이상이 굶어 죽는데도 정권이 유지되는지 모르겠다. 형제들이 들려주는 이야기 하나하나는 모두가 상상도 하지 못했던 기막힌 사연의 연속이었다.

나는 '허약'이라는 병에 대해 이들에게 처음으로 들었다. 우리에게는 '허약'이라는 말조차 낯설지만, 이들은 모두가 허약을 신물나게 경험한 사람들이다. 허약은 1, 2, 3도로 그 증상이 나누어진다고 한다. 사람이 오랫동안 영양 부족 상태로 있게 되면 온 몸에서 기운이 빠져나가면서 항문이 열려버린다. 이때 항문이 열린 정도를 가지고 허약 단계를 나누는데, 손가락 하나가 들어갈 정도면 허약 1도, 두세 개가 들어갈 정도면 허약 2도라고 판단한다. 그러다 마지막에 가서 주먹이 들어갈 정도로 항문이 열리게 되면 허약 3도가 된다. 이때는 아무리 영양가 있는 음식을 많이 먹어도 회복이 불가능하고, 대개 2, 3일을 가지 못해 죽는다고 한다. 형제들은 듣고 놀라는 내가 오히려 이상할 정도로 아무렇지도 않게 이런 이야기들을 했다.

권능 형제는 소나무 껍질과 풀을 뜯어 먹다가 나중엔 풀도 없어 벼 뿌리까지 삶아 먹었고, 탈북 직전에는 너무 배가 고파 계절이 지난 쑥을 뜯어 먹다 독이 올라 얼굴이 퉁퉁 부었다고 했다. 아이들은 먹지 못해 학교에 가지 못하고, 선생님들은 굶어서 힘이 없기 때문에 공부를 제대로 가르칠 수 없어 학교 수업이 엉망이란다.

선주 형제는 엄마가 동의사^{한의사}면서 산파 일을 겸하였는데, 산모의 태를 집으로 가져와 삶아 주어 자주 먹었다고 했다.

간구 형제는 가족들이 뿔뿔이 흩어져 옥수수를 구하기 위해 돌아다녔다고 했다. 그런데 기차가 너무 노후해서 자주 고장이 나고, 고장이 아니더라도 연료가 없어 가다가 서기가 일쑤라고 했다. 서울에서 대전 정도의 거리를 가는데 일주일씩 걸리고, 어떤 때는 보름이 걸려도 도착한다는 보장이 없단다.

광호 선생 얘기로는 북한의 장례식에는 '직파'와 '비닐하우스' 두 종류가 있다고 한다. 97, 8년에 굶어 죽는 사람이 너무 많다보니, 대부분은 장례식을 치른다는 것이 가마니도 하나 덮지 않고 구덩이를 파서 바로 시체를 묻어버리고, 때로는 수십 구의 시체를 한 구덩이에 묻어버리기도 하는데, 이렇게 치르는 장례식을 '직파'라 한다고 했다. 당 간부나 권력이 있는 사람들은 관을 만들고 수의를 입혀서 장례식다운 장례식을 치르는 데 이러한 장례식을 '비닐하우스 장례식'이라고 한다고 하였다.

기철 형제는 자기 마을에 사람이 죽었는데 마을 사람들이 시체를 매장하러 갔다가 너무 배가 고파 묘지에는 뼈만 묻고 살을 가져와 먹다가 당국에 발견되어 총살당했다는 이야기와, 자기 친척 장례를 치르고 난 후 인육을 파가지 못하도록 이틀 동안 지켰다는 이야기를 아무렇지도 않게 하였다. 이런 얘기들을 들으면서 탈북 당시의 처절했던 상황이 조금씩 이해되었다.

놀라운 것은, 북한 사람들은 생활이 아무리 어려워도 김일성이나 김정일, 당에 대해 한마디 불평도 하지 않는다고 한다. 체제가 잘못되어 그렇다고 감히 말할 수도 없지만, 그런 사실을 알지도 못한다. 그들은 부모나 처자식이 굶어 죽으면 그저 내가 못나서 그렇게 되었다고만 생각한다.

임산부가 굶어서 죽어갈 때, 옆에서 간호사들이 눈물을 흘리면서 "아주마이, 아주마이의 이 고통을 장군님께서 아십니다."라고 말하면, 임산부는 숨

▶ 혜산의 김정일 찬양

을 헐떡이며 "장군님! 더 충성하지 못하고 먼저 죽어서 죄송합니다."라고 하며 눈물을 흘리며 죽는다고 한다. 참으로 무서운 저주였다. 그 수많은 북한 사람들을 이렇게까지 노예화할 수 있다는 것이 솔직히 잘 믿어지지 않는다.

그들을 이런 무서운 저주로 몰아넣은 북한의 주체사상은 마르크스-레닌주의에 기초를 두고 있다. 주체사상은 '사람이 모든 것의 주인이며 모든 것을 결정한다.'고 주장하는 이른바 인간 중심 사상이다. 하지만 '인민 대중은 수령의 영도를 받아야만 자기 운명의 주인이 된다.'고 하여 김일성, 김정일 독재 체제를 구축하는 명분으로 사용되었을 뿐이다. 북한에서는 김일성, 김정일 부자가 정치, 경제, 사회 등 모든 분야의 가치 판단과 행동규범의 척도가 된다.

이러한 김일성 유일지도 체제와 유일사상 체계로 인해 북한에서는 그 어떤 종교도 허용되지 않는다. 북한에서는 어릴 때부터 미 제국주의 침략자, 미 제국주의 침략자 앞잡이 남조선 괴뢰도당, 약소국 침입을 위한 침략의 도구인 기독교는 반드시 타도해야 할 대상이라고 세뇌시킨다. 그래서 이미 6·25 전쟁 전에 북한의 모든 기독교인들은 비밀리에 깨끗이 숙청되어 정치범 수용소에 수감된 상태였다. 이러한 정권의 독재 속에서 50년이 지난 지금도 북한 사람들은 평생 '예수'라는 말조차 들어보지 못하고 죽어가고 있다.

또한 광호 선생이 들려준 북한의 반反기독교 교육 실태는 북한 사람들을 더 더욱 기독교와 멀어지게 했다. 북한 정치인들은 외국으로 나가는 북한 주민들에게 교회에 대해 이렇게 가르친다고 한다.

"외국에 가면 십자가가 걸린 교회를 볼 것이다. 그 근처에 가까이 가면 안 된다. 교회의 지하실에는 사람을 가두고, 사람의 포를 떠 사람 고기를 밖에 내다 팔기 때문에 교회 건물만 보면 빨리 도망가야 한다."

또한 북한의 인민학교우리의 초등학교에 해당함의 반反기독교 교육 실정은 더 더욱 심각하다.

"평양에 언더우드 선교사라는 사람이 있었는데 그는 과수원을 경영했다. 과수원 울타리 밖에 떨어진 썩은 사과를 9살짜리 어린애가 주워 먹자 언더우드 선교사가 그 어린애를 붙잡아다가 청강수靑剛水, 염산로 이마에 '도적'이라고 새겼다. 선교사들은 이렇게 악한 사람들이고, 미 제국주의 침략자들의 앞잡이다."

사정이 이러니 북한에서는 예수 믿는 사람을 머저리나 미친 사람으로 본다. 그래서 탈북자가 두만강을 넘어와 처음으로 선교사를 만나거나 예수라는 말을 들으면 후다닥 도망가기 바쁘다. 성경을 보면 가래침을 칵칵 뱉고, 십자가가 있는 교회 건물이나 교회 사람을 만나면 무조건 도망을 갔다.

그러다가 중국 공안우리나라의 경찰에 해당함이나 보위부 특무들에게 쫓겨 갈 데가 없어진 탈북자들을 조선족 교회에서 받아주고 먹여주고 재워주고, 또 몇 푼의 돈이라도 여비로 쥐어주자 이들은 교회와 점차 가까워졌다. 그리고 교회가 사람을 잡아먹는 곳도 아니고, 교회 사람들이 청강수로 이마에 도적이라고 새기는 무리가 아니라는 것도 알게 되었다. 처음에는 마지못해 성경 말씀을 접하다가 은혜를 받게 되면 그동안 북한에서 완전히 속아서 살았다는 것을 깨닫게 된다고 한다.

나는 마음이 답답해져 밖으로 나왔다. 새 한 마리가 하늘을 가르며 유유히 날고 있었다. 내가 오늘 이렇게 날개를 달고 하늘을 날 수 있는 것은 내가 차고 오를 땅이 있었기 때문이 아닌가. 내가 저들에게 그 땅이 되어 주리라. 저들이 나를 차고 날아오르게 하리라.

"주님…"

나는 숙연해지는 마음으로 아득히 멀어져 가는 새를 바라보았다.

다시 만난 북한 형제들

20일 동안의 단기 선교를 마치고, 신학대학원 공부를 마치기 위해 한국으로 돌아왔다. 헤어지면서 이제 나가서 3개월만 더 공부하면 졸업인데, 기도해보고 하나님께서 다시 보내시면 꼭 돌아오겠노라고 약속했다. 짧은 만남이었지만, 신기하게도 우리는 어느새 서로에게 정이 깊이 들었다. 헤어질 때 흘렸던 이별의 눈물을 아직도 잊을 수가 없다.

한국으로 돌아온 후, 학기 개강을 기다리는데 갑자기 이상한 일이 일어났다. 평소 그렇게 건강하던 몸이 이유없이 사방이 아파왔다. 몸만 아니라 마음에 기쁨도, 감사도 찬양도 사라졌다. 영육 간에 너무나 곤고하여 견딜 수가 없었다.

너무나 괴로워서 박베드로 선교사와 상의하니 일 년만 휴학하고 북한 선교를 하는 것이 어떻겠냐고 하셨다. 참 어처구니 없었지만, 그 권고를 기꺼이 받아들여 중국 가는 비행기 티켓을 예약하였다. 그런데 세상에, 티켓을 예약하자마자 마음에서부터 기쁨과 감사와 찬양이 터져 나오며 몸도 거뜬하게 나아버리지 않는가. 이렇게 나는 중국에 있는 북한 형제들에게 돌아갔다.

신학대학원 동기이자 이종 매제인 김규성(김순교) 전도사와 NSM 선교회 선배인 천부종 전도사도 함께 갔다. 순교 전도사는 1년간 동역하고, 천 전도사는 당분간 우리 사역장에 머물며 북한 선교를 준비하기로 했다.

서울발 장춘長春행 비행기에서 내리니 비가 부슬부슬 내리고 있었다. 사역장으로 가는 동안, 동행한 두 전도사는 처음 만나는 북한 형제들 때문에 매우 긴장했지만, 나는 마치 고향으로 가는 듯 마음이 편했다. 사역장에 도착하여 그들을 보자, 가족을 만난 듯 친근한 느낌이 들었다.

"오! 최 선상님, 안녕하슈?"

"안녕하시우! 최 선교사님?"

"할렐루야! 최 선생님."

하나같이 얼굴이 시커먼 형제들이 우르르 문 앞에 몰려나왔다. 가지각색으로 인사하며 내 손을 잡고 마구 흔들어댔다. 나도 이 사람 저 사람 인사하기 바빴다. 이렇게 다시 만나니 역시 우리는 한 형제요, 한 민족이었다.

나는 그들에게 다시 돌아오게 된 사연을 들려주었다. 그러자 무디 형제가 갑자기 흥분해서 떠들기 시작했다.

"아? 선상님! 우리가 선상님 돌아오게 해달라구 얼마나 기도했는지 아우? 주광호 선생은 선상님 다시 들어오게 해달라구 거 뭐야 3일씩이나 밥두 안 먹구 기도했다 아임까! 야~! 근데 거 기도라는 게 신기하다야~. 아 그게, 우리가 기도라는 거 하니까 글쎄, 이 선상님이 한국에서부터 뿅~ 하구 비행기 타구 여기로 끌려오지 않구 머이가 응? 응?"

북한 사람들 특유의 억양으로 무디 형제가 신이 나서 떠들어댔다. 형제들은 자기들의 기도가 응답되었다고 좋아하기도 하고, 그렇게 해서 돌아온 내가 신기한 듯 자꾸만 나를 바라보고 만져보고 야단들이다. 나는 예상 밖의 환대에 몹시 당황스러웠다.

"아? 근데 선교사님, 이 사람들은 누굼까?"

기철 형제가 나와 함께 온 순교 전도사와 천 전도사를 보고 물었다. 두 전도사에 대해 소개하자 선주 형제가 악수를 하려고 손을 내밀며 말했다.

"야~ 남조선 사람들은 이렇게 다 키가 쿱니까? 좋겠다야."

"임마! 남조선은 우리나라보다 남쪽이 아니구 뭐야! 거긴 공기가 따뜻해서 풀이구 사람이구 다 길다!"

칼빈 형제가 아는 척하면서 덩달아 악수를 건넸다. 다른 형제들도 두 전도사와 반갑게 악수를 했다.

나에 대한 이들의 관심이 너무도 이례적이라는 것을 나중에야 알게 되었다. 대체로 탈북자들은 중국에서 늘 쫓기는 생활을 하기 때문에 내일에 대한 개념이 없고, 헤어진 사람을 다시 만나리라는 기대를 전혀 하지 않는다.

그러니 내가 돌아오게 해달라고 기도했다는 건 주님이 시키신 일이라고밖에 볼 수 없었다. 기뻐하는 형제들을 보면서 이들을 너무도 사랑하시는 주님의 마음이 느껴졌다. 나도 형제들 못지않게 즐거웠고, 이 형제들을 위해 나를 택해 주신 주님께 감사했다.

분위기가 조금 진정되자 내가 웃으면서 물었다.

"나는 지금 전도사고 목사 안수를 받지 않았기 때문에 선교사로 인정받을 수 없어요. 그리고 물질적 능력도 없는데 왜 다시 오라고 기도했지요?"

무디 형제가 기다렸다는 듯이 대답했다.

"우린 선생님이 좋습다. 우리가 항상 같이 살아주니깐 말입니다. 글구 선생님은 우리처럼 돈이 없잽니까? 그래니까 우리가 똑같이 먹구, 똑같이 한 자리에서 자니까 그래서 좋습다. 믿을 수가 있잽니까?"

"나는 돈도 없는데 나를 데려다가 뭘 하려고 그래요?"

옆에 앉아 있던 기철 형제가 의외라는 듯이 말했다.

"아! 이거? 우릴 좀 보쇼. 우리가 지금 돈이 있어서 삼까? 이렇게 우리처럼 살문 됨다. 걱정 맙소! 돈이야 또 이케 저케 생기는 거 아임까? 하나님 믿는다는 사람이 그런 거 걱정하문 아이 됩지. 일없시여, 하나두 일없시여."

형제들은 말도 모르고 아는 사람도 없는 남의 나라에 와서 숨어 살다보니 사람을 몹시 그리워했다.

저녁을 먹고 모두 모여 예배를 드렸다. 예배 시간 내내 나는 너무도 행복했다. 주님께서 나 같은 인간도 쓰시려고 여기 보내셨다고 생각하니 그저 감사하기만 했다.

주광호 선생의 설교를 들으며 묵묵히 앉아 있는 형제들의 얼굴을 하나하나 둘러보았다. 촌뜨기 방무디, 싸움쟁이 주기철, 축구 선수 지간구, 조선족 강길호, 다리 저는 민선주 그리고 진칼빈, 김권능, 허익두. 하나같이 정에 겨운 형제들이었다.

이틀 후, 다시 사역을 시작하자 여러 가지 어려움도 같이 시작되었다. 순교 전도사가 일주일 금식 기도를 작정하였다. 그러자 천 전도사도 금식 기도에 동참하겠다고 하였다.

"아니? 선교사님, 한 주일이나 쫄쫄 굶구서두 죽지 않구 살 수 있슴까?"

간구 형제가 나에게 와서 물었다.

내가 간구 형제와 다른 형제들에게 금식 기도에 대해 설명해 주었지만, 형제들은 내 말을 믿으려 하지 않았다. 형제들은 정말 아무것도 먹지 않는지 감시하기로 작정하고 두 전도사를 지켜보았다.

금식 기도가 끝나자 그들을 물끄러미 바라보던 선주 형제가 중얼거렸다.

"야~ 진짜 안 죽는다야. 사람 맞아? 둘 다 귀신 같다야."

하나님, 북한 선교 어떻게 해야 합니까?

"하나님, 지금까지 한국에서 너무 행복하게 살았습니다. 남은 생애 동안 아무것도 누리지 않고 아무것도 소유하지 않아도 만족합니다. 남은 생명 북조선 복음화를 위해 드리겠습니다. 지금까지 때론 풍성하고 귀하게, 때론 고통과 어둠 속에서 훈련시킨 이유가 이 곳에 보내기 위해서였군요."

20일간의 단기 선교가 끝날 무렵, 내 입에서 이러한 고백이 흘러나왔다.

1년을 작정하고 다시 중국에 들어가면서, 나는 앞으로의 사역 방향을 놓고 진지하게 기도하였다. 어떤 방법으로 북한 선교를 감당해야 가장 기뻐하시는지 하나님께 계속 여쭈었다. 그런 중에 중국에서 이뤄지는 북한 선교의 다양한 모습과 조선족 교회의 실태를 보고 들으면서, 또 함께 있는 북한 형제들과의 대화 속에서 사역의 방향을 잡아 나갔다.

98년 당시 중국에는 북한 선교를 위해 사역하는 한국 선교사들이 많았다. 선교사들은 의료 선교로부터 시작해 북한에 양식 보내는 일, 성경 보내는 일, 탈북자에게 안전한 거처와 양식 공급해 주는 일, 직장 알선 등 여러 귀한 일들을 감당하고 있었다. 그러나 이런 일은 내가 할 일이 아닌 것 같아, 내가 할 부분은 어떤 것이냐고 하나님께 계속 여쭈었다.

몇 번 방문해서 예배 드리며 중국 조선족 교회의 상황을 알게 되었다. 중국이 공산주의 국가이면서 자본주의 경제를 도입하다보니, 중국 정부에서는 단 열 명만 모여도 예배당을 세우겠다고 하면 쉽게 허용해 주었다. 예배당이 지어지면 외국에서 달러로 헌금이 들어오기 때문이다. 그래서 동북 3성 일대의 이 곳 저 곳에 예배당이 없는 곳이 없었다.

그러면 그 많은 교회에서 예배를 드릴 때, 누가 설교자로 강단에 설 것인가? 조선족 교회에는, 정식 신학 교육을 받은 목사가 없으니 집사들 중에서 총繼집사를 뽑아 예배 때 말씀을 전하고 교회를 이끌어가게 하고 있었다. 하지만 이들이 어려서부터 공산주의 사상으로만 교육을 받다보니, 성경 말씀을 제대로 읽은 적도, 들은 적도 없었다. 그래서 설교 대신 한국의 문서 선교 단체에서 보내주는 설교집을 그냥 펼쳐 읽는 경우가 대다수였고, 말씀과 무관한 자기들의 간증으로 설교 시간을 끝내기도 하였다. 심지어 이단에서 가져다 준 잘못된 책을 아주 좋은 책이라 여기며 그것으로 설교하는 교회도 있었다.

교회는 강단에서 선포되는 살아있는 하나님의 말씀을 통해 죽어 있던 영혼들이 살아나게 하는 곳이다. 예배당은 많이 세워졌는데 정작 하나님의 말씀을 제대로 전할 사람이 없는 조선족 교회의 상황을 보며 한 가지를 깨달았다.

만약 북한이 열린다면, 북한의 개방 모델은 오직 중국뿐이다. 중국 정부에서 달러를 벌기 위해 예배당은 마음껏 짓게 하면서도 설교는 중국인만 할 수 있게 제한한다. 외국인이 설교하다 발각되면, 체포하거나 과중한 벌금을 부과하고 추방시킨다. 그런데 중국인 중에는 생명의 말씀을 제대로 선포할 수 있는 사람은 극소수에 불과하다.

중국의 현실이 이러한데, 북한이 개방되어 교회가 세워진다면 과연 누가 말씀을 선포할 것인가? 저들이 말하는 '남조선 괴뢰도당' 들이? 아니면 '미제국주의 침략자' 들이? 북한에서는 용납될 수 없는 일이다. 북한 사람들은 자기들이 굶는 이유가 첫째는 미 제국주의 침략자 때문이고, 둘째는 미 제국주의 침략자 앞잡이 남조선 괴뢰도당 때문이라고 교육받아왔다. 그러니 이들이 미 제국주의 침략자인 미국 사람을 설교시키겠는가, 미 제국주의 앞잡이 남조선 괴뢰도당인 한국 사람을 설교시키겠는가?

오직 북한 사람이라야만 하나님의 말씀을 증거할 수 있다. 이것을 깨달으면서 나는 오직 북한 출신 선교사 양육에만 전념하겠다고 하나님께 고백하였다.

그리고 형제들에게 듣기로, 나를 만나기 전에 만났던 대다수의 선교사들은 일주일에 한두 번 정도 시간을 정해 놓고 방문하여 예배 인도 후 양식을 공급하고 돌아갔다고 한다. 선교사들은 호화로운 아파트에서 생활하면서, 자기들을 빌미로 한국에서 선교비를 많이 받아 자기들에게는 조금밖에 주지 않는 듯해서 믿을 수가 없다고 했다.

그 말을 들으며, 모⑭ 교회 허용득 목사님의 말씀을 다시 떠올렸다. 목사님은 전도사로서 사역의 길에 들어서는 내게 설교는 20%, 나머지 80%는 삶이라고 늘 강조하셨다. 한국에서의 목회도 그렇지만 이곳 북한 선교 현장은 나의 일거수 일투족이 공개되지 않을래야 않을 수 없는 곳이다. 이곳에서의 나의 목회는 100% 삶일 수밖에 없다. 나는 나 나름대로 원칙을 세웠다.

"모든 생활과 모든 사역을 함께 하는 북한 형제들에게 100% 오픈한다."

이것은 내가 그들과 함께 한 20일간의 동고동락의 결실이다. 어쩌면 보잘 것없다고 할 수 있겠지만, 이때 세운 원칙으로 이후에 수많은 북한 형제들을 주님께 인도할 수 있었다.

내게는 참으로 소중한 수확이었다.

북한 특수 부대 출신 주광호 선생

광호 선생이 반찬거리를 사러 나갔다 왔다. 며칠 전부터 이상하게 생각했지만 오늘도 시장을 보고 남은 돈을 돌려주려는 기색이 없다. 기분이 상할까봐 그를 내 방으로 조용히 불러 어렵게 말을 꺼냈다.

"광호 선생, 광호 선생은 이미 여러 명의 선교사들을 접해봐서 북한 사역에 대해 잘 아시겠지만 나는 잘 몰라요. 하지만 그 선교사들과 똑같이 나를 대하면 같이 일할 수가 없어요. 왜냐하면 나는 여기저기 떠돌아다니면서 하는 구제 사역이 아니라, 한 곳에 눌러 앉아 성경 읽고 기도하면서 이들을 사명자로 키워내는 사역을 하려 하기 때문이에요."

여기까지 말하고 잠시 침묵했다. 그의 얼굴이 험상궂게 일그러졌기 때문이다. 하지만 나는 개의치 않았다.

"광호 선생이 돈 계산이 정확하지 않고 자기 마음대로 사용한다는 말을 다른 선교사에게 들었지만 이렇게까지 할 줄은 몰랐어요. 물론 내가 광호 선생 마음에 안 드는 부분이 많아 그럴 수도 있겠지만, 이런 부분이 정리되고 바로 잡히지 않으면 나와 함께 일할 수 없어요. 그러니 생각을 잘 정리해 주세요."

며칠 동안 기분 나쁜 걸 참았다가 해서 그런지 일종의 선언이 되어버렸다.

그는 얼굴이 일그러진 채 입을 열었다.

"선교사님은 북한 선교가 얼마나 어려운지 암까? 일전에 북경北京에서 사역하던 한국 선교사 한 명은 북조선 아덜한테 몽둥이루 얻어맞구 순교했구, 연길延吉의 연변과학기술대학 직원은 북조선 특무에게 독침 맞아 순교했슴다! 이런 거 다 알기나 함까?"

그는 눈을 치켜뜨며 불끈 쥔 주먹을 내 코 앞에 흔들어 댔다. 그의 눈은, 내가 누군데 풋내기 선교사 주제에 말이 그리 많냐고 말하고 있었다.

"글구! 숱한 선교사들이 매 맞고 쫓겨 다니는 걸 알고나 있슴까?"

그러나 그가 흥분할수록 나는 오히려 담담해졌다. 하나님께서 때론 평탄

하고 형통한 삶을, 때론 험악한 삶을 골고루 경험하게 하시고 거친 이리가 순한 양처럼 생각될 만큼 훈련시키셔서 나를 이곳으로 보내셨기 때문이다.

"주광호 선생, 나는 이미 7년 전 신학을 시작하면서 남은 생명 하나님께 드린 몸입니다. 내게 그런 일이 생긴다면 오히려 할렐루야입니다. 그러니 걱정할 거 없습니다."

그러자 그의 검붉은 얼굴에 솟아있던 핏줄이 꿈틀했다.

"에 참! 씨부랑께."

그리고는 입을 다물고 침대에 벌렁 드러누워 버렸다. 나는 그를 물끄러미 바라보며 말했다.

"아무튼 생각 잘 해보세요. 나는 형제들과 통독할테니 나중에 정리된 생각을 말해 주세요."

그를 내 방에 두고 밖으로 나와 통독실로 들어갔다. 녹음기 소리만 단조롭게 들리던 통독실이 내가 들어가자 갑자기 소란스러워졌다.

성경책에 코를 박고 달게 자던 간구 형제가 후다닥 일어나 시치미 뚝 떼고 열심히 성경책을 보는 척했다. 비스듬히 누워 비몽사몽 하던 길호 형제도 멍하니 뜬 눈 그대로 부스럭거리며 자세를 바로 했다. 다른 형제들도 팔베개하고 자다가 일어난 모양인지 온 얼굴에 얼룩덜룩한 자국이 나 있었다.

모른 척하고 내 자리에 앉았다. 그래도 저 뒤쪽에 벌렁 드러누워 자고 있던 무디 형제는 일어날 생각을 안 했다. 배짱 좋게 드르렁드르렁 코까지 골며 자고 있었다.

"무디 형제! 일어나세요!"

나도 놀랄 정도로 갑자기 큰 소리가 나와버렸다. 무디 형제가 드르렁거리던 소리를 순간 멈칫하며 일어나 앉아 성경책을 심드렁하니 들여다보았다.

"쾅!!"

그때 내 방문이 세차게 닫히는 소리가 들려왔다. 광호 선생이 홧김에 어디로 나가는 모양이다.

나는 몹시 불안했다. 처음으로 북한 사람과 부딪쳐서 그런지 여러 생각이 머릿속을 스쳤다. 혹시 홧김에 공안에 가서 신고하면 어쩌나, 어디로 멀리 영 가버리는 건 아닌가, 아무 사람이나 붙잡고 마구 패다가 공안에 붙잡히지나 않을까 등등 걱정스런 생각에 녹음기 소리가 귀에 들어오지 않았다.

한나절 가량 밖에 나가 있던 광호 선생이 다시 들어온 것은 저녁 무렵이었다. 그는 들어오던 길로 곧장 내 방으로 들어갔다. 내가 따라 들어가자 그는 자기 앞만 바라보며 담담하게 말했다.

"선교사님 하고 일하고 싶습다. 앞으로 지켜봐 주십쇼…."

그는 몸을 앞으로 약간 수그리고 생각에 잠기더니 흠흠 헛기침을 했다.

북한 사람들은 이상하게 작은 것을 등한히 여겼다. 돈도 잔돈 같은 건 일일이 계산하는 걸 좋아하지 않았고, 오히려 잔돈까지 정확하게 계산하면 쩨쩨한 사람이라 여겼다. 광호 선생이 반찬거리를 사고 남은 돈을 내게 주지 않은 것도 그런 의미였다는 걸 나중에야 알았다.

"선교사님, 선교사님은 압까?"

한동안 말이 없던 광호 선생이 다시 말을 꺼냈다. 하지만 그의 어투에는 포근함이 은근히 깃들어 있었다.

"북조선 사람들이 지금 얼마나 힘들게 사는지, 배고픔이 뭔지 압까?"

"내가 군에서 제대해 집으로 가면서 제일 먼저 본 게 어떤 건지 압까? 기차역에 검둥인지 흙덩인지 모를 어린아이들이 한데 흙무지처럼 쌓여 자구 있었습다."

그는 고개를 떨구고 한동안 말을 잇지 못했다.

"글구 어른 아이 할 것 없이 먹을 것을 찾아 사방으로 헤매고 다니구, 그러다가 맥이 진하문, 길에서, 기차 칸에서 그대루 스르르 죽어버리구… 여인들은 식량 구하러 간 남편 기다리다가 집에서 아이들 다 굶겨 죽이구, 남편 찾으러 정처없이 나가버리구… 군인들은 혼자 사는 노인들 집으로 대낮에 쳐들어가 식량을 약탈해서는 술과 담배로 바꿔버리구, 힘센 청년들은 길거리에서 자기보다 조금이라도 약해보이는 사람이 있으면 무조건 강탈하구… 노인들은 길가에 버려지구, 역 안에서 매일 굶어서 또 얼어 죽은 몇 십

명의 아이들은 죽은 개처럼 트럭에 실려 땅에 대수_{대충} 판 구덩이에 묻혀버리구… 어떤 애는 눈 뻔히 뜨구 엄마가 굶어 죽어가는 모습을 지켜보다가 미쳐버려 안전부_{사회안전부, 현 인민보안성, 우리의 경찰서에 해당함}로 달려 들어가 행패를 부리다 얻어터지고, 허리가 부러져 결국 며칠 못 가 죽어버리구… 개새끼 같은 당 간부들하구 안전원 새끼들은 공공연하게 국가 물자를 훔쳐서는 배 두드리면서 살구, 그러면서도 강냉이 몇 이삭을 훔친 사람들은 인민의 이름으로 총살해 버리구…"

여기까지 말하고는 입을 꾹 다물어버렸다. 고개를 숙이고 있는 그의 눈에 눈물이 그렁그렁 고여 있다는 걸 알 수 있었다.

"그래서 많은 사람들이 죽기 아니문 살기다 하구 탈북을 했지만, 여자들은 돈 몇 푼에 사람 같지도 않은 중국 농사꾼 놈들에게 팔려 다니구, 남자들은 일년 내내 죽도록 일해도 돈 달라구 말했다구 죽을 지경으로 얻어맞구 공안에 쫓겨 도망쳐야 되구, 엄마하고 딸이 같이 기차 타구 가다가 눈앞에서 딸이 신분증 조사에 걸려 경찰에 끌려가 다시 북송되는데도 아는 척도 하지 못하구 멀뚱히 보기만 해야 되구… 에 X할, X 같네!"

그는 말을 끊고 한참을 그대로 앉아 있었다.

"돼먹지 않은 선교사들은 웃는 얼굴로 불쌍한 북한 사람들을 이용만 해먹구… 그래두 매달릴 데는 선교사들 아니문 어디두 없지. 에 씨, 난 그래서 선교사들을 얼마나 싫어했는지 암까?"

코를 훌쩍거리더니 더 말할 생각이 없는지 입을 다물어 버렸다.

"근데 내가 선교사님 하는 거 가만히 보니까 다른 선교사하구 좀 다른 것 같습데다. 다른 사람들 같으문 돈이나 몇 푼 주고 '니들끼리 알아서 살아라.' 하구 자기는 우리도 잘 모르는 좋은 아파트에서 살던데, 선교사님은 우리까 같이 살구, 같이 똑같은 음식을 먹구, 그래서 하는 말인데 잘 할 겁니다. 앞으로 두구 보시오!"

그는 이 말까지 힘들게 하고 일어나 문을 열고 나갔다.

내가 살면서 처음 듣는 얘기들뿐이었다. 나는 그냥 얼빠진 사람처럼 가만히 앉아 있다가 그대로 눈을 감았다.

'주님, 이곳이 땅 끝입니까? 땅 끝까지 가라는 주님의 말씀에 순종하겠습니다. 이들을 끝까지 사랑하고 보듬을 수 있는 주님의 마음을 주십시오.'

부엌에서는 달그락달그락 그릇 씻는 소리가 들리고, 학생들의 방에서는 이야기판이 벌어졌는지 왁자지껄 소란스러웠다.

광호 선생은 이 일이 있은 후부터 달라졌다. 모든 일에 협조적이 되었고, 내가 말하지 않은 것까지도 알아서 도와주었다.

사역비가 떨어지다

조용한 방안에 녹음기에서 나오는 속독사의 성경 읽는 소리만 단조롭게 들린다. 그래도 요즘은 모두들 제법 알아듣는다. 처음에는 저게 뭔 외국어인가 하고 눈을 동그랗게 뜨고 녹음기만 바라보던 이들이 이제는 귀로 들으면서 눈으로는 열심히 성경 구절을 좇는다.

그런데 웬일인지 오늘따라 다들 산만했다. 무디 형제는 벌써부터 게슴츠레해진 눈을 하고 열심히 딴 생각에 잠겨 있다. 그를 지적하고 싶었지만 성경 구절을 좇아가느라 정신을 집중하는 다른 형제들에게 방해가 될까봐 아까부터 참고 있었다. 아니나 다를까 무디 형제가 고개를 끄떡거리기 시작했다. 그러자 뒤이어 기철 형제의 머리도 기다렸다는 듯이 끄떡거렸다.

"딱! 딱!"

두 손바닥에 힘을 주어 손뼉을 쳤다. 끄떡거리던 머리 둘이 후다닥 원 위치로 돌아갔다.

저쪽 구석에 앉아 있는 익두 형제를 보니 꼼짝없이 앉아있기는 잘했다. 그러나 통독하는 걸 보니 그도 영 아니다. 녹음기에서 나오는 소리에는 전혀 개의치 않고, 책장을 팍팍 넘기면서 뭔가를 열심히 보고 있다. 그래도 그림은 재미있는지 성경책에 간간이 나오는 삽화들을 보느라 정신이 없었다.

기철 형제가 멍한 눈빛으로 창 밖을 보고 있었다. 그러는 그의 행동이 몹시 눈에 거슬렸다. 한참을 그렇게 앉아 있던 그는 슬며시 일어나 화장실로 가버렸다. 화장실은 지겨우면 도망가는 대피소가 돼버렸다.

오전 통독 시간이 끝나고 점심 휴식 시간이 되자 다들 밥을 먹기 바쁘게 침실로 들어갔다. 드르렁드르렁 코를 골며 자다가 오후 통독 시간이 되어서야 간신히 일어났다.

사실 이들에게 사역장의 규칙과 일과는 너무도 힘든 것이다. 술과 담배를 유일한 낙으로 알고 살던 사람들에게 갑자기 다 끊으라고 하는 것은 어찌 보면 가혹한 것이다. 또한 여기저기 떠돌아다니던 사람들에게 한자리에 꼼짝없이 앉아서 하루 8시간씩 성경책을 읽으라는 것도 고문이나 다름없다. 끊임없이 반발하는 것은 너무도 당연했다.

나는 담배를 구할 기회를 주지 않으려고 오직 광호 선생과 조선족 길호 형제만 시장을 보게 했다. 술은 몰라도 담배는 갑자기 피울 수 없게 되면 매우 고통스럽다. 그 고통을 참다못해 몇몇 형제들은 나에게 항의도 했다.

"선생, 아 씨, 성경 어디에 담배 피우문 안 된다는 구절이 있슴까? 담배 피우게 해주시오!"

어떤 형제는 밤에 다른 형제들 몰래 내 방으로 찾아와 애걸하기도 했다.

"선상님, 아 아, 아니, 선교사님, 담배 한 대만 딱 피우게 해주시오. 정말 한이 없을 것 같수. 안 그럼 나 이거 담배 땜에 여기 더 있을 것 같지 못하우."

어떤 형제는 몇 번씩 사역장을 나가겠다고 난리를 피우기도 했다. 이들이 정말 가버리면 어쩌나 걱정도 되었지만, 나는 미련하다 싶을 정도로 계속 주님만 바라보며 나갔다.

사역을 시작하고서 주님께 감사한 것이 너무도 많았다. 중국으로 오면서 내가 가지고 온 돈은 비행기 티켓을 끊고 남은 40,000원이 전부였다. 신학생 신분으로 선교하러 들어오니 후원받을 마땅한 교회나 단체가 없었다. 아내와 4명의 자녀, 연로하신 어머니는 주님께 맡기고 왔다. 모든 것을 주님께 맡겨버렸다.

졸업준비위원장 구창안 전도사와 함께 총신대 김의환 총장님께 인사드리러 갔을 때였다. 총장님께서 물으셨다.

"후원금은 확보되었습니까?"

"아니오, 하나님만 믿고 갑니다. 비행기 표밖에 준비된 것이 없습니다."

미국에서 사셨던 총장님은 이해가 안 되시는지 다시 다그쳐 물으셨다.

"가족들 생계는 어떻게 합니까?"

"하나님께 맡기고 갑니다."

나는 이 말밖에 할 수 없었다. 집에는 쌀 한 포와 30,000원밖에 남겨두지 못했지만 조금도 불안하지 않았다.

"가족을 돌보지 않는 자는 악한 자라는 성경 말씀을 자네 아나?"

총장님은 오랜 미국 생활의 습관으로 '올 스탠바이' 선교를 말씀하셨다.

"총장님, 한국 선교사들은 많이들 말씀만 붙잡고 주님이 하신다는 믿음으로 갑니다. 예수님도 제자들을 파송하시면서 '너는 금이나 은이나 동이나 가지지 말고 오직 내가 주는 권능만 가지고 가라' 마 10:1, 9고 말씀하셨는데, 저는 이 말씀을 의지하고 갑니다."

여기까지 말씀드리고 마음속으로 '신구약 어디를 살펴보아도 돈 5,000만 원, 1억 준비해서 선교지로 떠나란 말씀은 없습니다. 오직 주 권세, 주 권능만 가지고 가라는 말씀을 붙잡고 갑니다.' 라고 중얼거렸다.

총장님은 내 말을 들으시고는 그 자리에서 작은 기도 모임을 가진 후 우리 가족에게 매달 20만 원씩 보내주기로 약속하셨다.

다음날 중국으로 떠나오면서 가진 돈 다 드리겠다고 기도하는데 하나님께 참으로 죄송했다. 과거에 그 많던 돈, 세상에서 먹고 마시며 즐기는 데 다 쓰고, 이제 하나님께 드릴 돈이 겨우 40,000원밖에 없다니. 그래서 다시 기도하며 하나님께 고백했다.

"하나님, 제 생명도 드리겠습니다."

며칠이 되지 않아, 단기 선교 때 공급받은 한 달 생활비가 다 떨어져버렸다. 망망대해에 홀로 있는 것같이 외롭고 답답한 마음에, 마지막 남은 차비만 가지고 장춘長春으로 박베드로 선교사를 찾아갔다.

"지금 사역비가 떨어졌습니다. 한 달 식사비 1,500元(위안)은 중국 화폐 단위. 1,500元은 우리 돈 약 20만 원 정도만 해결해 주실 수 없습니까?"

하지만 선교사님은 일언지하에 거절하셨다.

"나한테 돈 달라는 이야기는 하지 말아주세요. 선교사님도 아시다시피 나는 가진 돈도 없고, 또 나를 포함해 누구든지 사람 바라보지 말고 직접 하나님께 기도하고 해결 받으세요."

나는 터덜터덜 사역장으로 돌아와 침대에 푹 쓰러졌다. 가뜩이나 학생들 때문에 힘든데 따뜻한 말은 못해줄망정 이렇듯 매정하게 나오니 외롭고 서러워 하염없이 눈물이 흘렀다. 이 넓은 중국 땅에 내가 의지할 사람은 아무도 없었다. 오직 주님만이 내 마음을 아실 뿐이었다.

"주님…"

나는 침대에 엎드려 엉엉 소리 내어 울었다. 울면서 그저 모든 것이 감사하다고 했다가, 너무 힘들다고 했다가, 시간이 가는 줄도 모르고 울고 또 울었다. 그러다 정신을 차려보니 어느새 밖이 환해져 있었다. 이제 조금 있으면 형제들을 깨우고 다시 일과를 시작해야 했다.

금식합시다!

오전 통독 시간이 끝나고 점심 시간이 되었다.

"야! 야! 임마, 좀 천천히 먹어! 먹다 죽은 귀신 붙었니?"

"아이! 형님은 자기 몫이나 다 먹구 남 말 하쇼."

"이 새끼는 먹을 때만 왜 이케 열심이야? 에이~"

사역장에서 제일 즐거운 시간이 식사 시간이었다. 형제들은 아무리 언짢은 일이 생겨도 밥 먹을 때만큼은 언제나 즐거웠다.

"하~아! 내가 이거 성경 통독이 아무리 힘들어두 이 눔의 이밥횐 쌀밥 때문에 참는다이. 헤헤."

밥 먹을 때마다 무디 형제가 입버릇처럼 하는 말이었다. 형제들의 북한 말을 재미있게 들으며 조용히 밥을 먹는 내게 무디 형제가 불쑥 말을 걸었다.

"선상님! 아니 아니, 선교사님이라구 불러야 하지? 선교사님, 선교사는 뭘 하는 사람이오?"

갑자기 나는 대답이 궁해졌다. 아무것도 모르는 그에게 뭐라고 설명해야 좋을지 얼른 생각이 나지 않았다.

"그게요… 에…"

말이 미처 끝나기도 전에 그가 내 말을 낚아챘다.

"기양 이렇게 사람들을 붙들어 매 놓구 통독이란 거이 시키는 사람이오? 야~ 난 이 통독이라는 거이 왜 이케 힘든지 몰겠슴다. 녹음기에서 나오는 소리가 통 무슨 소린지 들리지 않는단 말이여."

무디 형제는 순한 눈을 잔뜩 크게 뜨고 미안한 듯 나를 바라보았다.

"아 예, 들리지 않아도 그냥 들으면 들릴 때가 있어요. 낙심하지 말고 열심히 들어보세요."

"근데 선상님, 아 아니, 선교사님, 선교사님은… 거이, 거 미국 놈들 봤시여?"

"아 예, 봤습니다."

"야~ 그놈들이 어케 생겼습데까? 우리 선교사님이 미국 놈들을 봤시여잉?"

"선상님, 아 아니, 선교사님, 선교사님은 아우? 우리 북조선이 미국 놈들까 거 뭐야, 전쟁을 한다잖슴까? 그러문 있잽니까, 우리나라가 거이 미국 놈들 단숨에 해 제낄 껌다. 이거를 암까?"

그는 마치 성스러운 낭독을 하듯이 진지하게 말했다. 나는 아까부터 속에서 웃음이 나오는 걸 겨우 참으며 대답했다.

"아 예, 압니다. 압니다."

무디 형제가 얼굴을 활짝 펴더니 형제들을 둘러보며 자랑스럽게 말했다.

"야, 야, 임마들아, 거보라이 내가 뭐랬나야? 선상님이 말이야. 아니. 아니지, 선교사님이. 아 이거 왜 자꾸 이케 삭깔려햇갈려? 응! 응! 이거 안다 그랬지 않구 머이가?"

갑자기 형제들의 눈이 나에게 집중되었다. '정말이에요?' 하는 눈빛들 앞에서 나는 빙긋이 웃으며 고개를 끄덕거려 주었다.

"선교사님, 근데 거 미국 놈 새끼들은 왜 우리 북조선을 그렇게 못살게 굼까? 왜 자꾸 우리끼리 조용히 살게 내버려 두지 않구 자꾸만 경제 봉쇄두 하구 무기두 보내구 해서 우리나라를 이케 못살게 함까?"

"거 미국 놈들이 미국에 있던 인디언들의 머리 가죽을 몽땅 벗겨서 팔아 가지구 지금 저렇게 잘 산다던데 정말임까?"

질문들이 끝도 없이 쏟아졌다. 질문을 들어보니 이 형제들에게는 내가 정말 필요하다는 것이 새삼 느껴졌다.

저녁 통독을 마치고 기도가 끝나자 사역장의 분위기가 활짝 밝아졌다.

"에~ 살았다. 1분만 더 늦게 끝나문 나 죽는 줄 알았을끼다!"

온 몸이 찢어져라 기지개를 켜던 무디 형제가 탄성을 지른다. 다른 형제들도 일어나 줄레줄레 침실로 가려던 참이었다. 나는 무거운 마음으로 형제들에게 선포했다.

"이제부터 3일 동안 금식합시다!"

내 말이 떨어지자 순간 사역장의 분위기가 확 굳어졌다. 나가려고 방문 손잡이를 잡았던 칼빈 형제는 눈을 둥그렇게 뜨고 나를 보았다. 권능 형제는 반쯤 일어나다 말고 엉거주춤한 자세로 얼굴을 찌푸리며 나를 보았다.

"어?! 선상님, 쌀이 떨어졌시여?"

"돈이 떨어진 거 아입니까?"

"정말?"

"진짜??"

"선상님???"

사방에서 질문이 터졌다.

"아이, 선상님, 지금 무순 말을 함까? 아! 선상님이 한번 우리 처지에서 생각해 보셔. 우리가 여기 왜 왔는지 암까? 어떡하문 배곯지 않구 살까 하구 이 먼 데까지 와서 개 고상_{고생}하는데, 지금 우리 보구 밥을 먹지 말자는 겜까? 것두 하루두 아니구 3일씩이나 먹지 말라는 겜까?"

무디 형제 말이 끝나기 무섭게 선주 형제도 욱하고 한마디 했다.

"에 씨, 생전 들어두 못 보구 보지두 못했던 성경이라는 책만 죽자 하구 읽히더니 이제 와서는 밥두 먹지 말라는 검까? 말이 됨까?"

익두 형제도 옆에서 신경질적으로 한마디 거들었다.

"아 씨! 선상님은 한국 사람 아임까? 한국에 전화라두 한번 해보쇼! 그래도 정 안 된다문 어쩌겠슴까? 한번 해 볼 수밖에. 근데 이게 뭡까 전화두 안 해보구."

형제들의 떠들어대는 소리로 사역장이 떠나갈 지경이었다. 순교 전도사와 천 전도사는 얼굴이 하얗게 질려 형제들을 바라보았다.

힘들었다. 애초에 이해하기를 바라지도 않았지만 생각보다 반발이 심했다. 나는 무거운 마음으로 입을 열었다.

"나는 하나님의 종이에요. 하나님의 일을 감당하는 사람이기 때문에, 사람에게 돈 달라고 구하지 않아도 하나님 앞에 기도하면 하나님께서 반드시 양식을 주신다고 생각해요. 또 내가 전도사 신분이기 때문에 한국에 전화해도 돈을 보내줄 사람이 없어요. 설령 돈을 보내줄 사람이 있다 해도 나는 사람에게 부탁하지 않고 하나님 앞에 기도하면서 공급받을 거예요."

내 말이 채 끝나기도 전에 익두 형제가 와와 고함을 지르기 시작했다.

"에~X같이. 난 안 해. 이 따위 사역장인지 뭔지 여기서 안 살아. 나 갈래!"

그리고는 통독실 방문을 쾅 닫고 나가버렸다. 몹시 화가 나는지 밖에 나가서도 고래고래 소리를 질러댔다.

북한 사람들은 굶는 것을 제일 싫어한다. 북한에서부터 이 먼 곳까지 목숨 걸고 도망온 것은 오로지 굶지 않기 위해서다. 배고픔 때문에 가족과 헤어졌고, 눈에 넣어도 아프지 않을 자식들을 잃어야 했다. 이들의 고통은 '배고픔'이라는 한마디에 모두 들어 있다.

이들이 사역장에 들어온 이유도 마찬가지로 그 '배고픔' 때문이었다. 그 끊기 힘든 술, 담배도 용케 참으며 하루하루 버텨내고 있는 이들로서는 너무도 당연한 항의였다. 하지만 나도 어쩔 수가 없었다. 지금 주님이 사역장의 상황을 금식으로 몰아가시는데 난들 어쩌겠는가.

"쳇! 나두 갈래여 이 따위론 못 살아여. 아, 이거 뭐이여? 술두 못 먹게 하지, 담배두 못 피게 하지, 이제는 밥두 못 먹게 하니까니, 나 어떻게 살아여? 나두 가여 가여!"

무디 형제도 화를 내면서 통독실을 나가버렸다. 이들은 하나님이 공급하신다는 걸 전혀 믿으려고 들지 않았다.

권능 형제는 겁먹은 얼굴로 조용히 나에게 와서 물었다.

"저… 선생님 3일을 아무 것두 안 먹으면 죽진 않슴까? 살긴 삼까?"

"권능 형제는 북한에서 살 때 굶어보지 못했나 보죠?"

내가 웃으며 물었다.

"아 아니, 굶어는 썩어지게 많이 굶어봤지만, 아무것도 못 먹으면서 연속 3일을 그것두 깨끗하게 굶어본 적은 없슴다. 북한에서는 3일을 굶으면 죽슴다. 편편한 사람들두 힘들어 죽는데 3일을 굶은 사람이 어떻게 삼까?"

"권능 형제, 마음 놓으세요. 3일이 아니라 40일을 굶어도 금식 기도는 사람이 죽는 법이 없어요. 금식이 끝나면 오히려 더 건강해져요."

이렇게 말해도 그는 영 믿지 못하겠는지 어깨가 처져 조용히 방을 나갔다.

나는 이 사람들이 줄줄이 떠나갈까봐 몹시 불안했다. 그러나 다음날 아침 한 사람도 떠나지 않았다. 어제 그렇게 요란하게 화를 내던 사람답지 않게 모든 것을 체념하고 말없이 일과에 순응하며 금식을 시작했다. 그런 형제들을 보니 마음이 더 아팠다. 차라리 어제처럼 소리소리 지르면서 반항이라도 하면 내 마음이 더 편할 것 같았다.

금식을 한 지 3일째 되던 날, 길림吉林시 강밀봉江密峰 서광교회 총總집사님이 아들 친구인 강길호 형제를 만나기 위해 우리 사역장에 오셨다. 금식 중이던 우리는 그분과 이런 저런 이야기를 하다가 점심 시간이 되자 식사 대신 기도 모임을 가졌다. 자연히 집사님도 함께 기도 모임을 하시다가 우리가 돈이 없어 3일째 금식하고 있다는 걸 알게 되셨다. 집사님은 눈물을 뚝뚝 흘리며 말씀하셨다.

"에 씨! 세상에! 지금 어떤 세상인데 쌀이 없어서, 그것두 북한 선교 현장에서 굶다니. 내 목에 숨이 남아있는 한 여러분들 굶지 않도록 양식을 공급할 테니 앞으로는 걱정하지들 마오."

이렇게 약속한 후 우리가 길림吉林에 있을 동안 양식은 집사님께서 다 공급해 주셨다.

"오! 우리가 기도하니까 하나님이 들어주긴 들어주네. 선상님! 이게 응답이라는 거 아임까?"

"야~ 하나님이란 게 진짜 있긴 있는 모양이다야. 시간이 되니 딱 들어준다야!"

형제들은 기쁨에 겨워 껑충껑충 뛰었다. 다른 때 같으면 우연이라고밖에 생각하지 않았을 형제들이 이번 일은 오로지 기도의 응답이라고 믿는 모습이 놀라웠다. 주님께서 이번 금식 기간에 하신 일이었다.

그러나 금식이 끝난 후, 사역장의 이 구석 저 구석에 누군가 몰래 음식을 숨겨놓는 것을 자주 볼 수 있었다. 그것을 볼 때마다 가슴이 아팠다.

며칠 전, 간구 형제가 광호 선생과 심하게 다투고 사역장을 떠났다. 마음이 아팠지만 북한 사람들끼리의 문제라 어떻게 할 도리가 없었다. 어디로 갈 거냐고 물으니 갈 데도 없다고 한다.

오늘은 또 기철 형제가 북한에 가족들을 데리러 가겠다고 하면서 사역장을 떠났다. 가족들을 데리고 중국 어디에서 살든지 주님을 영접할 수 있었으면 싶지만 왠지 불안해 보였다. 북한으로 떠나는 그의 앞길을 지켜주시도록 주님께 눈물로 기도했다.

우리 북조선에는 이케 말하는 법이 없시여!

"거이 선상님! 내까 한번 배 싸움 해봅시다여!"

"맞다! 맞다! 해 봐라 멋있겠다!"

"히~야! 죽인다!"

이어서 거실에서, 무디 형제와 나는 있는 힘을 다해 상대방의 배를 쳐냈다. 내가 키도 더 크고 몸무게도 더 나가선지 부딪칠 때마다 그는 저만큼씩 튕겨 나갔다. 그러면 "아~압 아~압" 하면서 온 얼굴이 터질 정도로 기합을 주고 다시 덤벼들곤 하였다. 자꾸만 튕겨 나가자 약이 오르는지 급기야는 내 허벅지를 붙들고 예고도 없이 씨름으로 넘어갔다.

"아~아~아~읍!"

소리를 지르면 힘이 더 잘 나는지 그는 소리소리 질렀다. 형제들은 재미있다고 발을 동동 굴러대면서 신나게 응원했다.

나는 이 순박한 무디 형제가 좋았다. 어수룩해 보이면서도 재미있는 이 형제를 다른 형제들도 다 좋아했다. 그는 맹랑한 소리도 잘했다.

"선상님? 우리 집에 한 주일만 놀러 가지 않을라우?"

"아니, 내가 가면 북한 보위부가 잡지 않아요?"

"에이, 괜찮아요. 까짓 거 내가 다 알아서 처리할 수 있시여."

그는 북한이 미국과 전쟁하면 이긴다는 말을 할 때처럼 진지하게 말했다.

"밥도 얻어먹지 못해 도망쳐 온 주제에 뭐 선상님까지 책임진다구? 말두안 되는 소리 하지도 마오!"

옆에서 듣던 칼빈 형제가 콧방귀를 뀌었다.

"야 이 쪼꼬만 새끼가 모르문 가만 있어라! 썩어지기 전에!"

"일없시여 선상님. 나만 믿으셔. 그럼 다 됩다."

믿을 수가 없었다. 이제부터는 그의 말을 가려서 들어야겠다고 생각했다.

북한 형제들은, 살아온 환경이 원체 열악하다보니 쓰는 말도 난폭한 말투

성이었다. 냉면을 먹고 조금 남으면, '다같이 냉면을 타도하자.'고 할 정도
로 전투적 언어가 일상화되어 있었고, 상대를 비하하는 야비한 언사도 서슴
지 않았다. 장차 북한 복음화를 책임져 나갈 선교사가 될 사람들인데 이래
서는 곤란했다.

사람이 어떤 심성을 가졌느냐에 따라 하는 말이 달라지기도 하지만, 반대
로 어떤 말을 쓰는가에 따라 심성이 달라지기도 한다. 그러니 이들에게 아
무리 성경을 많이 읽혀도 이들이 거친 말을 버리지 않는다면 내면에서부터
의 진정한 변화는 불가능할 것이다. 나는 진정으로 이들을 변화시키려면 먼
저 말부터 바꾸어야겠다고 생각했다.

그러나 습관은 제2의 천성이라지 않는가. 어릴 적부터 몸에 밴 말을 하루
아침에 바꾼다는 것은 사실 쉽지 않은 일이다. 범 무서워 산에 못 가랴. 나는
곁에 계신 주님을 의식하면서 이 일 또한 강하게 밀고 가기로 작정했다.

저녁 통독이 끝나고 형제들에게 엄숙하게 지시를 내렸다.

"오늘부터 서로서로 말을 고치세요!"

모두들 의아한 눈길로 나를 바라보았다.

"오늘부터 말할 때 전도사님들처럼 나이 어린 사람에게도 존댓말로 하세
요. 만약 서로 존댓말을 쓰지 않고 옛날식으로 이야기하다가 나한테 걸리면
식사 당번을 시킬 거예요! 그리고 반드시 '형님' 대신 반드시 '형제님'이라
고 하세요."

그 자리에서 무디 형제에게 시범으로 사역장에서 제일 어린 권능 형제에
게 존댓말로 한마디 하게 했다. 그러자 무디 형제의 얼굴이 하얗게 변했다.

"아? 거, 선상! 우리 북조선에는 이케 말하는 법이 없시여. 아? 어케 아들
보다 좀 큰 새끼 보고 '형제님' 하고, 또 아들 같은 놈이 나 보고 '형제님' 함
까? 하, 이거 어케 들어 줌까? 못합다, 못해. 이것만은 썩어져두 못함다!"

완강하게 거부하는 그를 두고 다른 형제들부터 차례로 하게 했다. 그리고
맨 나중에 다시 시키니 그는 하기 싫어 발버둥을 치다 마지못해 건성으로
했다.

"어이! 권능 형제님."

그리고는 얼굴이 빨개져 다른 방으로 도망쳐 버렸다.

여태껏 뒤에서 알게 모르게 나를 많이 도와주던 광호 선생도 이 일만은 도무지 내키지 않는 모양이었다.

"선교사님, 꼭 이렇게까지 해야 함까? 나는 리해가 안 된다. 북조선 어디에두 이렇게 말하는 데는 없슴다! 이 문제만은 좀 고려해 주십쇼. 우리가 뭐 남조선 사람들임까?"

어떻게 하면 광호 선생을 이해시킬 수 있을까 골똘히 생각하다가 로마 제국이 어떻게 기독교 국가가 되었는지 이야기해 주었다.

"로마가 어떻게 기독교 국가가 됐는지 아세요, 광호 선생? 세월이 지나면서 로마가 심하게 타락했는데, 특히 성적 타락이 아주 심각했어요. 같은 로마 사람 중에서는 귀족들이 며느리 삼고 싶은 여자가 없을 정도였어요. 그래서 순수한 여자를 찾다 찾다보니 기독교인이 있는데, 기독교인은 예수 안 믿는 이방 사람하고 결혼하려고 안 하잖아요? 그래서 로마 귀족들이 기독교인 여자들을 몰래 보쌈을 해가서 며느리로 삼았어요. 이 여자들이 로마 귀족의 아이를 낳고 기도와 신앙으로 키우다보니 로마 정부 안에 기독교인이 점점 많아지기 시작한 거예요. 이렇게 해서 로마가 기독교 국가가 됐지, 하루 아침에 하늘에서 뚝 떨어져 된 게 아니에요."

그는 내 말을 귀담아 들었다.

"마찬가지로 우리도 눈에 띄지 않는 거지만 작은 것부터 이렇게 충실히 변화시켜 가면, 언젠가 저들도 주님을 믿고 따르는 아름다운 인격의 소유자가 될 거예요. 저들의 모습을 통해 다른 사람들도 조금씩 변화될 거고… 변화는 하루 아침에 기적처럼 안 와요. 우리 집에 애가 네 명이라서 내가 잘 아는데, 애들은 계속 귀찮게 잔소리 하고, 가끔씩 매도 들고 그래야 바뀌더라고요. 변화되고 성장하려면 우리도 반드시 이런 과정을 거쳐야 된다고 생각해요."

내 말을 다 듣고 그는 웃으며 말했다.

"이렇게 주도 면밀하게 사역을 진행하니 저두 신나구 믿음이 감다."

다음날부터 사역장이 쥐 죽은 듯 조용해졌다. 형제들은 내 앞에서 말하는 것을 극도로 꺼리며 눈치로 서로 의사를 주고 받았다. 꼭 말로 표현해야 할 때는 내가 없는 곳으로 상대방을 끌고 가서 말했다.

그러나 나는 개의치 않고 기도 시간의 대부분을 이 문제로 보내면서 형제들에게 변화가 일어날 때까지 꾸준히 밀고 나갔다. 다른 방에 가서 얘기하는 형제들을 데리고 나와 내 앞에서 다시 말하게 하고, 일부러 많은 말을 시켜 경어 사용을 연습시켰다. 그리고 예전 방식대로 말하다가 걸리면 그 자리에서 수정, 반복하게 하고, 꼬박꼬박 식사 당번을 시켰다.

사역장에서 무디 형제가 나이가 제일 많다보니 그에게는 오로지 나이 어린 형제들에게 존댓말을 쓸 일밖에 없었다. 그래서인지 사역장 안에서 기를 쓰고 나를 피해 다녔다. 그러나 나도 그런 무디 형제를 기를 쓰고 쫓아다니며 계속해서 반복시키고 못하면 벌을 주었다. 그는 쫓기다 못해 지쳐서 어린아이처럼 엉엉 울면서 말했다.

"선교사님! 난 못해여! 못해여! 안 해! 안 해! 아이고 하나님, 저 선교사님 좀 말려 주십쇼 아이고."

나는 인정사정 봐주지 않았다. 나에게는 그가 소중했기 때문에 반드시 변화시켜야만 했다.

"무디 형제, 아까 했던 말 다시 제대로 해보세요."

칼빈 형제와 신나게 이야기하는 그에게 내가 찬물을 끼얹었다.

"못해여! 못해여! 안 해! 안 해! 아 제기랄, 이거야 살 수가 있나 원!"

도망치듯 뛰쳐나가는 그를 쫓아가서 붙잡아왔다.

"다시 처음부터 말해보세요."

내가 끝장을 보겠다는 태도로 나오자 보기도 싫은지 그는 곰처럼 쭈그리고 앉아서 꾸르륵꾸르륵 숨만 내쉬었다.

"무디 형제, 하라면 하지 뭘…."

아까부터 지켜보고 있던 광호 선생의 목소리에 은근히 위협기가 섞여 있었다. 무디 형제는 기어들어가는 소리로 겨우 말했다.

"칼빈… 형…(제)."

그리고는 어색해서 얼굴이 빨개지는 그에게 내가 자르듯이 말했다.

"내일 식사 당번 하세요! 무디 형제."

이렇게 해서 식사 당번을 한 사람이 많았다. 그러나 형제들은 말 고치기를 죽기보다 더 싫어했다. 할 수 없이 새벽 기도 때마다 10분씩 서로에게 ○○ 형제라고 말하는 연습을 시키고 저녁에도 반복해서 연습을 시켰다.

이렇게 한 달 가량 숨 쉴 틈도 없이 밀고 나가며 숨이 턱에 닿도록 실랑이를 벌였다. 형제들이 미쳤다고 할 정도로 나는 말버릇 고치는 데 집착했다. 그러나 형제들도 점차 존댓말에 익숙해지기 시작하면서 마지막에는 거친 말을 쓰는 사람을 슬금슬금 피하기까지 하였다.

첫 이사와 한 가지 사건

가끔씩 학생들과 외출을 나갈 때면, 왁자지껄 신나게 다니는 우리 일행을 누가 신고나 하지 않을까 몹시 신경이 쓰였다. 목욕갈 때나 함께 외출할 때 혹시라도 신분이 노출될까 늘 조마조마한 마음으로 다녔다.

통독할 때도 밖에서 공안 차의 사이렌 소리가 들리면 우리 사역장으로 오는 차가 아니라는 걸 뻔히 알면서도, 어떤 형제들은 넌지시 창문을 한 번씩 내다보았다. 다른 형제들도 두려워하는 기색을 감추지 못하며 한동안 통독에서 정신을 빼앗기곤 하였다.

게다가 요즘은 공안들이 3개월에 한 번씩 주기적으로 실시하는 호구 조사 기간이었다. 중국 공안들의 호구 조사는 아주 철저해서 숨어 있던 범죄자들이 이 기간에 많이 체포되었다. 이 기간은 북한 사람들에게도 공포의 기간이었다. 만약 공안들이 우리 사역장에 갑자기 들이닥치면 신분증도 없고 중국말도 모르는 우리 형제들은 그 자리에서 모두 끝장나 버린다. 그래서 형제들은 다른 때보다 더욱 불안해 했다.

밖에 나갔던 조선족 길호 형제가 들어오면서, 어제 우리 아파트 앞 동까지 집집마다 공안들이 돌다갔다는 소식을 가져왔다. 형제들의 얼굴이 갑자기 어두워졌다.

나는 좀더 안전한 지역으로 빨리 이사가야겠다고 생각했다. 그런데 문제는 지금 당장 떠난다 해도 집을 장만할 돈이 없었다. 그래서 C시 한인교회 부교역자로 계시던 박주안 선교사에게 상의드렸더니 첫마디에 오케이 하면서 교회에 미션 홈이 있는데 목사님께 상의하여 쓸 수 있게 해보겠다고 하셨다. 생각보다 너무 쉽게 집 문제가 해결되어 몹시 기쁘고 감사했다.

C시로 이사를 가는 게 어떻겠냐고 하니 형제들은 너나 없이 환호성을 질러댔다. 그동안은 중국어를 모르는 형제들의 안전 때문에 개인적으로 절대 바깥 출입을 못하게 했었다. 한 달 반 가까이 집 안에만 틀어박혀 있다가 어디론가 떠난다는 말에 모두들 신이 나 들썩거렸다.

이때부터 우리는 대략 3개월마다 한 번씩 이사를 다녔다. 상황이 급할 때는 이사를 결정하고 1시간 안에 움직일 때도 있었다. 그때는 사용하던 일체의 가재도구는 그대로 두고 각자의 성경책만 들고 이사를 갔다. 그리고 다른 지역으로 가서 새로 집을 계약하고 가재도구들도 다시 장만해야 했다.

박주안 선교사에게 연락이 와서 C시로 이사가기만을 손꼽아 기다리고 있을 때, 위험한 사건이 사역장에 발생했다. 양 형제라는 사람과 그 사람의 친구 방 형제가 광호 선생을 통해 우리 사역장에 새로 오게 되었는데, 얘기해 보니 두 사람이 여러 사실에 대해 자꾸 거짓말을 하고, 또한 그들의 눈빛도 꼭 집어 뭐라 말할 수 없지만 이상할 정도로 예리했다. 북한에서 파견한 보위부 특무가 아닌가 하는 의심마저 들었다. 북한 사람을 잘 알 뿐 아니라, 얼핏 몇 마디만 주고받아도 그가 어떤 일을 하는지 어느 지방 사람인지까지 금방 알아내는 광호 선생이 데리고 온 형제들이니 의심할 여지가 없었지만, 아무래도 꺼림칙했다.

광호 선생에게 나의 이런 느낌을 이야기하고, 이 두 사람을 우리 사역장에

받지 않기로 결정했다. 하지만 사역장까지 데
리고 온 사람을 무턱대고 떠나라고 할 수도 없
는 노릇이고, 또 우리 사역장의 존재와 위치를
알고 있으니 혹시 나쁜 마음을 먹고 신고라도
하면 큰 일이었다. 그래서 두 형제에게는 사람
이 너무 많아 사역장을 분리한다고 하면서 우
리는 급히 길림吉林 사역장을 떠났다. 천 전도사
와 조선족 길호 형제를 두 형제와 함께 남겨두
고 나와 순교 전도사와 나머지 형제들은 각자
성경책만 들고 사역장을 빠져나왔다.

전시 여러민족 인민들에게 드리는
풍 개 편 지

▶ 중국 당국의 탈북 동포 검거를 위한 전단

그런데 우리가 떠난 그날 밤 무슨 이유인지
사역장에서 양 형제가 죽어버렸다. 홀로 남은
방 형제는 그 후 다른 선교사를 통해 하나님의
귀한 일꾼으로 세워졌다. 이 사건을 접하며 모든 형제들이 우리 사역장을
지켜주시는 주님의 은혜에 크게 감사하였다

C시 한인교회에서 연락이 올 때까지 있을 곳이 없어 다시 박 선교사에게
연락했고, 임시로 산동성山東省 제남濟南으로 가게 되었다.

제남으로 떠나던 날이었다. 기차 시간까지는 아직 반나절 가량이 남아있
었다. 형제들에게 그동안 길거리에 다니다 괜히 수상하게 보이지 말고 공원
에 들어가 기다리라고 일렀다. 제남까지 기차로 3일 거리라 형제들 한 사람
당 30元씩 나누어 주었다. 여태까지는 담배를 사 피울 것을 우려해 절대로
돈을 주지 않았었다.

1시간이 지나서 무디 형제를 만났다.

"무디 형제, 돈 잘 가지고 있죠?"

혹시 담배를 사서 피우지 않았나 하는 걱정 때문이었다.

"저기 선상님, 그 돈 1元도 없시여."

너무 당연하다는 듯이 말해서 나는 조금 놀랐다.

"아니? 그 돈을 벌써 다 썼단 말이에요? 어디다 썼는데요?"

"아 거이, 아까 지나다가 보니까 거지 한 명이 돈 달라고 하기에 10元 줬시오. 그리고 또 지나다가 보니까 총 쏘는 유희가 있더라구요. 그래서 한두 방만 쏴 본다고 한 게 어떻게 20元이 나오더라구요. 헤헤."

그는 자기도 좀 계면쩍은지 비실거렸다. 제남濟南에 도착할 때까지 혹시 서로 헤어져 만나지 못하게 되면 나에게 전화하는 데 써야 할 돈이었다. 나는 그의 어깨를 툭툭 치고 웃으며 말했다.

"무디 형제, 잘했어요. 잘했어요."

'아직은 돈을 맡기면 제대로 쓰기는 틀렸다. 나이나 적어야 할 말이라도 있지… 나 참.'

기차 시간이 되어 형제들을 모아 역전으로 나왔다. 기차에 올라 모두가 즐겁고 명랑한 여행을 기대하며 각자 자리에 앉아 기차가 떠나기를 기다리고 있었다. 그러나 한 가지 사건으로 모두의 꿈은 산산조각 나고 말았다.

기차에 올라 화장실로 가다가 화장실 안에서 담배를 피우고 있는 무디 형제를 발견한 것이다.

"뭐 하는 거예요? 엉? 너 무디! 너 북한으로 다시 돌아가! 너는 부모님 말도 이렇게 안 들어 엉? 왜 이렇게 말 안 들어?"

이사하면서 여러 문제로 고달팠던 나는 나도 모르게 벌컥 화를 냈다.

그렇지 않아도 노골적으로 성경과 통독을 등한히 하는 그를 언짢아 하던 바였다. 요즘엔 밤에 몰래 밖에 나가 담배꽁초를 주어다가 피우고 있다는 것을 어렴풋이 알고 있었다. 가까스로 형제들 전원이 담배를 끊어가는데, 다시 담배 냄새를 풍기면 다른 사람들도 유혹을 받는다.

그는 깜짝 놀라 두 눈을 퀭하니 뜨고 나를 바라보더니 말없이 기차 칸으로 들어가 버렸다. 괜히 지나쳤나 싶어 후회가 되었다. 자리로 돌아가니 방금 전까지 서로 장난치며 즐거워하던 형제들이 갑자기 입을 꾹 다물고 한마디도 하지 않았다. 내가 무디 형제에게 화내는 것을 등 뒤에서 다 보고 들었던 것이다.

"무디 형제, 미안해요. 내가 좀 지나쳤던 것 같아요."

"아? 예~에, 일없시여. 아 아니, 일없슴다."

내가 사과하자 아직도 익숙하지 않은 경어를 사용하며 어색하게 나의 사과를 받았다. 이 넓은 세상에 한 몸 머무를 곳 없어 이런 수모를 당한다고 생각하는지 쓸쓸해 하는 기색도 비쳤다. 어떻게든 달래주려고 제남濟南까지 가는 3일 내내 거듭거듭 사과했지만, 그때마다 처음처럼 어색하게 대꾸할 뿐이었다.

이 사건에 대한 형제들의 반응은 한결같았다. 나를 향한 그들의 눈빛이 아주 싸늘하게 변하면서 나하고는 말도 하려고 하지 않았다.

이 사건을 통해 나는 또 한 가지 사실을 깨달았다. 내가 아무리 그들을 사랑하고 몇 개월을 동고동락했더라도 그들에게 나는 남조선의 이방인일 뿐이다. 아무리 노력하고 애써도 나는 남조선에서 온 괴뢰도당이었고, 무디 형제는 자기들과 같은 북한 사람이었다. 짧은 시간에 북한 형제들과 아주 친해졌다고 자만했던 것이 부끄러웠다. 저들과 하나가 되기에는 분단 50년의 장벽이 너무도 높다는 것이 새삼 느껴졌다.

"우리가 다같이 잡혀도 선상님은 고작 추방이지만 우리는 잡혀가서 개죽음 당한단 말예요."

이것이 나와 그들의 차이였다. 절대로 하나 될 수 없을 것 같았다. 그들은 '나라 없는 백성은 상갓집 개만도 못하다'고, 자기를 보호해 줄 나라가 망해서 이런 수모를 당한다고 생각하고 있었다.

주님께서는 나의 혈기를 용서해 주시지 않았다. 그날 무디 형제에게 계속 용서를 빌었지만, 사역장의 분위기는 좀처럼 회복되지 않았다. 이후 C시로 이사간 후, 나는 이 문제를 가지고 3일간 금식하며 철저하게 주님 앞에 회개하였다. 그제야 사역장의 분위기는 다시 정상으로 돌아왔다.

10월 초순, 제남에 머문 지 일주일쯤 지나 박 선교사로부터 연락이 와 우리는 C시로 갔다. 이때 주광호 선생은 우리와 같이 가지 않고, 심양瀋陽의 북한 자매 사역장에 있는 애인을 찾아 심양으로 떠났다.

이 커피 한 통 다 먹어도 됩까?

"우와~!"

형제들의 함성이 터졌다. 바닷가 옆 30층짜리 빌딩의 22층에 위치한 C시 한인교회 미션 홈은 우리 형제들에게는 대궐 같은 곳이었다. 이렇게 멋진 집에서 살아보기는 모두들 처음이었다. 앞 베란다 쪽으로는 바다가 시원하게 펼쳐져 있고, 집 안에 있는 가구들은 모두 최고급품들이었다.

형제들은 한시도 가만있지 못하고 이 방 저 방 구경 다니고 소파에서 팅겨 다니며 장난치느라 정신이 없었다.

"우~ 워~ 우~ 워~"

익두 형제와 선주 형제는 베란다에 서서 바다를 향해 연신 소리소리 질러댔다.

이럴 땐 산전수전 다 겪은 사람들이 아니라 철부지 어린아이들 같았다. 순교 전도사와 나도 덩달아 즐거워하며 방을 두루 정리하였다. 이렇게 멋진 데서 사역하게 되다니 나도 신이 났다. "주여! 고맙습니다."를 연발하며 방 정리를 끝내고 나와 보니 식사 당번인 칼빈 형제가 밥을 다 해놓고 기다리고 있었다.

식사를 마친 후 이런 저런 이야기를 나누고 있을 때 박 선교사가 형제들에게 커피 한 잔씩 타주었다. 그러자 자기 앞에 놓여진 커피 잔 속을 유심히 들여다보던 권능 형제가 커피에 욕심을 부리기 시작했다.

"박 선교사님, 이 커피 한 통 다 먹어도 됩까?"

그는 한 손에 커피 잔을 들고, 600g짜리 큰 커피 통을 바라보면서 물었다. 박 선교사는 눈이 휘둥그래져 권능 형제에게 말했다.

"이거, 한꺼번에 그렇게 많이 마시는 거 아녜요. 많이 먹으면 맛없는데 먹을 수나 있겠어요?"

권능 형제는 커피 한 잔을 단숨에 들이키고는 감격 어린 소리로 말했다.

"아, 아니, 일없습다! 맛있습다! 조선에서 살 때는 영화에서 미국 놈들만 먹어보는 음식인 줄 알았슴다. 그때 얼마나 먹구 싶었는지 암까? 저 이거 다 먹어도 일없슴까?"

북한 형제들은 '괜찮다' 는 의미를 '일없다' 라고 표현한다. 하지만 이걸 알 리 없는 박 선교사는 손사래를 치며 만류하였다.

"일 있어요 일, 이걸 다 먹어버리면….'

박 선교사의 말이 채 끝나기도 전에 다급해진 권능 형제가 말을 받았다.

"이거 비싸여? 그래도 한번 한恨 좀 풀어봅시다."

"아, 그게 아니고, 이거 다 먹으면 큰 일나요 큰 일. 몸에 해로워요."

아무리 말려도 기어이 커피 한 통을 다 먹어야 직성이 풀릴 모양인지 권능 형제는 커피 통을 틀어쥐고 놓을 생각을 하지 않았다.

순교 전도사는 박 선교사가 재미있다고 뒤에서 말없이 웃기만 했다. 그날 박 선교사는 권능 형제와 다른 형제들에게 커피는 한꺼번에 먹는 음식이 아니라는 걸 설명하느라 진땀을 뺐다.

이 일 이후 박 선교사는 남북한의 차이가 좀 실감이 나는지 나를 보고 그저 허허 웃으면서 "이래 가지고 어떻게 우리 민족이 하나가 된단 말인가?" 라고 혼잣말로 중얼거렸다. 이 정도 가지고 저러는가 싶었다. 북한 형제들에게 많이 동화되었는지 나 역시 커피 한 통 다 먹을 수 있겠다는 생각이 들어 피식 웃고 말았다.

우리는 C시 한인교회 미션 홈에 오래 머물 수가 없었다. 중국에서도 상류층이 사는 최고급 아파트인지라 드나들 때마다 매 사람 사람을 체크할 정도로 경비가 철저했다. 집은 좋은데 한 번 밖에 나갔다 오려면 길림吉林에 있을 때보다 형제들이 더 마음을 옥죄곤 했다. 좋은 집이긴 했지만 우리가 있을 만한 곳은 아니었다.

사역하기 알맞은 우리 사역장을 가지고 싶었지만 그만한 돈이 없었다. 이런 우리 사정을 아는 박 선교사에게 다시 소개를 받아 15여 일 만에 이삿짐을 꾸려 다시 제남濟南으로 떠났다. 순교 전도사에게 형제들을 부탁하여 제남으로 보내고, 나는 앞으로의 사역비 마련을 위해 부랴부랴 한국으로 떠났다.

제남濟南 사역

선교 헌금은 사역비, 가정 헌금은 생활비

한국에 오니 아내가 신학대학원 동기들이 모아준 헌금이라고 하면서 150만 원을 건네주었다. 전에 8월 말에 단기 선교를 마치고 들어올 때, 북한 형제들이 구창안 전도사 앞으로 쓴 편지를 가지고 왔었다. 최광 선교사가 여기에서 자기들 때문에 수고를 많이 하느라 졸업을 못하고 있으니 3개월을 더 다니지 않고도 졸업할 수 있게 선처해 달라는 내용의 편지였다. 그때 구 전도사님이 익두, 권능, 칼빈 등의 이름으로 쓰여진 편지들을 신기해하며 학교 게시판에다 붙여 여러 사람들이 읽을 수 있게 하셨고, 개강 예배 시간에 탈북자 선교를 위한 헌금을 모아 아내에게 전달했던 것이다.

그러나 이 돈으로는 중국에 들어가는 여비와 사역장으로 사용할 집을 마련하고 몇 달간 생활할 돈으로는 턱없이 부족했다. 나는 기도하면서 하나님께서 친히 공급해 주시기만을 기다리고 있었다. 형제들의 안전 문제 때문에 여기저기 보고하고 다닐 수 없었기 때문이다.

그러다가 3일을 금식하고 김의환 총장님을 만나 북한 형제들이 총장님께 쓴 편지를 전해드렸다. 총장님은, 앞으로 자기들에게 관심을 가지고 많은 후원을 해달라는 북한 형제들의 편지를 다 읽으시고 지갑에서 선뜻 100만 원을 꺼내 주셨다. 나를 끌어안고 등을 두드려 주시며 너무 귀한 일을 하고 있다고 크게 격려해 주셨다.

아내와 아이들은 너무 힘들게 살고 있었다. 아이들은 내가 없는 동안 과일을 먹어보지 못했다고 했다. 나는 '선교 헌금으로 들어오는 돈은 100% 사역장에, 가정 생활비로 후원되는 헌금은 100% 가정에 투입한다.'는 기준으로 사역했기 때문에 가정에는 김의환 총장님으로부터 후원되는 20만 원 외에는 아무 대책이 없었다.

하지만 가정을 돌볼 겨를도 없이 소록도 북성교회 남 권사님만 잠깐 뵙고

10일 만에 서둘러 제남濟南으로 돌아왔다. 사역장에 순교 전도사가 있었지만, 장시간 비울 수가 없었다.

나는 그때 사람의 다리가 그렇게 무거울 수 있음을 살면서 처음 경험했다. 주님이 있으니 괜찮을 거라고 스스로를 위로하며 비행기에서, 중국 기차에서 내내 울었다. 아빠가 중국에서 하나님 일 많이 하고 빨리 오도록 날마다 기도하며 울다 잠이 든다는 네 살짜리 막내 딸아이 생각에 또 눈물이 났다.

제남에 도착해보니 사역장은 우리가 있기에 여러모로 불편했다. 차 선교사가 본인의 살림집을 내주다보니 집이 좁아 방 한 칸에서 밥도 먹고 잠도 자고 통독도 진행하고 있었다. 잘 때도 겨우겨우 비집고 칼잠을 자야 했다. 그리고 낡은 아파트라 우리가 하는 통독, 기도, 찬송 소리가 옆집이 아니라 온 아파트를 진동시킬 정도로 크게 들렸다.

이런 열악한 상황에 형제들도 힘들었는지 분위기가 많이 산만해 있었다. 순교 전도사에게 그동안 몇 독 했냐고 물으니 신약 2독밖에 하지 못했다 했다. 나머지 기간은, 이렇게 통독하는 것이 좋지 않아 보여 큐티 방법을 설명해 주었다고 했다. 예정대로라면 10일간 신약 8독은 했어야 했다. 조금의 여유도 없이 빡빡하게 돌아가던 일과에서 풀려서인지 형제들은 얼굴색이 좋아보였다. 하지만 영적으로 매우 힘들어하는 것 같아 나는 속이 상했다.

북한 사람들은 태어나면서부터 김일성을 우상화하는 사상 교육에 세뇌당하며 살아왔다. 자신의 의지와 상관없이 싫든 좋든 이 교육을 받아야 했다. 그래서 중국으로 도망온 후, 그동안 북한에서 완전히 속아 살아왔다는 것을 깨닫고는 오직 눈에 보이는 것만 믿으려 했다.

그래서 나는 절대로 주입식 교육을 하지 않았다. 이것은 이러하고 저것은 저러하기 때문에 이렇게 생각해야 한다는 식의 논리를 피해왔다. 대신 하나님의 말씀만 읽히고 나머지 문제는 오직 기도로 해결해 왔다. 처음부터 주입식 교육 방식으로 접근했다면 이들은 내 말을 전혀 믿지 않았을 것이다.

여유 시간을 많이 주니 모두들 순교 전도사의 일과 운영 방식을 좋아했다. 내 허락없이 외출 같은 건 감히 꿈도 못 꾸다가 내가 없는 동안 자기들 마음대로 밖에 나가 당구까지 쳤다고 했다. 순교 전도사는 10일 동안 일과 진행은 엄두도 못 내고, 내가 올 때까지 형제들을 붙들어두는 데만 온 힘을 쏟았다고 했다.

다시 원래대로 일과를 진행하면서 나는 5일 작정 금식 기도에 들어갔다. 흐트러진 사역장 분위기 회복과 사랑하는 아내와 아이들을 위해서였다.

5일 금식이 끝난 날 권능 선생이 담담한 어조로 내게 말했다.

"선상님, 배 마이 고팠지 않았슴까?"

"아니. 난 괜찮은데…."

나는 웃으며 농담하듯 말했다. 권능 선생도 피식 웃으며 다시 말했다.

"선상님, 이렇게 열흘을 쫄쫄 굶어두 먹을 게 암 것두 없다구 함 생각해 보십쇼. 그게 북한임다."

지금까지 북한 실정에 대해 이야기를 많이 들었지만 감이 잘 오지 않다가,

▶ 청진역에서 굶어 죽은 꽃제비

오늘 저녁에 확실히 감을 잡았다고 생각했다. 하지만 형제들이 하는 말이 이 정도의 감은 반 정도도 안 된다고 했다.

추운 겨울, 4, 5세의 아이들이 눈 쌓인 거리에서 헤매다가 역전에서 죽어가면서도 울지 않는다. 어느 한 구석 의지할 데가 없으니 울어야 할 이유가 없다는 것이다. 고스란히 자기들의 운명으로 받아들이고 불평 한마디 없이 다음날이면 시체로 변한다고 한다.

그런데 북한 실정은 먹을 것이 없는 것뿐이 아니란다. 하루에도 몇 십 명씩 죽어가고 나라는 온통 아수라장인데, 김정일의 구역질나는 자기 자랑을 진실로 믿으며 그를 하나님처럼 받들고 살아야 하는 그 고통 또한 배고픔에 버금가는 고통이란다. 안타까웠다. 먹을 것이 없어 굶어 죽는 것도 안타까

웠지만 북한의 영적 상태는 나를 더 아프게 했다.

　사역장에 새로운 형제들이 왔다. 권능 형제와 익두 형제가 2달 전에 내게 부탁했던 친구들을 광호 선생이 수소문해서 데려 온 것이다. 이들에게는 유기풍, 박요한이라 이름 지어주었다.

　기풍 형제는 북한에서 10년 군 복무 기간 내내 금강산댐● 건설만 했던 형제였다. 금강산댐은 100% 군인을 동원해 건설했다고 한다. 금강산의 좁은 골짜기에 근 10만의 공병들이 밀집해 사니 밤이 되면 그 골짜기는 산새도 날기 무서워하는 무시무시한 강도 골짜기로 변한다. 만성적인 생필품 부족에 시달리니, 낮에는 군인이지만 밤에는 팬티 하나까지 말끔히 벗겨가는 강도로 돌변하기 때문이다. 그런 곳에서 10년 동안 강도짓만 하다가 탈북해서인지 가늘고 위로 치켜진 그의 눈에는 살기가 진하게 흘렀다.

　요한 형제는 익두 형제 고향 선배로 93년부터 같은 직장을 다닌 동료였다. 그는 다음날부터 순교 전도사와 형제들과 나에게 자기는 몇 년 동안 중국 무술을 배웠다고 겁을 주며 다녔다. 두 형제를 지켜보며 나도 모르게 한숨이 나왔다. 거친 형제들에게 시달리다보니 이번만은 좀 순하고 착한 형제들이 오기를 바랐던 것이다.

　기풍 형제와 요한 형제에게는 갑자기 적응해야 할 일이 너무 많았다. 술, 담배를 끊어야 하고, 사용하던 언어도 확 바꾸어 한국식 경어를 사용해야 하고, 난생 처음 보는 성경을 하루 종일 녹음기로 들어야 하고, 기도라는 것도 하루 2시간 이상씩 해야 했다. 외출도 고작 일주일에 한 번 정도다. 돌 공장에서 바위덩이 깨는 일만 하던 두 형제에게는 한 자리에 앉아 있는 것부터가 고문이었다.

【 금강산댐 】 북한이 북한강의 물을 수력발전에 이용하기 위해 북한강 상류 북한지역인 강원도 창도군 임남면에 건설한 댐으로, 북한에선 임남댐으로 불린다. 금강산댐은 1986년 10월 착공하고 1999년 6월부터 본격적인 공사에 들어갔다. 그리고 한국의 정보당국이 항공 사진을 판독한 결과 2003년 말 완공된 것으로 확인되었다. 흙과 자갈을 쌓아올려 만든 사력댐으로 길이 710m, 높이 121.5m, 발전용량 81만kW 규모로 총 저수용량이 26억2000만 t이다.

두 형제가 사역장에 들어와 견디지 못해 난리 법석을 칠 때, 이제 좀 익숙해진 권능, 익두 형제는 너희는 우리가 두 달 기도해서 들어온 놈들이니 잘 해보라고 큰 소리쳤다. 칼빈, 선주 형제는 늦게 사역장에 들어온 기풍, 요한 두 형제에게 시간이 날 때마다 성경을 가르쳐주느라 여념이 없다.

어머니 저는 갈 수가 없어요

요즘, 형제들의 술 담배 문제에 몹시 신경이 쓰인다. 사역장 생활에 어느 정도 익숙해졌다고 생각해 식사 당번이 직접 나가 반찬을 사오게 한 그때부터 무디 형제에게서 담배 냄새가 났다. 반찬값에서 조금씩 떼어 담배를 사 피우는 것을 직감적으로 알았다. 그를 불러 단도직입적으로 물었다.

"무디 형제, 요즘 담배 피우죠?"

순간 그의 얼굴이 빨개졌다. 지난번 기차에서의 일 이후 다시는 담배 피우지 않겠다고 철석같이 맹세한 그였다.

"예, 예, 그거이 쪼꼼… 꽁초를 쪼꼼씩 피우다가 그만 그렇게 됐시여."

"무디 형제, 공부 그만하고 떠나세요."

조용하지만 단호한 나의 말에 그의 얼굴이 새파래졌다. 자기 딴에는 별것 아니라고 생각했는데, 이것 때문에 사역장에서 쫓겨날 수도 있다는 것에 충격을 받은 모양이다.

나는 술 담배 문제만큼은 절대 양보할 수가 없었다. 이들은 앞으로 북한의 죽어가는 영혼들을 살리는 일을 해야 할 사람들이다. 그런데 첫 관문 같은 이 문제를 극복하지 못한다면 장차 어떻게 그 큰 일을 할 수 있겠는가.

무디 형제를 정말 사랑하지만, 담배를 못 끊으면 구제 사역을 하시는 다른 선교사에게 보내려고 했다. 하지만 다시는 담배를 피우지 않겠고, 다시는 반찬값에서 담배 돈을 떼지 않겠다고 거듭 다짐하였다.

오후에 광호 선생이 길림吉林에서 최철호 형제와 조선족 전요셉 형제를 데리고 왔다. 우리가 제남濟南으로 떠나면서 길호 형제와 헤어진 후 우리 사역장에는 통역을 담당할 조선족이 없었다. 우리는 중국말을 할 줄 모르기에 사역장에 무슨 일이 생길 경우 매우 위험했다. 그동안 조선족을 구하려고 백방으로 알아보았지만 함께 성경 공부를 하며 우리를 도와줄 마땅한 사람이 없었다. 그런 형편을 알고 광호 선생이 일부러 멀리까지 가서 사람을 찾아 데려 온 것이다.

전요셉 형제는 아버지가 조선족 교회의 총總집사이셔서 많은 한국 선교사들이 그의 집에 드나들었다. 그 과정에서 무슨 상처를 받았는지 그는 선교사가 집에 온다고 하면 기다렸다가 쫓아냈다고 한다. 속이 상한 아버지가 광호 선생에게 이런 사정을 얘기하자, 광호 선생이 제남에 있는 우리 사역장에 한 달 동안 여행삼아 갔다가 마음에 안 들면 돌아와도 좋다고 하고 그를 데려 온 것이다. 광호 선생은 요셉 형제가 돌아가지 않을 것이라고 확신하는 것 같았다. 요셉 형제 일은 주님께 맡기기로 했다.

최철호 형제는 나이가 40세 가량 되어 보였지만 벌써 이마가 많이 벗겨져 있었다. 그 역시 광호 선생처럼 북한군 특수 부대 출신이었다. 그래서인지 철호 형제는 잔뜩 폼을 잡고 자기소개를 했다.

"한국에서 온 선생! 나는 보통 사람들하고 다르오. 군대에 있을 때 특수부대에서 복무했구, 평양에 있는 대학도 다녔소. 북조선에서 일반 사람은 죽을 때까지 평양이라는 데는 문턱두 못 가보는 사람이 많다는 거 아시오?"

나는 개의치 않고 웃으면서 말했다.

"그래요? 여기 사역장에 들어오면 이름부터 바꿔야 합니다. 철호 형제는 뭐라고 바꾸면 좋을까요?"

"이름은 왜 바꾸오?"

"여기서는 서로 본명을 사용하지 않아요."

"그러오? 거 잘됐군. 그러면 선생은 내 이름을 뭐라고 하면 좋겠소?"

"여기 있는 모든 형제는 성경에 나오는 사람들 이름으로 바꿨어요. 철호 형제도 그렇게 바꾸는 게 어때요?"

내가 묻자 그는 배를 내밀며 목청을 돋우어 말했다.

"이왕 이름을 달 바에야 성경에서 제일 높은 사람 꺼루 하나 해 주시오!"

"성경에 보면 사도 바울이라는 분이 나와요. 그분도 철호 형제처럼 키도 작고 머리도 좋고 공부도 아주 많이 한 사람이에요. 비슷한 점이 많아요."

사도 바울처럼 머리가 벗겨졌다는 말을 하면 기분 나빠할 것 같아 좀 다르게 표현했다.

"그러문 그걸루 합시다 뭐."

자기를 알아준다고 생각했는지 은근히 좋아했다. 이렇게 최철호 형제는 최바울이 되었다.

"여기서는 이 책으로 공부해요. 이제부터 이 책을 보세요."

내가 성경 한 권을 내밀자 그는 성경책을 받아 들고 대뜸 두께부터 가늠해 보았다.

"한국 선생, 나는 공부 많이 해본 사람이오. 이 정도 책은 아마 한 주일이면 뗄 것 같소!"

"예? 일주일요??"

나는 어이가 없어 멍하니 그를 바라보았다. 그는 두고 보라는 듯이 성경을 들고 의기양양 밖으로 나갔다.

며칠 후, 아내에게서 어머니가 온 몸이 마비되고 위독하시다는 연락이 왔다. 순간 마음속에서 무언가 와르르 무너져 내리는 듯 당장 모든 걸 정리하고 떠나고 싶었다. 아무 생각없이 그저 침대에 앉아 천장만 올려다보았다.

"지금까지 효도 한번 제대로 못한 불효 자식입니다."

"어머니… 어머니…."

눈물이 주루룩 두 볼을 타고 흘러내렸다.

"흑, 흑, 어머니…."

나는 침대에 엎드려 하염없이 울었다. 마음 같아서는 문을 박차고 공항으로 달려가고 싶었지만 그럴 수가 없었다. 비행기 값도 없었고, 또 사역 현장은 그렇게 기분 따라 왔다 갔다 할 수 있는 곳이 아니다. 갈 수도 없고 그렇다고 있을 수도 없는 안타까운 처지에 그저 울기만 했다.

"주님… 저 갈 수 없어요. 모든 여건을 주님이 더 잘 아시잖아요!"

형제들 모두 자기 어머니가 위독한 것처럼 울면서 기도해 주었다. 나는 목 놓아 울었다.

"어머니… 어머니… 어머니 사랑합니다. 주님… 저의 어머니 살려주세요. 주님….".

"어머니… 어머니 저는 갈 수가 없어요. 죄송해요 어머니….".

"주님, 어머니를 부르시더라도 제가 한 번만 가서 만나 뵙게 허락해 주세요. 제가 한 번만 더 뵌 후에 데려가 주세요."

며칠 동안은 아무 생각도 할 수 없었다. 틈만 나면 집에 전화하면서 조용히 마음의 준비를 했다. 연세도 많으신 어머니가 얼마나 힘드실까 생각만 하면, 지금까지 효도는커녕 모질게도 가슴 아프게 해드렸던 일들만 떠올랐다. 설령 주님이 데려가신다 해도 감사함으로 받아야 한다고 다짐하고 또 다짐했다. 자기 일처럼 울면서 기도해 주는 형제들이 고마웠다.

며칠 후, 주님께서 우리의 기도를 들어주셨다. 어머니의 생명을 연장시켜 주시고 건강도 회복시켜 주셨다. 할렐루야!

나는 이때 또 한 가지 사실을 확실히 깨달았다. '기도하면 주님은 들어주신다' 는 것이다. 어떤 문제도 두려워할 필요가 없다는 것이다. 너무도 당연한 얘기였지만, 선교 현장에서의 경험은 나를 한 차원 더 성숙케 했다.

특송을 좀 부르갔시여

"선생님, 제가 오늘 특송을 좀 부르갔시여."

"예??"

수요일 저녁 예배 때 바울 형제가 불쑥 꺼낸 말이었다. 사역장에 들어온 지 며칠 되지도 않은 그가 이런 말을 하자, 모두 의아해하며 그를 쳐다보았다. 그는 조금 머뭇거리더니 다시 말했다.

"이렇게 좋은 사역장에 보내 주신 주님의 은혜가 고마워서 아무래도 특송 하나 해야 할 것 같습다."

그는 찬송 545장 '하늘 가는 밝은 길이'를 격조있게 부르더니 1절이 끝나고 2절로 넘어가면서는 눈물을 훔치기 시작했다. 나는 너무 놀랐다. 다른 사람도 아니고 바울 형제가 울고 있다는 것이 좀처럼 믿어지지 않았다.

탈북자들은 웬만해선 울지 않는다. 이들은 처절한 죽음의 고비를 넘어온 사람들이라 마음이 굳어질 대로 굳어져 있었다. 기뻐도 기쁨을 느끼지 못하고 슬퍼도 슬픔을 느끼지 못했다.

그런데 바울 형제가 지금 울면서 찬송을 부르고 있다. 나는 너무나 기뻤다. 더 놀라운 것은 다른 형제들도 같이 눈물을 흘리는 것이 아닌가. 나도 왈칵 눈물이 쏟아졌다. "주님, 이들이 변하기 시작했습니다." 나는 중얼거리며 2절을 따라 불렀다.

이젠 통독도 40독이 넘어가니 모두가 녹음기에서 나오는 소릴 제법 알아듣고 성경 내용에 대해서도 관심을 보였다. 이들은 자신도 모르는 사이에 서서히 말씀 안으로 빨려 들어가고 있었다.

나는 "하나님의 말씀은 살았고 운동력이 있다."는 것을 믿는다. 그리고 이 말씀은 "좌우에 날선 어떤 검보다도 예리하여 혼과 영과 및 관절과 골수를 찔러 쪼갠다."는 것을 믿는다. 그 말씀이 "우리 마음의 생각과 뜻을 감찰하신다"히 4:12는 것 또한 믿는다. 눈앞의 어떤 현실보다 이 말씀을 믿는다.

살아있는 하나님의 말씀으로 인해 저들이 주님 앞에 나가게 될 것과 하나님께서 이들을 북한 선교사로 만드실 것에 단 한 번도 의심한 적 없었다. 하지만 이때부터는 더욱 확신이 넘치기 시작했다.

형제들은 모처럼 하루쯤 쉬게 하면 조금 놀고 난 후 이렇게 말했다.

"선생님, 지겨워죽겠습다. 빨리 사역장으로 갑시다."

'지겹다니?'

"빨리 가서 공부해야 돼요."

"가서 통독하려구요."

서로가 먼저 사역장으로 돌아가자고 했다. 이들은 어느새 통독과 성경 공부의 재미에 푸욱 빠져 있었다. 이때부터는 12시부터 오후 3시까지 낮잠 시간에 자는 사람이 아무도 없었다. 대신 그 시간에 개인 성경 연구를 하며 간간이 주석도 들춰보고 참고 서적들도 뒤적거렸다.

새벽 기도 시간도 사뭇 진지해졌다. 이전에 마지못해 하던 기도가 간절한 마음으로 하는 진실한 기도로 바뀌었다. 또한 자기들의 기도 결과에 관심을 보이기 시작했다. 사역을 시작한 지 대략 3개월이 지났을 때였다.

그리고 성경 말씀이 들어가면서, 이들이 말을 배울 때부터 20~30년 이상 세뇌당한 주체사상이 조금씩 빠져나갔다.

"선생님, 이거 모르는 얘기 아닙다. 어디서 많이 들어본 얘깁다."

형제들이 공통적으로 하는 말이었다. 김일성에 하나님을, 김정일에 예수님을, 그리고 당과 주체사상에 성령님을 대입하면 성경 공부가 주체사상 학습과 똑같다고 했다. 그래서 북한에서 노상 이 얘기만 듣고 살아왔기 때문에 성경 내용이 오히려 자기들한테 너무 익숙하단다.

그리고 내가 매일 하는 말씀 암송을 선주 형제가 어느 날인가부터 따라하면서 사역장 전체에 퍼져, 아예 하루에 3~5절씩 말씀암송을 숙제로 하였다.

하루 일과가 끝나고도 밤늦게까지 말씀을 암송하거나 조용히 공부하는 형제들을 보노라면 가슴이 벅차올랐다. 다른 때보다 더 기도가 신났고, 형제들 한 사람 한 사람을 떠올리며 기도하노라면 어느새 날이 밝곤 했다.

왜 그렇게 북한 사람들을 좋아합니까?

북한 형제들은 느닷없이 "한국이 어떻습니까?", "서울은 어떻습니까?"라고 묻곤 했다. 오늘도 권능 형제가 저녁 밥을 먹다가 불쑥 내게 물었다.

"선생님, 선생님 아덜은 지금 깡통 차구 다님까? 신문팔이 하구 다님까?"

권능 형제는 아직 북한에서 가르치는 내용을 그대로 믿고 있었다. 내가 돈 없는 선교사라 하니 북한에 살 때 들은 남한 어린이들 생각이 난 모양이다.

권능 형제가 이렇게 물을 만도 한 것이, 북한 사람은 북한이 지구상에서 가장 잘 사는 나라라고 세뇌당하면서 산다. 그 지상낙원에서 죽을 먹으니, 지구상 어디도 이밥 먹고 사는 나라가 없는 줄 안단다. 죽을 먹을 때, 죽도 못 먹어 굶어 죽는 남한 어린이들을 위해 묵념하고 먹는다고 한다.

"아니, 아니에요. 지금 다들 공부하고 있어요."

옆에서 듣던 순교 전도사가 급히 설명을 했다. 식사 후, 순교 전도사가 방에 들어와 말했다.

"학생들이 이렇게까지 뭘 몰라서야 되겠습니까? 한국에 대해 설명도 좀 해주고 세상이 어떻게 돌아가는지도 좀 가르쳐줘야 되는 거 아네요?"

우리가 북한에 대해 궁금한 것이 많듯, 북한 사람도 한국에 대해 궁금한 것이 많다. 하지만 나는 한국에 대해서도 묻지 말고 북한에 대해서도 얘기하지 말라고 했다. 우리는 공산주의도, 자본주의도 아닌 하나님 나라 사람들이니 성경 얘기만 하며 말씀 안에서 하나님의 사람들로 다듬어지자고 강조했다. 서로 궁금한 것을 알려다보면 남북한의 첨예한 부분들로 인해 괜한 말다툼만 생기고, 성경 공부할 시간만 줄기 때문이다. 나는 앞으로도 변함없이 그럴 거라고 순교 전도사에게 분명하게 이야기했다.

토요일이 되었다. 모두 이날만 기다린다. 바울 형제는 매일 저녁 달력을 들여다보며 토요일이 얼마나 남았는지 세어보곤 했다. 이들이 일주일 중 밖에 나가는 기회는 식사 당번으로 시장 갈 때와 토요일 단 두 번뿐이다.

동북 3성 지역을 벗어나 제남濟南으로 오고부터는 토요일이면 가까운 대학 운동장에 가서 축구를 했다. 남한 사람들도 축구를 좋아하지만 북한 형제들도 축구를 몹시 좋아했다. 북한에 있을 때, 가죽으로 된 공으로 차보는 것이 큰 소원 중 하나였다고 한다. 이 날은 모두 대학 운동장에서 날이 어두위 공이 보이지 않을 때까지 차고 또 차며 한 주간 쌓인 피로와 스트레스를 해소한다. 땀으로 범벅이 된 몸으로 공중목욕탕에 가서 때를 밀고 저녁은 특별 외식을 한다.

북한 형제들은 인간이 누려야 할 가장 기초적인 욕구만 충족시켜 줘도 아주 만족해 했다. 토요일에 축구 외에 다른 것에는 전혀 욕심을 내지 않았다. 그러나 오늘은 평소와 좀 달랐다. 놀이 공원에 가 보자고 졸랐다. 놀이 공원은 어린애들이나 가서 노는 곳이지 어른들이 가는 곳이 아니라고 아무리 설명해도 막무가내였다.

북한에는 유일하게 평양에, 일본 조총련계 사람들이 기증한 대성산 유원지 놀이 공원이 있다. 하지만 북한 사람에게 평양은 일생에 단 한 번만 가 봐도 큰 자랑거리였다. 통행 증명서 없이는 타 지역을 마음대로 다닐 수도 없고, 특별한 이유없이는 통행 증명서 떼기가 하늘의 별 따기같이 어렵기 때문이다. 그러니 평양에 사는 사람들도 한번 가서 놀기 어려운 이 곳에 이들이 가본다는 것은 불가능한 일이었다.

이들은 TV에서 보기는 많이 보았어도 실제로는 구경도 못 해본 놀이 기구들에 한껏 반해 계속 졸라댔다. 하여튼 이들이 마음먹고 떼를 부리기 시작하면 도무지 견뎌낼 수가 없었다. 할 수 없이 그러라고 승낙을 했다. 그런데 그냥 구경만 하고 나올 줄 알았더니 나이 3, 40세가 다 된 사람들이 신나게 놀이 기구를 타면서 좋아서 어쩔 줄을 몰라 했다. 처음에는 어이없는 눈길로 바라보다가 그만 눈물이 왈칵 쏟아졌다.

눈물을 보이지 않으려고 애쓰면서 나도 그들과 어울렸다. 그냥 이들과 함께 해주고 싶은 마음뿐이었다. 아무도 나이 3, 40세에 어린아이가 되어버린 이 사람들을 이해하지 못할 것이다. 내가 이해하지 않으면 누가 이들을 이해해 주랴. 아파하는 주님의 마음이 내 마음속에 조용히 와 닿았다.

언젠가 박주안 선교사가 내게 물었다.

"왜 그렇게 북한 사람들을 좋아합니까?"

갑자기 질문을 받자 딱히 할 말이 없었다. 곰곰이 생각해 보면 북한 사람들에게는 이렇다 칭찬할 만한 것이 없는 것 같았다. 한 때는 나도 열심히 그 이유를 찾았지만, 주님이 이들을 사랑하시는데 무슨 이유가 더 필요하겠는가.

어떤 때는 내가 생각해도 이 사람들을 맹목적으로 좋아하는 것 같아 피식 웃음이 나기도 했다. 주님이 주시는 마음이었다.

정주鄭州 사역

사과 28상자

우리는 제남濟南에 오래 머물지 않았다. 일단 집을 장만할 정도의 돈은 있으니 다시 이사가기로 했다. 어디로 가야할지 기도하다가 하남성河南省 정주鄭州가 좋을 것 같아 형제들에게 이야기하니 대찬성이었다.

한 달을 지내보고 사역장에 계속 머물지의 여부를 결정하기로 했던 조선족 요셉 형제에게, 함께 가겠느냐고 물으니 가겠다고 했다. 기도 시간마다 엉엉 우는 나의 모습과 조금씩 변해가는 북한 형제들의 모습에서 은혜를 많이 받아 사역을 마칠 때까지 함께 하기로 결심했다고 했다. 개산툰開山屯에 있는 그의 아버지께 전화해서 이 사실을 알려드렸더니 몹시 기뻐하셨다.

우리가 정주로 떠날 때 광호 선생은 우리와 헤어져 다시 심양沈陽으로 갔다. 그리고 애인과 곧장 결혼하고 일조日照에서 사역을 시작했다. 여기까지 광호 선생은 정말 나를 잘 도와주었다. 나와 다투던 날 무뚝뚝한 어조로 "잘할 검다. 앞으로 두고 보시오."라던 말처럼 나를 많이 도와주었다.

그는 내가 사역을 잘하도록 형제들을 이끌면서 나와 형제들의 관계가 돈독해지도록 최선을 다해 주었다. 사역장의 안전 관리, 북한 보위부 특무 식별 방법, 중국 공안을 대처하는 일, 조선족 교회와 좋은 관계를 유지하면서 동역하는 일 등, 나 혼자 감당할 수 없는 많은 일들을 도맡아 처리해 주었다.

독립적으로 사역장을 꾸리면서도 도움을 요청하면 언제든 적극적으로 도와주고, 또 그의 사역장에서 하루도 쉬지 않고 우리 사역장을 위해 기도해 주었다.

1998년 11월 27일, 아침 일찍 우리는 각자 짐 보따리를 들고 제남濟南역으로 갔다. 모두의 짐을 합하니 큰 보따리로 17개였다. 형제들은 그걸 보며 어느새 부자가 됐다고 즐거워했다.

나도 형제들도 이번 여행만큼은 즐거운 여행이 되기를 간절히 바랐다. 지난번에는 무디 형제의 담배 일로 모두에게 침울한 여행이었기 때문이다. 하지만 이번에도 하마터면 큰 일이 날 뻔했다.

다들 차 시간을 기다리며 역 대합실에 앉아 있을 때였다. 이리저리 쏘다니며 구경하던 익두 형제가 느닷없이 역전 안경점에서 200元짜리 무테안경을 150元으로 할인하니 당장 그걸 사달라고 떼를 썼다. 지금까지 모든 형제에게 일률적으로 50元짜리 안경을 해주었기에 익두 형제 한 사람에게만 그렇게 할 수는 없었다.

이런 설명을 하며 다음 기회에 보자 했지만 지금부터 150元을 채울 때까지 금식하겠다며 계속 졸랐다. 둘이서 실랑이 벌이는 사이 기차 시간은 다가오고, 익두 형제가 어찌나 고집이 센지 결국은 내가 지고 말았다. 할 수 없이 150元을 주니 안경점으로 쏜살같이 달려 갔다.

그러나 잠시 후 개표가 시작되고 사람들이 모두 기차를 타러 가는데도 그는 돌아올 생각을 하지 않았다. 다들 걱정이 되어 안절부절 못하였다. 한참 뒤 개표도 다 끝나고 기차가 떠나기 직전에야 모습을 드러냈다. 우리가 허겁지겁 기차로 뛰어가 올라타자 곧바로 기차가 출발했다. 기차에서는 별다른 사건 없이 약 13시간의 여행 끝에 무사히 정주鄭州에 도착하였다.

정주에서 우리는 꽤 그럴 듯한 집을 구할 수 있었다. 방 3개에 넓은 거실이 있고, 난방 시설까지 되어있는 고급 아파트였다. 형제들은 누구 눈치 볼일 없는 우리 집이 생겼다고 기뻐서 어쩔 줄 몰라 했다. 나는 여기저기 둘러보며 덤벙거리고 다니는 형제들에게 사역장을 만들기 위한 역할 분담을 해

주었다. 그러자 한 나절도 안 되어 금방 그럴싸한 사역장이 꾸며졌다.

그러나 며칠이 지나자 기도하고 찬송하는 소리가 시끄럽다고 아래 위층에서 거센 항의가 들어왔다. 고민고민하다가 방음 장치를 하기로 했다. 누가 하겠냐고 물었더니 바울 형제가 씩씩하게 자기에게 맡겨 달라고 했다. 나는 그에게 돈을 주며 스티로폼을 사서 통독실 네 벽에 붙이라고 하였다.

잠시 후에, 바울 형제와 요한, 기풍 형제가 얇고 기다란 각목과 여러 장의 낡은 카펫을 가득 사들고 돌아왔다. 내가 놀라며 이걸로 뭘 할 거냐고 하니, 방음 장치 만들라고 하지 않았냐고 바울 형제가 도리어 내게 물었다. 방음 장치는 스티로폼으로 하지 않냐고 하자 대답 대신 한숨을 쉬며 물었다.

"스티로폼이 뭡까? 영어로 말하지 마시고 조선말로 해 주세요 선상님."

스티로폼이 뭔지 모를 수도 있다는 생각을 아예 해보지 않은 것이 문제였다. 그에게 하얀 스티로폼을 설명했지만 아무리 설명해도 동문서답이었다.

"하얀 솜을 압착한 물건 아임까?"

"해면 보구 그러는 거 아임까?"

계속 이런 식이었다. 도저히 안 되어 이들을 데리고 잡화점에 갔지만 이번에는 스티로폼을 중국어로 뭐라고 하는지 알 수가 없었다. 할 수 없이 물건을 쌓아 놓은 창고로 직접 들어가서 한참 만에 겨우 스티로폼을 찾아냈다.

"이거예요. 이게 바로 스티로폼이에요."

이번에는 그가 놀라서 물었다.

"이거이 뭡까? 머리에 터럭 나고 이런 건 본 적 없슴다!"

더 할 말이 없었다. 말없이 스티로폼을 가득 사들고 사역장으로 돌아왔다.

정주鄭州에 와서 좋은 집도 마련했으니 이제는 좀 안정을 찾겠거니 했다. 하지만 겉보기에는 평온한데, 무슨 이유인지 이사온 지 일주일이 지나도 개인 짐들을 풀지 않았다. 그리고 뭐 하나라도 생기면 짐 속에 꽁꽁 싸놓고 당장 떠날 태세로 생활했다. 그런 형제들을 보니 가슴이 아팠다.

'주님, 어찌해야 합니까? 어떻게 해야 저들에게 평안한 마음을 줄 수 있습니까?'

나는 며칠을 이 문제로 기도했다. 그런데 기도 중에 주님께서 사과를 사라는 감동을 주셨다.

'사과? 사과와 평안이 무슨 관계가 있지?'

오전 통독이 끝날 때쯤, 형제들에게 혹시 사과 먹고 싶냐고 물어보았다.

"좋~죠!"

"샘! 그걸 말이라구 함까?"

요한 형제는 발끈하기까지 했다.

나는 뛸 듯이 기뻐하는 형제들을 데리고 장마당에 나갔다. 사과 값은 예상대로 별로 비싸지 않았다.

문득, 어릴 때 가을이 되면 부모님이 겨우내 먹을 과일을 광에다 쌓아놓곤 했던 기억이 났다. '그렇지!' 순간 번쩍하며 무언가 내 머리 속을 스쳤다. '그래, 몇 달치 사과를 쌓아 놓자! 그러면 여기서 오래 살아야 한다고 말로 하지 않아도 저절로 알아차리고 안정을 찾겠지.' 주님의 생각은 정말 놀라웠다. 주님은 이들을 너무도 잘 알고 계셨다.

그래서 사과를 28상자나 샀다. 베란다에 사과 궤짝을 가득 쌓아놓고 형제들에게 툭 한마디 던졌다.

"이 사과 다 먹으려면 3개월은 걸릴 거예요."

형제들은 내가 이렇게까지 많은 사과를 살 줄 몰랐는지 입을 헤 벌리고 좋아하며 다음날부터 짬만 나면 사과를 먹어댔다. 그와 함께 짐 보따리도 온데간데 없이 사라졌다. 옷은 옷장에, 세면도구는 화장실에, 개인 소지품은 각자의 침대 밑 서랍에 차곡차곡 정리해 넣으면서, 이곳에 눌러앉아 3개월 동안 사과 먹을 준비를 단단히 하는 것이었다. 갑자기 나는 너무 행복했다. 주님이 함께 하시니 아무것도 무서울 것이 없어보였다.

그러나 3개월이라는 시간이 성에 차지 않는지 이들은 내가 기절할 정도로 사과를 먹어댔다. 밥 먹은 후에 먹고, 쉬는 시간에 먹고, 통독하다가도 먹고, 자다가도 일어나서 사과를 먹었다. 3개월 갈 줄 알았던 사과는 한 달이 지나자 흔적도 없이 사라졌다. 이곳에 더 있으려면 사과를 다시 사야 했지만 사과 때문에 얻은 것이 너무 많았다. 짐 보따리만 사라진 게 아니라 짐 보따리와 함께 형제들의 크고 작은 다툼들도 함께 사라져 버렸다.

죄 사함의 기쁨과 처음 맞는 성탄절

박주안 선교사가 교회를 사임하면서 우리 사역장으로 왔는데, 순교자 영화와 일반 영화 CD들을 많이 가져왔다. 나는 손양원, 이기풍, 최권능, 주기철 목사의 일생을 영화로 보며 새삼 많이 울었다. 형제들도 기대 이상으로 영화에서 감동을 받는 것 같았다. 영화를 본 지 며칠이 지나도록 밥 먹을 때나 쉬는 시간마다 영화에 대해 이야기하며 여러 질문을 했다. "손양원 목사님의 자녀들은 지금 어떻게 지내는가?", "주기철 목사님의 식구들은 어디서 무엇을 하는가?" 등등. 마치 청소년들이 스타의 사생활에 대해 궁금해 하듯 영화 속의 주인공에 대해 꼬치꼬치 캐물었다.

형제들은 순교자 영화뿐 아니라 '벤허', '쿼바디스', '타이타닉' 같은 영화를 볼 때도 눈물을 많이 흘렸다. 모질게도 울 줄 모르더니, 사역장에서 하루하루 지날수록 얼어있던 마음이 조금씩 녹아내리고 있었다.

처음에 이들을 만났을 때, 옷차림도 그렇고 말하는 것이나 정신없이 여기저기 덤벙거리는 것이 솔직히 귀신들린 사람같이 보였다. 특히 옷차림이 너무 험해서 나는 한국에 갔다 올 때마다 선교회나 교회에서 모은 헌 옷을 큰 가방에 담아 오곤 했다. 사역장을 방문하는 사람이 있으면 형제들이 입을 수 있는 깨끗한 옷을 갖다 달라고 꼭 부탁을 했다. 형제들의 옷차림을 깔끔하게 바꿔 주고 싶었고, 외출할 때 정장 차림이면 사람들의 의심을 덜 받을 것 같았기 때문이다.

전에는 아무렇게나 입던 형제들이 이제는 흰 와이셔츠에 넥타이를 단정히 맨 정장 차림으로 외출하길 좋아했다. 머리도 되도록 짧게 깎고, 위생에도 신경쓰고, 모든 것에 단정해지려 애썼다. 옷이 오면 서로 좋은 것을 차지

하겠다고 다투던 전과 달리 이제는 먼저 고르라고 양보도 할 줄 알았다. 무슨 일이든 일단 화부터 내더니 모든 일에 이성적으로 생각하며 행동하려고 노력하게 되었다. 옛날의 모습과는 너무 많이 달라져 있었다.

그러나 이제까지 내가 한 일이라고는 함께 살면서 성경을 통독한 것밖에 없었다. 나는 말씀이 친히 저들을 변화시키실 것이라고 생각하며 성경을 통독시키는 일에 집중했다. 하나님의 말씀은 사람을 변화시키는 능력이 있기 때문이다. "믿음은 들음에서 나며 들음은 그리스도의 말씀으로 말미암았느니라"롬 10:17. 나는 이 말씀을 참으로 믿는다.

이렇게 믿음으로 시작한 통독이 5개월 가까이 되자 점차 위력을 발휘하기 시작했다. 그때까지 신약 60~70독, 구약 10여 독, 사람마다 차이가 있지만 말씀도 200~300절 가량 암송하고 있었다.

때가 왔다고 생각하면서 집중적인 회개 기도 시간을 갖기로 마음먹고, 살아오면서 알게 모르게 지었던 모든 죄를 주님 앞에 낱낱이 고백하게 하였다. 항상 제1순위로 생각하던 안전을 위한 기도도 뒤로 미루고, 일주일 동안 자신들의 죄를 고백하는 회개 기도만 시켰다.

그러자 놀라운 일이 나타났다. 처음에는 별로 내키지 않아 하더니 서서히 자신이 죄인이라는 것을 인정하였다. 북한이나 중국에 살면서 죄라는 죄는 다 짓고 살면서도 한 번도 자신이 죄인이라고 생각지 않던 사람들이 자신들은 죄인 중에서도 으뜸 죄인이라고 깨닫기 시작했다.

더 놀라운 것은 예수 그리스도의 십자가 보혈만이 그 죄를 깨끗게 하신다는 사실을 깨달으며 회개가 터지고 기도 시간마다 울음바다가 된 것이다. 처음에는 자신의 죄 때문에 근심하며 슬퍼서 눈물 흘리더니, 며칠이 지나자 자신의 죄를 사해 주신 주님의 은혜에 감사해서 울기 시작했다. 늘 근심과 불안에 떨고 있던 이들의 눈동자에 기쁨의 빛이 반짝거렸다.

당시 많은 사람들은 북한 선교에 대해 '시기상조다, 너무 위험 부담이 크다, 북한 사람들은 너무 힘들다, 돈이 너무 많이 든다, 태평양에 돌 던지기다.'라고 했지만 아니었다. 시기상조도 아니었고, 태평양에 돌 던지기도 아니었다. 죄 사함의 기쁨과 구원의 감격을 맛본 이들은 이때부터 무섭게 변해 갔다. 오직 자신밖에 모르던 사람들이 새벽과 오후 기도 시간마다 다른 사람들을 위해 눈물을 흘리며 기도하기 시작했다. 전에는 북한에 있는 동포들이 먹을 것이 없어 굶어 죽어가는 것만 슬퍼했었는데, 이제는 이러한 구원의 기쁨을 모르고 죽어가는 것이 안타까워 눈물 흘렸다. 길을 갈 때도 기뻐서 펄쩍펄쩍 뛰었고, 거지를 만나면 돈을 쥐어주면서 예수 믿으라고 전도했다. 변화되는 자신들의 모습에 스스로도 놀라워 했다.

나는 이 형제들이 너무나 자랑스러웠다. 그리고 너무나 소중했다. 어렵고 힘들어 아무도 하지 않으려는 북한 선교를 자신들이 하겠다고 결심하는 것이 아닌가. 지금까지는 김일성, 김정일을 위해 총폭탄이 되겠다고 맹세했던 그들이 이제부터는 새 생명을 주시고 구원해 주신 살아계신 하나님을 위해 생명을 바치겠다고 고백했다.

"순교합시다!"

"북조선에 예수의 피를 뿌립시다!"

그저 아침저녁 인사로 해왔던 말들이 이제는 진실한 신앙 고백이 되었다.

형제들은 나에게 무슨 일이 생기면 자신들이 총알받이가 되겠다고 했다. 형제들의 이런 고백을 듣고 나니 그동안의 모든 아픔을 충분히 보상받고도 남는 것 같았다. 지난 5개월간, 혹시 맞아죽지나 않을까 무서워 이들이 듣기 싫어하는 소리는 한마디도 못했다. 장기적인 계획 같은 건 엄두도 못 내며 그저 하루하루 무사히 지나는 것에 감사해야 했다.

형제들의 변화와 함께 나의 기도도 변했다. "하나님, 너무 힘듭니다. 이것도 주시고 저것도 주시며, 이것도 해결해 주시고 저것도 해결해 주십시오."라던 기도가 "하나님, 이제부터 저 아무것도 필요 없습니다. 이들을 변화시켜 주신 것만으로도 만족합니다. 감사합니다"로 바뀌었다. "하나님, 저 백번을 다시 태어나도 이 일을 감당하고 싶습니다."는 고백이 절로 나왔다.

많은 사람이 북한 사람이 북한 선교사로 세워진다는 것은 불가능한 얘기라고 했었다. 하지만 주님은 북한 선교는 북한 사람들이 해야 하며, 또 이들은 할 수 있다는 것을 기도 가운데 말씀해 주셨다.

그동안 한국 교회에서 얼마나 북한 선교를 위해 많이 기도했는가? 나는 또 다른 욕심이 생기기 시작했다. 주님 앞에 기도했다.

"주님, 지금까지 한국 교회에서 수십 년간 북한을 위해 기도해 온 그 기도 다 제게 주십시오. 지금 세워진 이 북한 출신 선교사들을 통해 2기, 3기 앞으로 많은 북한 출신 북한 선교사들을 양육하겠습니다."

오전 통독 시간이다. 이제는 누구도 졸지 않는다. 모두가 조용히 앉아 녹음기 소리에 귀 기울이며 성경책에 메모도 하고, 은혜 받은 구절에 표시하기도 한다. 다른 사람에게 방해될까봐 화장실도 쉬는 시간에 다녀온다.

익두 형제가 조용히 일어나 나가려 했다. 오늘은 그가 식사 당번이다. 갑자기 아내가 끼니 때마다 해주던 계란 프라이 생각이 나서 그에게 말했다.

"익두 형제, 오늘 계란 프라이가 먹고 싶은데, 할 수 있어요?"

"걱정 맙쇼!"

그는 시원스럽게 대답했다. 다른 형제들은 그게 뭔지 다들 궁금해 하면서 나와 익두 형제를 번갈아 바라보았다. 하지만 이들이 설마 계란 프라이를 모를 줄은 꿈에도 생각지 못했다.

점심 시간이 되어 형제들과 박주안 선교사, 순교 전도사와 함께 기대에 부풀어 식탁에 앉았다. 하지만 잠시 후 식탁에 올라온 것은 계란 프라이가 아닌 계란으로 만든 두부같이 생긴 누런 덩어리였다.

"에… 이게 뭐야?"

"우와~ 이게 거 뭐이야? 계란 후래이라는 거이가?"

나는 실망했지만 형제들은 감탄했다. 살면서 이렇게 외국어가 들어간 음식은 처음 먹어본다고 했다.

"계란 프라이는 이런 게 아니고…."

내 말이 끝나기도 전에 익두 형제가 우기기 시작했다.

"선생님, 이거 계란 프라이 맞습니다. 이렇게 만드는 겁다!"

"프라이 만드는 법 어디서 배웠어요?"

"?? 음… 아… 에… 암튼 암다!"

익두 형제의 해석이었다.

북한에서는 1년에 계란 한두 개도 먹어보기 어렵다고 하니, '계란 프라이'라는 말은 애초에 들어보지도 못했을 것이다. 그래서 계란 30개를 한꺼번에 프라이팬에 깨 넣고 익혔던 것이다.

형제들은 맛있게만 먹는다. 두부처럼 생긴 '익두식 계란 프라이'를 바라보니 또 코끝이 찡해왔다. 북한식 프라이라고 생각하고 맛있게 먹기로 작정하니 그런대로 먹을 만했다.

며칠 뒤, 중국에서 북한 형제들과 처음 맞는 성탄절이었다. 개혁과 개방의 흐름이 시작된 이후로 중국에서도 성탄절은 큰 명절이었다. 성탄절이 되면 호텔마다 크리스마스트리와 함께 '축 성탄노인'祝 聖誕老人이란 큰 글씨를 붙여놓고 산타크로스 할아버지를 선전한다.

북한 형제들은 예수를 믿고 일생에 처음으로 맞이하는 성탄절이 너무 좋아서 어찌할 바를 몰라 했다. 순교 전도사가 예배를 인도하며 예수님이 탄생하신 이 날의 의미에 대해 여러 면으로 잘 설명해 주었다. 오후에는 정주鄭州 시내 공원에 가서 사진도 찍고, 산책도 하고, 맛있는 음식도 먹고 밤늦게 사역장으로 기분 좋게 돌아왔다.

그날 공원을 걸으며 기풍 형제가 북한에 대해 많은 이야기를 해주었다. 북한에서는 바나나 하나만 먹어도 6개월 이상 바나나 먹어봤다고 자랑한단다. 그 공원의 가로등 불빛처럼 그렇게 밝은 불빛은 북한 어디에서도 볼 수 없다고 한다. 호롱불도 없어서 해가 지면 다들 잠자리에 든다고 한다. 기풍 형제는 신나게 얘기했지만, 들으면 들을수록 가슴이 아파왔다. 단동丹東에서 보았던 북한 신의주의 캄캄한 야경이 떠올랐다.

우리는 저 어둠을 몰아내야 한다. 많은 선교사가 북한의 이 어둠을 몰아내기 위해 여러 방면으로 노력과 수고를 아끼지 않고 있다. 그 방법을 찾기 위해 주님 앞에서 몸부림치고 있다. 그러나 어둠을 몰아낼 유일한 방법은 빛이다. 빛이 비춰지면 어둠은 물러간다. 우리 몸에 그 빛을 밝혀 어두움에 비춰줘야 한다. 이것이 바로 우리의 사명이다.

북한 출신 북한 선교사

　모든 형제가 사역장의 일과를 거의 완벽하게 소화해냈다. 하루 8시간의 통독과 2시간의 기도, 말씀 암송이 완전히 체질화되었다. 나는 그 수준에 머무르지 않고, 이제부터 본격적으로 선교사로의 리더십 훈련 단계에 들어가기로 했다. 그들에게도 나와 동등한 선교사 자격을 주고, 서로를 부를 때 '형제' 대신 '선생'중국에서는 선교사를 선생이라고 부름으로 부르게 하였다. 사역에서 제기되는 중요한 문제에 대해 반드시 그들의 동의를 거쳐 일을 진행시켜 가면서, 사역비 문제도 철저하게 함께 의논했다.

　그리고 한 사람이 일주일씩 돌아가면서 그동안 내가 하던 것처럼 사역장을 책임지고 이끌게 했다. 나는 학생처럼 뒤로 물러나고, 이제 그들이 선교사가 되어 새벽 예배 인도부터 시작하여 모든 일과를 진행해갔다. 대신 그 주의 책임을 맡은 선생은 일주일간 나와 함께 방을 쓰며 매일 그날의 일과 운영에 대해 의견을 나누고 함께 기도했다. 순교 전도사와 박 선교사는 마치 어린아이에게 나라의 중대사를 맡긴

▶ 1기생 북한 형제들이 북한 선교사로 세워지던 날

듯 불안한 눈길로 바라보았다. 솔직히 나도 처음 시도해 보는 일인지라 어떤 결과가 나올지 조심스러웠지만, 오랫동안 기도로 준비해 왔기에 결과를 주님께 맡기고 계속 밀고 나갔다.

1월 4일을 첫 설교 날로 잡고, 2주간의 시간을 주어 각자 설교 준비를 하게 했다. 설교 날이 잡히자 모두 밤잠을 자지 않고 준비를 했다. 하지만 난생처음 해보는 설교 준비는 이들에게 쉽지 않은 과제였다.

"선생님, 설교 준비는 어떻게 해야 함까? 방법이나 알고 합시다."

고민고민하던 선생들이 나에게 찾아와서 물었다. 나는 이들이 말씀을 많이 깨닫고 있기에 충분히 알아들으리라 생각하며 많은 시간을 할애해 이들의 설교 준비를 도왔다. 우선 어디서부터 어떻게 손쓸지 몰라 난감해 하는 선생들에게 철저하게 다음과 같은 절차를 숙지시켰다.

1. 본문을 설정하고, 그 본문을 무조건 50번 이상 읽는다.
2. 본문의 앞뒤 연결된 사건들을 20번 이상 읽는다.
3. 읽은 본문을 1시간 이상 묵상한다.
4. 본문 중에서 핵심과 서론, 본론, 결론을 찾아낸다.
5. QA 주석을 세 번 이상 읽고 틀린 부분이 없는지 점검하고, 관주도 찾아 간다.
6. 2시간 이상 기도하면서 먼저 자신에게 적용하고 나서 설교 듣는 대상에게 적용한다.
7. 작성한 설교문을 철저하게 암송한다.

준비하는 선생들의 모습은 제각각이었다. 밤잠을 자지 않고 준비하는 선생이 있는가 하면, 어떤 선생은 밖에 나가 걸으면서 준비했고, 죽어라 주석과 참고서적을 뒤적거리며 말거리를 찾아내는 선생도 있었다.

1999년 1월 4일, 마침내 북조선이 기뻐하고, 우리 민족이 기뻐하며, 하나님이 기뻐하시는 북한 출신 북한 선교사들이 첫 설교를 하는 역사적인 순간이 왔다. 북한 선교 시작 5개월 만에 이루어진 놀라운 성과였다. 이들이 2주에 걸쳐 악전고투하며 준비한 첫 설교를 위해, 박 선교사, 순교 전도사와 함께 책상을 거실로 옮겨 강대상을 만들고, 의자를 옮기고… 이들의 설교 평가를 위해 우리 셋은 노트를 준비하고 제일 앞 줄에 앉았다. 드디어 한 사람씩 강대상에 올랐다.

첫 번째 강대상에 오른 선생은 얼마나 긴장했는지, 설교를 시작하며 처음에 말씀을 읽고 기도해야 한다는 것도 까맣게 잊어버렸다. 잔뜩 겁먹은 얼굴로 앞에 앉아 있는 나와 박 선교사, 순교 전도사만 멍하니 바라보다 자기의 과거에 대해 드라마처럼 쭉 이야기하고는 슬며시 강대상에서 내려갔다.

두 번째 선생은 그래도 조금은 침착성을 찾았는지 기도까지 깔끔하게 끝냈다. 그리고 이런 식으로 설교를 진행해 갔다.

"하나님 말씀: 마태복음에… 5장 13절… 에… 하나님은 이렇게 말씀하심다. 너희는 세상의 소금이니…"

이렇게 말씀을 인용하고 나서 그 말씀에 비춘 자기 생활의 결함을 늘어놓기 시작했다. 한참을 듣고 있던 다른 선생들이 갑자기 키득키득 웃었다.

"어… 이건 생활총화 아임까? 아이고… 이건 주말생활총화임다!"

북한에서 인민학교 3, 4학년 무렵부터 정년퇴직 때까지 일주일에 한 번씩 하는 주일생활총화, 즉 자아비판을 하고 있었던 것이다.

처음에 김일성 수령의 교시를 인용하는 것처럼 하나님의 말씀을 인용하고, 그 말씀에 비추어 자기의 일주일 생활을 돌아보면서 잘못했던 일들을 반성하고, 역시 이 말씀에 비추어 다른 사람의 잘못을 찾아내서 비판하는 식이다. 그래도 재미있었다.

또 다른 선생 차례였다. 이 선생은 강대상에 서서 5분은 족히 묵도하더니 간신히 기도를 시작하는데, 역시 지난 날의 자신의 잘못을 고백하는 내용이었다.

"하나님, 나는 북한에서 강도를 했으며, 3명을 죽인 살인범임다. 이런 죄인에게 구원의 은혜를 주시고, 주의 종으로 설교도 할 수 있도록 은혜를 베풀어 주시니 감사함다."

나는 내 귀를 의심했다. 하지만 기도하는 선생의 표정이나 말하는 태도로 보아 거짓이 아니라는 것을 알 수 있었다.

다음 선생의 차례가 왔다. 그래도 이 선생은 대중 앞에 나선 경험이 몇 번 있었는지 설교는 그런대로 잘 했다. 하지만 얼마나 긴장을 했는지 30분 가량 되는 설교 시간에 안경을 70번은 넘게 고쳐 썼다.

이렇게 한 사람씩 설교가 다 끝나자, 우리의 평가는 역시 성경을 많이 읽은 선생들이라 방법만 좀 다듬어지면 귀한 설교자가 되겠다는 것이었다.

다음날부터 돌아가며 새벽 예배를 인도할 때, 선생들 모두 열심히 기도하며 설교 준비를 했다. 내가 보기에 이들은 한국에서 신학대학을 졸업한 사람보다도 충실하게 말씀을 더 잘 전하는 것 같았다. 한두 선생을 제외하고는 모두가 나의 기대 이상이었다.

이들의 이런 모습을 보면서, 평양을 십자가로 수놓을 날이 멀지 않았다는 확신이 들어 하나님 앞에 감사했다. 그동안 "하나님, 제 생애에 이 1기생 8명만 하나님의 종들로 세워 주세요. 그리고 저를 천국으로 불러가도 좋습니다."라고 기도해왔기에 더욱 감사가 되었다.

설교가 끝나고, 우리는 이 날을 명절처럼 잘 보내기로 했다. 폐병을 앓고 있는 칼빈 선생도 잘 먹이고, 설교 준비 하느라 수고한 다른 선생들도 잘 먹이고 싶었다. 마침 음식 솜씨가 좋은 바울 선생의 식사 당번 날이라 모두가 잘됐다고 좋아했다.

바울 선생은 아침부터 대대적으로 광고를 했다.

"이 천하에 바울이가 돼지고기 회를 만들어 줄 테니 기대들 하시오!"

나는 그 돼지고기 회라는 게 무엇인지 아침부터 못내 궁금했다. 드디어 기다리던 점심 시간이 되었다. 그러나 돼지고기 회라는 것을 보는 순간 흠칫 놀랐다. 아무 양념도 조리도 하지 않고 피가 묻어 있는 날 돼지고기를 뚝뚝 썰어 상에 올려놓았던 것이다.

"아, 음, 이 돼지고기를 말임다. 옆에 있는 식초에다가 이렇게 뚝뚝 찍어서 잡수시면 되겠슴다!"

바울 선생은 이렇게 설명하면서 몸소 시범까지 보여주었다. 나는 먹어볼 엄두도 못내고, 너무도 맛있게 먹는 그를 어이없는 눈길로 바라보기만 했다. 순교 전도사도 아무 말 못하고 바라만 보다가 간신히 한마디 했다.

"이렇게 먹을 수도 있네…."

바울 선생은 이 날은 아예 특별 서비스를 하기로 마음먹었는지 저녁에는 큰 잉어 두 마리를 사왔다. 나는 한국에서 먹던 회 생각이 나서 회를 해서 먹으면 어떻겠냐고 물었다.

"샘! 내 글치 않두 잉어회를 하자구 사왔지 않구 뭡까?"

그는 자기 생각을 알아준 것이 기쁜지 반색을 했다.

나는 또 큰 기대를 하고 저녁 식사 시간을 기다렸다. 그런데 이번에는 잉어를 초장과 식초에 절이다시피 해서 회라고 올리는 것이다. 아무래도 안 되겠다 싶어 그에게 한국 회를 설명해 주었지만, 스티로폼을 이해하지 못하는 것처럼 우리의 회도 이해하지 못했다.

"앙? 물고기를 어떻게 날 것 채로 먹을 수 있슴까? 그딴 소리는 하지두 마쇼. 믿기지두 않슴다!"

돼지고기는 날 것을 먹으면서 잉어는 절대로 날 것 채 먹을 수 없다고 박박 우겼다. 그러나 김치와 된장찌개는 우리와 같아서 별로 불편하지 않아 다행이었다. 아무튼 이 날은 이모저모로 즐거운 날이었다.

피어나는 생명

오늘도 개인 기도 시간에 습관적으로 사역비 문제로 기도하다가 문득 이제 얼마 안 있으면 사역비가 다 떨어진다는 생각이 났다. 아내에게 전화하려고 밖으로 나와 30분 정도 버스를 타고 역전으로 갔다.

요즘, 사역장의 안전에 각별히 신경쓰느라 집에 전화할 때나 조선족 교회 집사님들, 주광호 선생 등에게 전화할 때는 일부러 사람들이 북적대는 역까지 간다. 중국은 일반전화, 공중전화 할 것 없이 상대방의 번호가 찍혀서, 통화 내용이 도청되었을 때 사역장의 위치가 금방 노출될 수 있기 때문이다.

이제 정주鄭州에서의 3개월 비자 기간도 다 끝나가고, 앞으로 몇 달간 지낼 사역비도 마련해야 했다. 박 선교사와 순교 전도사에게 사역장을 부탁하고 한국으로 떠났다.

한국 가는 길에 청도靑島에서 동생 최휘석 전도사를 만나기로 했다. 그는 우리 선생들에게 10일간 성막 강의를 해주기 위해 중국으로 오는 참이었다. 기차가 연착되어 약속 시간보다 2시간 늦게 청도공항에 가니 중국에 처음 와 보는 그는 무척 불안해 하고 있었다. 청도역으로 가서 기차표를 끊어주며 여기서부터는 성령님의 인도를 받으라고 했다. 어이없어 하는 그를 남겨두고 다시 공항으로 급한 발걸음을 옮겼다.

한국에 도착하여 먼저 김의환 총장님을 찾아뵙고 인사를 드렸다. 그러자 총장님께서 잠실 신천교회 주일 오후 예배 시간에 선교 보고를 할 수 있도록 주선해 주셨다.

주일날 신천교회에서 선교 보고를 마치고 나니, 담임 목사께서 은혜 많이 받았다고 하시며 계획엔 없지만 다같이 헌금 한번 하자고 제안하셨다. 그리고 지갑을 다 턴다고 하시며 빈 지갑을 흔들어 보이자 성도들도 아멘으로 답하였다. 그 자리에서 313만 원이 모아져 나는 너무 놀라고 또 기뻤다.

다음날 기쁜 마음으로 NSM 선교회사무실에 가보니 일본 선교 대회를 준비하는 데 돈이 너무 많이 부족했다. 그때 하나님께서 헌금을 좀 하라는 감동을 주셔서 이번에는 사역비 모금이 쉽게 될 줄 알고 신천교회에서 헌금된 313만 원 중에서 200만 원을 선뜻 내놓았다. 하지만 기다리고 또 기다려도 더 이상의 헌금은 없었다.

그리고 한 달이 훌쩍 지나가버렸다. 마냥 헌금만 기다리고 있을 수도 없어 중국으로 돌아가기로 하였지만 여비를 제하고 나니 50만 원도 채 남지 않았다. 이번에 모금된 돈으로 4개월을 살아야 하는데 걱정이 많이 되었다.

그 돈을 가지고 사역장에 와보니 쌀이 다 떨어져 우선 쌀부터 좀 사다 놓았다. 그리고 이 일을 어떻게 수습할 것인지 대책 마련에 나섰다.

사역비 가져 오기를 고대하던 선생들에게 정말 미안한 일이었다. 그러나 기도하는 가운데 '미안하면 할수록, 내가 잘못했으면 했을수록 진실하게 있던 그대로 보고하자.'는 생각이 들었다. 욕먹을 결심을 단단히 하고 사실대로 보고하였다. 그런데 걱정했던 것과 달리 이구동성으로 나를 칭찬해 주는 것이 아닌가!

"샘! 잘했슴다! 걱정 맙쇼!"

"아이쿠 선상님! 정말 잘하셨슴다. 하나님이 또 주실 거 같슴다!"

"선교사님, 우리가 언제 돈 걱정 했슴까? 일없슴다!"

갑자기 어안이 벙벙해졌다. 사나운 북한식 비판만 각오하고 잔뜩 긴장하고 있었는데 정말로 의외였다. 북한 선생들을 바라보니 정말 기뻐하고 즐거워하는 표정들이었다.

알 수 없는 격정이 울컥 치밀어 황급히 내 방으로 들어갔다. 눈물이 하염없이 두 볼을 타고 내렸다.

저들에게서 생명이 피어나고 있었다. 저들은 서로 미워하며 자기밖에 모르던 사람들이 아니었던가? 그런데 지금 저들이 주님을 신뢰하고 주님의 뜻을 따르며 다른 사람을 먼저 생각하고 있지 않은가?

선교사는 바로 이 순간을 위해 그 수많은 고비를 넘으며, 뼈를 깎는 고통을 웃으며 참는다. 목숨이 위태로운 상황에서도 묵묵히 주님만 바라보며 서 있는다. 선교사는 바로 이 순간을 위해 목숨까지도 서슴없이 바치는 것이다. 바로 그 영광스러운 순간을 나는 보았던 것이다.

침대에 큰 대자로 누워 천장을 바라보았다. 나의 영혼은 작은 방을 벗어나 거대한 우주로 훨훨 날아 올랐다.

"태초에 말씀이 있었습니다. 그 안에는 생명이 있었습니다. 그 생명은 사람들의 빛이었습니다. 그런데 그 빛이 우리에게 오셨습니다. 우리 사역장에 오셨습니다. 우리 사역장에 조용히 자리 잡고 우리와 함께 살고 계셨습니다. 나는 북한 선생들의 등 뒤에서 조용히 서 계시면서 나를 보고 웃으시는 빛 되신 그분을 뵈었습니다. 주님…."

나는 소리 내어 울기 시작하였다.

"감사합니다 주님… 고맙습니다 주님… 저들을 살려주셔서 고맙습니다… 정말 고맙습니다…."

나는 그냥 계속 울기만 했다. 주님의 임재가 너무나 황홀해서 아무 말도 할 수가 없었다. 한참을 그 주님의 임재에 잠겨 있다가 조용히 북한 선생들의 방으로 발걸음을 옮겼다.

서로 소곤거리면서 설교 준비를 하고 있었다. 문득, 저들은 지금 주님께서 저들의 마음속에 얼마나 아름답게 자리 잡고 계신지, 그리고 주님께서 이 사역장에 얼마나 큰 사랑으로 함께 하고 계신지 아직 모르고 있다는 생각이 들었다. 이 주님의 사랑을 앞으로도 저들이 다 알 수 있을까? 나는 온 사역장에 가득한 그분의 기운에 마음껏 몸을 내어드리며 다시 내 방에 돌아와 아이처럼 엉엉 울었다.

"주님 고맙습니다… 주님 감사합니다…."

제일 처음 형제들 가운데 계신 주님을 의식하게 된 것은 이들이 회개 기도를 시작할 때였다. 자신의 죄악상을 깨닫고 주님 앞에 거꾸러지면서부터였다. 주님이 가까이 오시자 그동안 절대로 인정할 수 없었던 사실들을 인정하기 시작했다. 주님이 이들의 눈을 열어 주시는 순간이었고, 내가 그렇게 많은 눈물을 흘리며 기다렸던 바로 그 순간이었다.

주님이 함께 하시니 이들은 스스럼없이 주님을 자신의 아버지로 받아들였다. 그리고 그분이 자신의 인생의 주인이라는 것을 너무 쉽게 인정했다. 성경에서 말하는 모든 것을 추호의 의심도 없이 순수한 마음으로 믿기 시작했다.

하나님께 감사하면서, 다시 한국으로는 나갈 수 없으니 C시에 한번 다녀오겠다고 선생들에게 말하고 C시로 떠났다. 그러나 기도하면서 몇 분을 만났으나 헌금은 전혀 없었다.

3일 만에 빈손으로 돌아오면서 기차 3층 침대칸에서 반나절은 족히 울었다. 헌금을 딴 데다 써버린 나에게 선생들이 차라리 욕이라도 실컷 했다면 이렇게까지 가슴 아프지는 않았을 것 같았다.

"하나님, 제게는 주시지 않아도 됩니다. 제 가족들에게도 주시지 않아도 됩니다. 그러나 탈북자들 얼마나 귀합니까? 이들이 먹고 공부할 수 있는 최소한의 물질은 주셔야 되지 않습니까?"

나는 내내 울면서 정주鄭州로 돌아왔다.

그런데 돌아와보니 기쁜 소식이 기다리고 있었다. 하나님께서 박 선교사를 통해 6,000元 우리 돈으로 약 100만 원이 헌금되도록 해놓으신 것이다. 모든 것을 여호와 이레로 도우시는 하나님께 감사했다. 선교사가 가장 성숙해지는 순간이 바로 이 여호와 이레의 섭리를 경험할 때라는 것을 나는 다시 한 번 깨달았다.

사역비가 해결되자 이번에는 두고 온 가족들이 걱정되었다. 사역을 시작한 후 가족들과 많이 헤어져 보았지만 이번이 제일 힘들었다. 아내도 많이 지쳐 있었고, 아이들도 아빠인 내게서 좀처럼 떨어지려 하지 않아 도망치듯 집을 나왔다. 사역비 생각에 까맣게 잊고 있다가 가족 걱정에 방에 들어가 침대에 엎드려 울었다. 기도하려 해도 아내와 아이들 얼굴만 떠오르고 설움이 북받쳐 기도할 수가 없었다. 나는 주님께 떼를 썼다.

"하나님, 저를 북한 선교사로 부르신 거 맞습니까? 그러면 우리 가족 하나님이 책임지셔야 하지 않습니까? 어떤 경우라도 하나님이 우리 가족 무조건 책임져 주세요! 저 이 사역장 떠날 수 없는 거 잘 아시면서 왜 이러십니까? 하나님… 하나님….."

도저히 집 생각을 떨쳐버릴 수 없어 3일 금식에 들어갔다. 사랑하는 아내와 올해 중학교 들어가는 큰 딸을 위해 특별히 기도하기로 했다. 그런데 금식 첫날부터 몸이 떨리면서 식은땀이 나고 머리가 깨어지듯 아팠다. 그동안 너무 과로했던 것이다. 다음날 금식을 멈추고 통독 시간이 끝나자마자 방에 들어와 누워버렸다. 손가락도 움직이기 힘들 정도로 온 몸이 아파왔다.

항일유격대 식으로 공부합시다여!

이제 선생들은 북한 선교사로서 갖춰야 할 자질들을 어느 정도 갖추었다. 설교도 그만하면 됐고, 사역장을 이끄는 리더십도 한두 선생을 제외하고는 그런대로 나의 기준에 들어섰다. 이렇게 몇 달만 더 훈련한 후 이들을 연변延邊으로 파송하여, 그곳에 흩어져 있는 탈북자 형제들을 모아 스스로 사역하게 할 계획이었다. 그렇게 되면 드디어 북한 출신 선교사에 의한 북한 선교가 시작되는 것이다. 생각만 해도 온 몸이 떨릴 정도로 흥분되었다. 선생들에게 바로 당신들이 내가 오래 전부터 기도해 오던 북한 선교사들로서, 북한 기독교 역사에 새로운 장을 펼칠 주인공들이라고 뜨거운 마음으로 설명하니, 모두들 긴장한 얼굴로 내 말을 새겨들었다.

이 때부터 우리는 파송 시에 예상되는 많은 문제를 놓고 기도하기 시작했다.

우선, 파송된 선생들이 형제들을 이끌고 와서 사역을 시작하면, 지금과는 비교가 안 될 정도로 많은 사역비가 필요했다. 그리고 선생들이 학생 모집을 위해 몇 달간 머물며 활동해야 할 연변延邊은 북한과 접경지대로, 북한 보위부에서 파견한 특무들이 많아 체포될 위험성이 매우 높았다. 그 외 모집하는 북한 형제들이 우리 선생들을 믿고 순순히 따라와 줄지, 모집한 학생이 혹시 보위부 특무나 위험한 인물은 아닌지, 학생으로 훈련받을 자질은 있는지 하는 것들을 파악하기 어려웠다. 또 하나의 문제는 조선족을 구하는 문제였다. 그들은 신분이 확실한 중국 사람이므로 북한 형제들처럼 사역장에 갇혀 지내며 성경 공부하려 하지 않았다.

마지막으로, 이 모든 험난한 과정을 통해 학생을 모집해 오더라도, 한 번도 감당해 보지 않은 이 사역을 선생들이 잘 할 수 있겠는가 하는 문제였다.

사역장으로 사용할 집을 구하는 일부터, 학생들을 이끌어 나가며 맞닥뜨리게 될 술, 담배 문제, 서로 싸우는 문제 등 크고 작은 모든 일들을 전적으로 선생들 자신이 책임지고 해나가야 한다. 그래서 지도자로 세워지는 자신들을 위해, 다가올 여러 많은 문제를 하나님의 은혜 가운데 넉넉히 극복하며 잘 감당해 갈 수 있기 위해 많은 기도가 필요했다.

그러나 아무래도 사역을 해보지 않은 이들이라 내가 느끼는 기도의 부담만큼 절실하지 못한 것 같아 다시 한 번 진지하게 설명했다. 그러자 모두들 기도의 필요성을 절실하게 깨닫게 되었고, 각자 앞으로의 사역을 위해 2, 3일씩 금식하며 기도하는 분위기로 바뀌어갔다. 오직 하나님이 힘과 지혜를 주시고 도와주시며 인도해 주셔야만 감당할 수 있는 사역이 바로 이 사역이기 때문에 기도하지 않을 수 없었다.

기도 시간에 중국 지도를 펴 놓고 중국 어디든 각자가 사역할 지역을 하나님 앞에 기도하며 결정하도록 했다. 앞으로 하게 될 사역의 모든 것을 하나부터 열까지 본인이 기도하고 하나님께 응답받도록 준비시켰다.

2월 19일, 파송시 함께 행동할 팀을 구성하고 파송 날짜를 3개월 후로 잡았다.

1조   유기풍, 김권능 선생
2조   민선주, 방무디 선생
3조   박요한, 진칼빈 선생
4조   허익두, 조선족 전요셉 선생
5조   최바울 선생

몇 시간의 토론 끝에 이렇게 팀을 짜서 움직이기로 확정했다. 파송 때 김의환 총장께서 북한 선교를 할 수 있는 전도사 자격증을 선생들에게 만들어

주시기로 하였다.

이제는 각자의 사역장을 이끌어 갈 지도자들이 된다고 또다시 설명해 주니 어깨가 무거운 것을 깨닫는지 모두 엄숙한 표정이었다. 선주 선생은 이제 전도사 신분증을 가지고 보위부 특무에게 잡히면 무조건 순교이니 순교의 각오를 다시 하지 않을 수 없다고 했다.

감사했다. 하나님께 고백하던 북한 출신 북한 선교사 양육이 점점 이루어짐이 감사했다. 파송 날짜를 잡고 나니 통독과 기도, 암송 등 정해진 일과에 충실할 뿐 아니라 일과가 끝난 후에도 모두 열심히 공부하였다.

"모두 다 항일유격대 식으로 공부합시다여!!"

무디 형제는 북한식 농담으로 떠들어 대면서 이 방 저 방 돌아다녔다.

치료하시는 하나님

선생들은 얼마 남지 않은 파송을 의식해 더욱 열심히 공부했다. 낮잠 시간은 물론, 저녁에도 1시, 2시까지 심지어 아예 밤을 새가며 공부하기도 했다. 익두 선생은 학생을 맡으면 뭘 가르칠지 걱정스럽다고 하기도 했다.

파송을 대비해 사역장 전체가 10일을 금식하기로 했다. 우리로서는 도저히 감당할 수 없는 많은 문제들의 해결을 위해 주님의 능력이 절대적으로 필요했다. 모든 선생이 금식의 필요성을 깨닫고 흔쾌히 동의했다.

10일 금식에 들어간 지 7일째로 접어들었다. 여기서 그만 일이 터지고 말았다. 칼빈 선생이 피를 한 사발이나 토하면서 쓰러져 버린 것이다. 북한에서부터 폐병을 앓아 온 그를 위해 지금까지 한국에서 계속 약을 가져와 먹이고, 잘 먹인다고 고기도 자주 먹였다. C시 한인교회 방 집사님이 특별히 개소주까지 고아주셔서 그것도 먹였지만 병은 점점 악화되기만 했던 모양이다. 그는 하루에도 몇 차례씩 피를 사발로 토해냈다. 온 아파트에 피비린내가 진동했다.

황망히 조선족 요셉 선생이 칼빈 선생을 데리고 병원에 갔더니, 의사는 폐병 말기라고 하며 폐의 3/4이 이미 결핵균에 먹혀 없어진 상태라고 했다. 그리고 정주鄭州 사람을 다 폐병환자로 만들 셈이냐, 이 정도면 격리, 입원을 시키든지, 정주를 떠나든지 해야지 어떻게 그냥 내버려 두었냐고 호통을 쳤다고 한다.

일이 이렇게 되자 자기 신분증으로 함께 병원에 갔던 요셉 선생이 몹시 불안해했다. 다른 선생들도 칼빈 선생이 매일같이 쏟아내는 피를 보고 겁에 질리기 시작했다. 칼빈 선생은 신분증이 없어 돈이 있어도 입원은 꿈도 못 꾼다. 이대로 가다가는 며칠도 못 살 것 같았다.

선생 중에서 칼빈 선생이 영적으로 가장 뛰어났다. 사역장에 오기 전부터 신앙을 가졌던 그는 걸어 다니는 주석이라 불릴 만큼 성경에 남달리 해박했고 말씀도 아주 잘 전했다. 진심으로 주님을 사랑했고, 북한의 잃어버린 영혼을 주님께 인도하고자 하는 열정이 누구보다 뜨거웠다. 북한의 복음화를 위해 큰 몫을 감당할 인재라고 자타가 공인한 선생인데 파송을 앞두고 이렇게 쓰러진 것이다.

폐병은 전염성이 아주 강한 병이라 10일 금식이 끝나도 칼빈 선생은 우리와 함께 식사를 할 수가 없었다. 식사를 따로 해도 선생들은 불안해하면서, 이제는 더 이상 길이 없으니 내일이라도 당장 짐을 싸서 떠나겠다고 했다. 하늘이 무너져 내리는 듯 눈앞이 캄캄했다. 금식 기도는 끝났지만 나는 식음을 전폐하고 주님께 매달렸다.

"주님, 어떻게 해야 합니까? 사역장이 무너질 것 같습니다."

하루 종일 눈물로 기도하며 소록도에도 전화해서 기도를 부탁했다. 그렇게 주님의 심정으로 며칠을 울면서 기도하는데, 하나님께서 칼빈 선생의 폐병 치유를 위해 기도 시간을 연장하라는 음성을 들려주셨다. 순간 근심은 완전히 사라졌다. 선생들을 모아놓고 말했다.

"여태까지 떨어져 나간 형제들도 너무 많은데, 더 이상 잃고 싶지 않아요. 폐병 때문에 흩어져야 한다면 이때까지 공부한 것이 헛수고일 거예요. 예수님은 말씀 한마디로 그 많은 병자를 고치셨는데, 말씀을 믿는다면 기도합시다. 예수님 믿는다고 하면서 폐병 하나 못 고친다면 말이 되겠어요? 그러니 기도하면 반드시 고쳐 주실 겁니다. 나는 그렇게 확신해요."

하루 2시간씩 하던 기도 시간을 그날부터 3시간으로 연장시켰다. 하지만 선생들도, 박 선교사와 순교 전도사도 칼빈 선생의 폐병을 너무 두려워하였다. 마음으로는 아파하고 눈물로 기도해 주면서도 될 수 있는 한 그의 곁에 가까이 가려 하지 않았다.

병 때문에 고통스러워하던 칼빈 선생은 자기 때문에 닥친 사역장의 위기에 더 힘들어했다. 베란다에서 홀로 울고 있는 그를 발견하고는 그를 꼭 끌어안았다. 그도 울고 나도 울면서 주님께 매달렸다.

매일 밤 울면서 칼빈 선생을 고쳐달라고 기도했다. 파송을 막 앞둔 시기에 일이 이렇게 되니 억울하기까지 했다.

그즈음 선주 선생이 자기 다리를 위해서도 기도해 달라고 부탁했다. 그 무렵, 선주 선생은 앉은뱅이나 다름없는 상태로, 다리가 아파 밤마다 잠을 이루지 못했다. 그는 저는 다리 때문에 고생을 많이 한 사람이다. 북한 탈출을 결심하고 일곱 번이나 두만강을 넘었으나 자기를 잡으러 오는 보위부 사람들을 뻔히 보면서도 도망도 못 가고 그 자리에게 체포되어 북한으로 잡혀갔다. 그리고 불구에 가까운 신체조건 때문에 매번 풀려나곤 했다. 여덟 번째 만에 간신히 탈북해 중국으로 넘어왔지만, 신체 건강한 사람들도 자리 잡기 힘든 중국에서 그는 다른 탈북자보다 더 많은 고생을 했다.

선주 선생은 전부터 매일 새벽 4시 반이면 일어나 기도했다. 그가 얼마나 많은 밤을 홀로 깨어 울면서 기도해 왔는지 나는 알고 있었다. 나를 비롯해 사역장의 다른 선생들도 새벽에는 물 마시러 부엌에 들어가지 못할 때가 많았다. 새벽 부엌은 그가 늘 주님께 기도하는 곳이기 때문이었다.

그는 주로 가족을 위해 기도했지 처음부터 다리를 고쳐달라고 기도하지는 않았다. 하지만 말씀을 깨닫고 하나님이 주신 사명을 깨닫게 되자 다리가 꼭 나아야만 할 필요성이 생겼다. 교통 수단이 열악한 북한은 100리, 200

리 아무리 먼 거리도 걸어 다녀야 하기 때문이다.

그래서 '이 다리를 가지고 뭔가를 하려면 하나님의 은혜가 더 필요하다, 건강한 선생들과 똑같이 기도하고 똑같이 성경 공부해서는 안 되니까 하나님께 조금 더 졸라야겠다, 조금 더 조른 놈 더 주는 게 부모 마음 아닌가.' 생각하고 하나님과 씨름하기로 작정했다.

"하나님, 하나님이 북한 복음화를 위해 필요하니까 저를 부르셨는데, 제가 다리가 이래 가지고 무슨 일을 하겠슴까? 주님, 이 다리부터 좀 고쳐주십쇼. 하나님, 저 이 다리 가지고 아무 것두 못함. 다리 안 낫고서는 성경을 배워도 필요 없으니까 알아서 하세요."

사역장의 전체 금식은 끝났지만 보식도 마치기 전에 그는 다시 40일 금식에 들어갔다.

그때부터 온 사역장이 간절히 하나님께 매달리며 칼빈 선생의 폐병 치유와 선주 선생의 다리 치유를 위해 기도했다.

선주 선생이 금식을 시작한 지 20여 일이 지난 토요일이었다. 일과에 따라 모든 선생들이 정주鄭州대학 운동장에서 축구를 하고 있었다. 오랫동안 금식을 해 기운이 없는데다 성치 못한 다리 때문에 선주 선생은 그날도 벤치에 앉아 있게 했다. 그런데 그가 난데없이 운동장 한가운데로 어정어정 기어 내려왔다. 그때 기다렸다는 듯이 그의 앞으로 공이 굴러왔다. 그런데 세상에, 공을 몰고 상대방 골문 앞까지 몰고 가더니 바로 골인시켜버리는 것이 아닌가!

나와 선생들은 눈 앞에서 벌어지는 광경에 넋을 잃었다. 선주 선생이 정상인처럼 걷고 뛸 수 있다는 게 믿기지 않았다. 그를 얼싸안고 실성한 사람처럼 껄껄 웃었다. 선생들도 펄쩍펄쩍 뛰며 박수를 치고, "할렐루야!!" 하면서 고함을 질렀다. 선주 선생도 엉엉 울며 자기 다리를 여기저기 만져보았다. 10년 동안 절름발이로 살던 그였다.

두 달 후에 칼빈 선생 폐병도 기적적으로 나았다. 폐병은 잘 먹고 살이 찌면 낫는 병이다. 우리는 두 달 동안 칼빈 선생을 위해 함께 돼지 두 마리와 염소 다섯 마리를 먹었다. 그렇게 계속 먹이면서 기도하니 체중이 약 20kg 이나 늘면서 그의 폐병이 깨끗이 사라졌다. 주님, 감사합니다. 주님 앞에서 나는 울었다. 칼빈 선생을 다시 돌려주셔서 너무 감사해서 울었다. 그리고 다시 돌려받은 그가 너무나 사랑스러워 울었다.

칼빈 선생의 폐병과 선주 선생의 다리가 완치되자 사역장은 완전히 천국 분위기였다. 선생들은 살아 역사하시는 하나님의 능력을 눈으로 직접 보며 믿음이 더욱 굳건해졌다. 칼빈 선생의 폐병은 사역장이 해체되는 각오까지 할 정도로 도저히 넘을 수 없는 산이었다. 막 파송을 앞둔 시기라 그 좌절감 은 나를 더욱 아프게 했고, 그만큼 처절하게 주님께 매달렸다.

독수리가 하늘을 나는 데 가장 큰 저항은 공기라고 한다. 독수리가 평형을 유지하고 쏜살같이 날려면 공기의 저항을 잘 유지하지 않으면 안 된다. 그 러나 공기가 없다면 독수리는 한 치도 날 수 없을 것이다.

우리가 생각하는 문제는 문젯거리가 아니다. 오히려 우리가 도약하는 원 천이 될 수 있다. 이것이 주님을 의지하는 사람과 세상 사람과의 차이점임 을 새삼 깨달으며, 주님 앞에 엎드렸다. 주님, 감사합니다.

돈은 하나님이 주십니다

한국에서 ○○○목사님이 교회 선교부장 장로님과 우리 사역장에 오셨다. 북경北京에서 정주鄭州공항으로, 정주공항에서 다시 사역장으로 두 분을 모 시고 오며, 목사님께 형제들이 신약 성경을 100독 가까이 통독했기에 설교 도 잘하고 아주 귀하다고 말씀드렸다. 그러자 목사님은 놀라는 눈으로 나를 잠깐 보시더니 이내 고개를 설레설레 저으셨다.

사역장에 도착한 후 목사님은 곧장 예배를 인도하시고, 창세기에 나오는 요셉에 대해 설교하시면서 바울 선생에게 요셉의 아버지가 누군지 물으셨 다. 성경을 100독이나 했다는 사람들이 성경에 대해 얼마나 알고 있는지 궁금하셨던 것 같다. 바울 선생은 주저없이 답했다.

"아담입니다!"

갑자기 좌중에서 폭소가 터졌다. 바울 선생을 그윽이 바라보시던 목사님은 이번에는 요한 선생에게 눈길을 돌려 다시 물으셨다. 요한 선생 역시 씩씩하게 대답했다.

"아브라함입니다!"

또다시 사역장 안에 폭소가 터졌다. 어떤 선생은 아예 배꼽을 쥐고 뒤로 넘어가 버렸다. 나도 한참을 웃다가 이들이 구약에 약하고 당황해서 그렇다고 말씀드렸다. 얘기를 듣던 목사님께서 요한 선생에게 다시 물으셨다.

"요셉과 보디발의 아내에 대해서는 알아요?"

이번에는 침착하게 대답을 잘 했다. 그러자 목사님은 북한 사람들이 성경을 잘 알고 있는 것에 매우 신기해하셨다.

두 분은 다음날 북경北京 관광 일정도 취소하고 다시 사역장으로 오셨다. 이번에는 한 사람씩 설교를 시키고 듣고 평가하시며, 늦게 사역장에 영입된 몇 사람을 제외하고는 한국의 웬만한 목사 수준이라며 깜짝 놀라셨다.

점심 식사 후, 목사님은 선생들과 개별적으로 많은 대화를 나누셨다. 그때 목사님이 무디 선생에게 물으셨다.

"돈은 누가 주나?"

"하나님이 주십니다."

목사님은 아무 말이 없다가 잠시 후 다시 물어보셨다.

"돈은 누가 주나?"

"하나님이 주십니다."

역시 같은 대답이 나오자 조금 언짢으셨는지 몇 번이고 다시 물었지만, 무디 선생은 고집스럽게 똑같은 대답만 반복했다. 나는 다른 방에 있어서 이 일을 몰랐는데, 무디 선생이 똑같은 대답만 하자 목사님이 이번엔 내게 오셔서 다시 물어보셨다.

"최 전도사가 사역 계획은 하지만 돈은 어떻게 하나, 하나님이 주시나?"

"예, 그렇습니다."

그러자 목사님은 그렇지 않다고 하시며 걱정을 많이 하셨다.

다음날 아침, 북경北京으로 떠나는 두 분을 배웅하기 위해 정주鄭州공항으로 모시고 갔다. 공항에서 기다릴 때 목사님이 나에게 물으셨다.

"최 전도사, 사역은 꼭 전도사가 해야 하나? 최 전도사가 다 해야 되나?"

순간 답답하고 속이 상했지만 내색하지 않았다.

"목사면 더 좋습니다. 하지만 조건이 있습니다."

그러자 목사님은 묻는 듯한 눈길로 나를 보셨다.

"우선은 가정을 떠나야 하고, 무보수입니다. 그리고 생명에 위험이 있기에 순교의 각오가 된 분이면 누구라도 좋습니다."

목사님은 더 이상 아무 말씀하지 않으셨다. 그러다 출발 직전에 얼마의 헌금을 주시며 말씀하셨다.

"최 전도사, 알겠네. 이 사역장은 비밀 신학교나 다름없으니 알려져서는 안 되지. 최 전도사와 같은 생각을 가진 사람이 물질로 동역해야 하는 거 아닌가? 내 가서 총장님과 상의할 테니 그때 구체적으로 이야기해 보자고."

며칠 후, 광호 선생에게서 전화가 왔다. 중국 돈 30,000元을 헌금하겠다는 분과 연결시켜 줄 테니 만나보라고 했다. 3일 후 광호 선생은 헌금하겠다는 분을 모시고 사역장으로 찾아왔다.

같이 식사하면서 그분은 내게 여러 가지를 묻더니 돈은 어떻게 감당하느냐고 하였다. 도움을 받고 싶으니 좀 도와달라는 대답을 원하는 말이라는 것을 직감적으로 알 수 있었다. 하지만 왜 그런지 내 입에서 그런 말이 나오지 않았다. 그냥 바울과 함께 하신 하나님, 풍부와 궁핍을 다 알고 적절하게 채우시는 하나님께서 하신다고 말씀드렸다. 그러자 광호 선생은 몹시 서운해 하는 눈빛으로 나를 보았고, 그분은 돈을 주지 않고 그냥 떠나버렸다.

하지만 물질에 대한 나의 기준은 헌금하시는 분이 하나님 앞에서 드리도록 나는 옆으로 비켜서는 것이다. 내가 중간에 끼어 다 감사드리고 나면 헌금하시는 분이 하나님 앞에서 상급을 잃어버린다고 생각하기 때문이다.

그들을 떠나보내고 나는 유쾌했다. 함께 하시는 주님에 대한 확신에 즐겁기만 하였다. 주님은 언제나 우리의 필요를 아셨다. 돈이 없는 상황도 많이 지냈지만 지나고 보면 그때그때의 고난도 다 주님의 계획 속에 있었다. 풍성하신 하나님은 하나님만 의지하고 나아가는 자를 실망시키지 않으시고 반드시 넉넉하게 채워주시는 것을 이후에도 많이 경험했다.

두 달 전, 길림吉林에 있을 때였다. 김요엘 선교사로부터 수원에 있는 영광교회 목사님이 중국에 북한 선교를 오셔서 지원해 줄 만한 장소를 찾으시니 사역장에서 1시간만 교제하고 은혜를 나누면 매월 30~40만 원씩 꾸준히 지원할 것이라는 연락이 왔다. 그러나 사역장에 헌금하겠다는 분이 한 사람 다녀가면 나는 형제들의 감시 대상이 되는 것을 주광호 선생과 형제들과의 대화를 통해 알았다. '얼마를 받았을까? 또 앞으로 얼마씩 지원받는가?' 늘 의심하며 서로의 신뢰가 약해지는 것을 알고, 나는 후원하겠다는 어떤 분도 사역장에 초청하지 않기로 하고 거절했다.

그때부터, 김의환 총장께서 동역자가 되어 주셔서 후원 부분은 총장님 채널로 고정되도록 계속 기도했다. 철저하게 비밀로 해야 하는 사역의 특성상 여러 곳에 알릴 수 없기 때문이다.

나의 선교 방법은 "저는 하나님께서 제게 맡겨주신 영혼을 위해 생명을 쏟아 붓겠습니다. 물질과 환경, 여건은 하나님께서 알아서 직접 채워 주세요." 하는 것이다. 선교 단체에서 훈련받은 많은 분의 말을 들어 보면 선교 현장 50%, 재정 후원 50%의 비중으로 사역해야 한다고 강조하지만, 나는 각자의 믿음대로 하나님께서 역사하신다고 믿는다.

수영장 사건과 17일 금식 기도

기풍 선생이 일주일간 사역장을 책임지고 이끄는 차례가 되었다. 자신감에 차 있는 그에게 일주일 생활비 500元을 주면서 잘해보라고 어깨를 두드려 주었다. 그런데 첫날부터 평소에 학생들이 먹고 싶어하던 음식을 사다가 식탁에 산더미처럼 쌓아놓았다. 그리고 이제까지의 일과 진행과 달리 월요일 아침부터 축구를 하러 가자고 했다. 다른 선생들은 금요일까지는 통독을 하고 토요일에 축구하는 전통을 깨뜨리지 않았지만, 그는 좀 다르게 해보고 싶었던 모양이다.

오전에 축구를 마치고 나자 오후에는 또 수영장을 가자고 했다. 저렇게 하는 것은 아닌데 싶어 걱정이 되었으나, 아무 말도 하지 않았다. 선생들에게 사역의 총 책임자 위치에서 진행하라고 했기 때문에 처음부터 시시콜콜 간섭하고 싶지 않았다. 그리고 될 수 있으면 선생들이 자기가 맡은 주간에 실수를 많이 하기를 바랐다. 그래야 앞으로 각자 사역장을 이끌 때 도움이 될 수 있는 내 경험을 더 많이 전수해줄 수 있기 때문이다.

짐작대로 수영장에서 사고가 터졌다. 처음에는 한겨울에 수영을 다 해본다며 모두 신나게 수영하더니, 잠시 후 비키니 수영복을 입은 여자들을 보고 모두 정신이 나가버렸다. 오후 내내 정작 수영은 겨우 20분 정도 하고, 억지로 물에 밀어 넣어도 어느새 다시 나와 입을 헤 벌리고 앉아 여자들만 구경하였다.

선생들은 이런 남여 혼용 실내 수영장에 처음 들어와 본 것이다. 북한에는 실내 수영장도 없거니와 여자가 밖에서 옷 벗는 행동이 용납되지 않기 때문에 수영을 해도 강이나 바다에서 남자들끼리만 한다. 이들에게 실내에서 남녀가 같이 수영하는 것은 외국 영화에서나 볼 수 있는 장면이다.

시간이 조금 지나자, 줄지어 앉아 여자들 구경만 하는 우리 선생들에게 수영장의 모든 사람들이 이상한 눈길을 보내기 시작했다. 더 이상 방치하면 안 될 것 같아 기풍 선생을 억지로 끌다시피 해서 수영장을 나왔다.

이러다보니 기풍 선생은 이틀 만에 한 주간 생활비를 거의 다 써버렸다. 역시 돈을 효율적으로 관리하는 일이 북한 선생들에게는 어려운 문제 중의 하나였다. 그동안 그저 끼니 걱정 면하는 것에 만족하며 살아왔기 때문에 돈을 규모있게 쓰는 법을 배울 기회가 없었다.

　수영장 사건으로 선생들의 영적 상태가 흐트러지지 않을까 몹시 걱정되었다. 역시나 그 후부터 사역장의 분위기가 산만해지며 여러 문제가 생기기 시작했다.

　먼저, 무디 선생이 다른 선생들과 한바탕 크게 다투고는 소주를 사와서 몰래 마셨다. 나는 아픈 소리 하려고 작정하고 그를 내 방에 불렀다.

　"술을 먹어야 할 것 같으면 사역장을 떠나서 마시세요."

　내 말을 듣고 그는 놀라고 겁먹은 눈으로 나를 바라보았다.

　"정말 가라는 검까?"

　"계속해서 술을 마시려면 가세요!"

　갈 곳이 없는 탈북자들은 가라는 말을 제일 싫어하고 무서워한다. 차마 가라는 말까지 할 줄 몰랐는지 그는 무섭게 화를 냈다.

　"예! 갑니다 가여, 가라고 하문 못 갈 줄 알아여? 갑니다 가여!"

　발로 문을 걷어차고 나가더니 이내 보따리를 싸들고 사역장을 나가버렸다.

　날이 어두워지자 그는 다시 사역장으로 돌아왔다. 돌아와서 하는 말이 갈 곳도 없고 갈 생각도 없었는데 그냥 홧김에 나가버렸단다. 마음속으로는 다시 돌아와 준 그가 반갑고 고마웠지만 내색하지 않았다.

　"이제부턴 좀 잘 할 수 있겠어요?"

　"예!"

　무디 선생은 크게 한 번 말하고는 벙싯 웃었다.

　이 일 외에도, 권능 선생과 익두 선생도 자기들을 왜 이렇게 영적으로 손해 보게 했냐며 기풍 선생에게 막 달려들었고, 다른 선생들도 돌아가면서 기풍 선생과 싸웠다.

　기풍 선생도 화가 나서 이 새끼들 다 패 죽이고 사역장에서 나간다며 난리를 피웠다. 방에 들어가서 문을 걸어 잠그고는 누가 두드려도 열어주지 않았다. 나는 겨우겨우 기풍 선생을 달래 내 방에 불러놓고 수영장에 간 것이 왜 잘못되었는가에 대해 차근차근 설명해 주었다. 내 말을 다 듣고 그는 즉흥적으로 행동했던 자기의 잘못에 대해 진정으로 마음 아파하며 사역자로서의 정욕 문제를 해결하기 위해 40일 금식 기도에 들어갔다.

기풍 선생이 금식을 시작한 지 18일째 되던 날, 잠시 한국에 갔던 순교 전도사가 돌아왔다. 순교 전도사가 가져온 사탕, 과자 등 맛있는 먹거리 중에서 사탕이 너무 먹고 싶었던 기풍 선생은 자기도 모르게 사탕 한 알을 입 안에 넣고 삼켜버렸다. 이로 인해 40일 금식이 중도에 끝나고 말았다.

토요일, 정주鄭州대학 운동장에서 축구가 끝난 뒤 오랜만에 집에 전화를 했다. 나를 안심시키려고 그러는지 아내는 아무 일 없고, 아이들도 다 잘 있으니 걱정 말라고 했다. 목소리를 듣고 나니 아내가 더욱더 보고 싶었다.

그렇지만 태어난 지 몇 개월밖에 안 된 아들을 고향에 두고 온 요한 선생, 6살짜리 귀여운 딸아이를 두고 온 안타까움에 남몰래 애 태우며 눈물 흘리는 무디 선생, 밭고랑에 쓰러진 어머니를 두고 눈물의 강을 건너야 했던 바울 선생… 이들에 비하면 나는 너무도 행복한 사람이었다.

그동안은 이들을 보며 비록 가족과 떨어져 있어도 늘 감사하며 지내왔고, 이들 앞에서 가족들 보고 싶은 내색 하기가 미안해서 잘 참았다. 그런데 오늘따라 아내와 아이들 얼굴이 눈앞에 떠올라 좀처럼 사라지지 않았다. 점심을 먹고 기도하려고 침대에 엎드리자 눈물이 주루룩 흘러내렸다.

"주님, 주님께서 사랑하는 미연이를 지켜주시며, 하나님의 얼굴빛을 비추사 은혜 주시며 평강 주십시오. 하나님의 깊은 은혜 속에서 앞으로의 삶을 통해 하나님이 크게 기뻐하는 하나님의 사랑하는 딸 되게 해 주세요. 주님."

"주님… 주님… 사랑한다 미연아! 보고 싶다 미연아! 나미연… 하나님 앞에 가는 그날까지 당신만 사랑합니다. 주님! 보고 싶습니다. 저의 가족들이 보고 싶습니다. 주님, 제가 없는 동안 지켜주세요. 주님… 미연아… 영니야… 정니야… 기현아… 명현아…."

넋이 나간 사람처럼 소리 없이 울면서 아내와 아이들의 이름을 차례로 불렀다.

이렇게 1기 사역은 나날이 무르익었다. "눈물을 흘리며 씨를 뿌리는 자는 기쁨으로 거두리로다"시 126:5는 말씀처럼, 1기 사역 기간 동안 참으로 많은 눈물을 흘렸다. 우선은 한국에 두고 온 가족들이 걱정되어, 너무도 보고 싶어서 울었다. 처음 6개월은 외로워서, 힘들어서 울었다. 돈이 없어 울었고, 형제들이 속썩일 때 울었다. 형제들이 죄 사함과 구원의 감격 가운데 울 때, 나도 감격 속에 목 놓아 울었다. 칼빈 선생과 선주 선생을 위해 기도하며 안타까움에 한없이 울었고, 하나님께서 이들을 치유해 주셨을 때 감사해서 또 울었다. 이제까지 얼핏 생각해도 300번은 족히 울었던 것 같다.

파송

박베드로 선교사가 처음 사역장에 오셨다. 도착하자마자 곧장 예배를 인도하셨는데, 우리가 큰 소리로 찬양하며 기도하니 깜짝 놀라 창문을 다 닫으셨다. 그리고 이렇게 해도 되냐고 예배 후 심각한 얼굴로 물으셨다.

길림吉林에서부터 이렇게 예배드렸지만 문제된 적은 한 번도 없었고, 예배는 하나님이 가장 기뻐하시는 일이기에 예배드리다 체포되어 죽는다면 하나님이 가장 기뻐하시는 순교가 아니겠냐고 말씀드렸다.

나는 항상 안전에 주의하면서도 예배드릴 때만은 전심으로 드리라고 가르쳤다. 주님이 기뻐하셔서 철저하게 보호해 주신다고 믿기 때문이다. 우리는 기차를 타고 이사가다가도 예배 시간이 되면 갈아타는 역의 광장 한적한 곳에서 예배드리곤 했다.

당시 중국은 중국인들도 정부에서 운영하는 삼자교회三自教會가 아닌 허가받지 않은 곳에서 예배드리면 체포되던 상황이었다. 외국인이 이런 선교 활동을 하다 적발되면 과중한 벌금을 내고 즉각 추방되었다.

그러나 우리는 항상 쫓기는 속에서 위험한 사역을 감당해야 하기 때문에 이런 믿음이 아니고는 북한 선교를 할 수가 없었다. 철저하게 하나님만 신뢰하게 하기 위해 선생들을 이렇게 강하게 훈련시켰다. 그러나 역시 각자가 믿는 대로 된다고, 만 3년 동안 중국에서 탈북자 사역을 했지만 단 한 번도 예배 때문에 체포된 일은 없었다.

박 선교사가 다음날부터 조직신학 강의를 시작하려하자, 선생들이 아직은 말씀을 더 공부하고 조직신학을 하고 싶다며 깊이 있는 말씀 강해를 해 줄 것을 요청했다. 그래서 히브리서 강해로 넘어갔다. 잠시 후, 선생들의 질문이 폭포수같이 쏟아지면서 선주 선생이 목사님께 질문을 했다.

"목사님, 레위기와 출애굽기와 성막과 히브리서가 어떻게 연결이 됩까? 서로의 연관성 속에서 히브리서를 해석해 주세요."

그리고 안식일 날 예수께서 손 마른 자를 고치시는 말씀을 전해 주시면서 질문을 하라고 했을 때, 칼빈 선생이 안식일을 안식년과 희년과 연관지어 설명해 달라고 요청했다. 선교사님은 내 방에 들어와 머리를 절레절레 흔들며 연신 놀랍다는 말만 되풀이하셨다. 한 달간으로 계획했던 조직신학 강의는 이렇게 해서 3일 만에 끝나버리고 말았다.

선교사님은 다음날부터 "북한 선교 현장 중에서 최고다, 세계에서 최고다."라며 칭찬을 아끼지 않으셨다. 이렇게 위험한 상황에서 찬송을 고래고래 불러도 하나님이 전적으로 보호해 주시고 책임져 주시는 곳을 세계 어디에서도 아직 보지 못했고, 새벽 기도 때 설교하는 그 수준하며, 또 사역장을 한 주간씩 이끌어 나가며 탈북자들이 북한 선교사들로 세워져가는 모습을 보니 지금까지 보도 듣도 못했던 일들이 진행되고 있다고 하셨다. 선교사님은 한 달 정도 사역장에 계시면서 하루에 한 번 이상 같은 말씀을 반복하셨다. 나도 기뻤지만 새롭게 세워진 선생들도 무척이나 기뻐했다.

한국을 다녀온 지 얼마 되지 않은 것 같은데 벌써 3개월이 지났다. 비자 문제로 다시 한국에 가야 했고, 곧 파송될 선생들의 활동 자금과 새로 생길 사역장에 대한 사역비도 준비해야 했다. 박베드로 선교사와 박주안 선교사, 김순교 전도사에게 사역장을 부탁하고 나는 한국으로 왔다.

한국에 와서 집에 도착한 지 30분쯤 지났을 무렵, 박베드로 선교사로부터 급한 전화가 걸려왔다. 사역장에 여자 공안이 찾아와서 요셉 선생이 나갔는데 여느 때보다 한참 애기를 하고 들어오면서, 신발이 많고 사람 사는 냄새가 나는데 이 쪽 저 쪽 방은 다 보여주면서 통독실은 안 보여 주는 것을 이상히 여기며 가더라는 것이다. 그리고는 요셉 선생 신분증과 박베드로, 박주안 선교사와 김순교 전도사의 여권을 모조리 회수해 가면서 내일 다시 공안국에 출석하라고 했다는 것이다.

저녁에 박 선교사로부터 다시 전화가 왔다. 어떻게 하면 좋겠는지 나에게 상의를 하시는데 나는 알아서 판단해 달라고 말씀드렸다. 선교사님은 선생들 수준도 이 정도면 충분한 것 같고, 공안을 보내심은 파송하라는 뜻인 것 같다시며 바로 파송하겠다고 하셨다.

그러면 파송 날짜가 예정보다 40~50일 앞당겨지는 셈이다. 우리는 선생들의 파송 날짜를 연변延邊 지방의 모내기철이 끝나는 때로 맞추었다. 모내기철에는 바쁜 농촌 일손을 도와주라고 공안들도 일부러 북한 사람들을 잡지 않았다. 그러다가 일철이 끝나면 다시 덮쳐서 잡기 때문에 그때가 되면 탈북자들이 갈 데도 없어지니 학생 모집이 좀더 수월할 거라는 생각에서였다. 그리고 선생으로 세워지긴 했지만 아직 부족한 면이 많으니 앞으로 두 달 가량 더 훈련을 받아 적어도 10개월 정도는 훈련 기간을 채워야 하지 않을까 하는 생각에서였다.

저녁에 선교사님은, 요셉 선생의 말을 듣기가 무섭게 밖으로 나가 대학 주변을 돌아다니던 선생들을 불러들여 간단하게 파송 예배를 드렸다. 파송 예배 시간에 선생들은 '파송의 노래'를 부르며 비장한 결심을 하였다고 한다. 이제 연변으로 가면 얼마나 큰 위험이 자기들을 기다리고 있는지 이들은 너무 잘 알고 있었다.

당시 연변에는 북한에서 파견한 비밀 경찰인 보위부 특무들이 많이 있었다. 그래서 성경 공부할 만한 탈북자들을 그곳에서 모집해 오는 것은 너무 위험한 일이었다. 모든 것을 주님의 인도하심에 맡길 수밖에 없었다. 선생들은 활동 자금도 없이 각자 가방만 하나씩 달랑 들고 연변延邊으로 떠났다. 이때가 99년 4월 7일이었다.

인정받는 우리 선생들

선생들이 연변延邊에서 학생들을 모집하고 있는 동안, 나는 한국에서 주님이 인도하시는 대로 여기저기 다니며 사역비를 모금하고 있었다. 김 총장님께서 스케줄을 잡아놓은 여러 교회를 다니며 선교 보고를 했지만, 이번에는 사역비가 쉽게 해결되지 않았다. 그러는 동안 선생들의 독촉 전화가 20여 차례나 왔다. 학생들을 다 모집하였으니 안전한 남쪽 지역으로 내려가 사역을 시작할 수 있게 빨리 사역비를 보내달라고 했다.

그러나 매일같이 독촉 전화가 와도 내게는 중국에 들어갈 여비조차 허락되지 않았다. 생각다 못해 요셉 선생의 아버지 전○○ 집사님께 전화를 해서 돈을 좀 구해달라고 부탁드렸더니 흔쾌히 그렇게 해주겠다고 하셨다.

기풍 선생은 집사님께서 구해 주신 돈으로 먼저 연길延吉에 임시 사역장을 꾸리고 사역을 시작하였다. 선주 선생은 연길에서 기차로 1시간 거리인 안도安圖 조선족 교회에서 북한 형제 2명과 자매 1명, 부부 한 쌍을 데리고 사역을 시작하였다.

하지만 그때까지도 나에게는 사역비가 허락되지 않았다. 한 시간 한 시간을 전전긍긍하며 기다렸지만, 한국에 들어온 지 한 달 보름 만에야 겨우 240만 원이 모금되었다. 이 돈으로는 어림도 없다는 것을 알면서도 급한 마음에 곧장 중국으로 떠났다.

중국에 와서 먼저 집사님을 찾아뵙고 인사를 드렸다. 집사님께서 그동안 수고를 많이 하고 계셨다. 돈을 구하기 어려운 동네에서 6,500元을 구해서 선생들에게 공급해 주셨고, 사방으로 흩어져 활동하는 우리 선생들의 중간 연락처 역할도 해주셨다. 그동안 우리 선생들이 집사님에게서 가져가 쓴 돈을 돌려드리고 권능 선생을 만났다.

권능 선생은 모집한 학생들을 자기 가족들이 사는 집에 모아놓고 있었다. 그의 가족들은 보위부 특무들과 공안들을 피해 깊은 산 속에 움막을 짓고 살고 있었다. 익두 선생은 의란依蘭 김 집사 댁에 기거하며 활동하고 있었고, 칼빈 선생과 요한 선생은 왕청汪淸 삼도구三道溝 아주마이 댁에 은거하며 활동하고 있었다. 칼빈 선생과 요한 선생은 아직 학생들을 다 모집하지 못하고 있었다. 학생을 모집하러 연변延邊에 왔지만, 삼도구 조선족 교회에 들어가서 예배를 드려보니 너무 안타깝고 속상해서 조선족 교회 사역을 먼저 시작했다고 하였다.

당시 연변의 조선족 교회에서 예배를 인도하시는 분은 대부분 집사나 전도사였는데, 몇몇 분을 제외하고는 성경에 대해 아는 것이 부족했다. 그래서 찬송이나 몇 곡 부르고 간증하고 성경 한 번 읽는 것으로 예배를 끝내곤 하였다. 칼빈 선생이 이것을 목격하고 안타까워 설교를 하자 성도들의 반응이 너무나 뜨거웠다고 한다. 이들은 칼빈, 요한 두 선생이 알기 쉽게 풀어주는 하나님의 말씀을 듣고 너무 좋아 어쩔 줄 몰라 하며, 밤에 두 선생이 은거하는 집에까지 찾아와 말씀을 가르쳐 달라고 졸랐다고 한다. 나는 학생 모집을 잠시 미룰 수밖에 없었던 두 선생의 심정이 이해가 되었다.

이런 문제는 칼빈, 요한 선생뿐 아니라 안도安圖에서 사역하는 선주 선생도 마찬가지였다. 선주 선생의 설교를 한 번 듣고 난 후, 그곳 조선족 교회는 물론이고 한족漢族 교회에서도 예배 시간에 선주 선생을 자기 교회로 데려가서 예배를 드리곤 했다고 한다. 심지어 술을 조금 마실 일이 있으면, 자기 교회 전도사 대신 선주 선생에게 허락을 받으러 왔다고 한다.

조선족뿐 아니라 한족들도 우리 선생들이 신분증도 없는 탈북자인 것을 알면서도 이렇게 대접하고 섬겼다. 그만큼 연변 사람들은 하나님의 말씀에 갈급했지만 제대로 말씀을 전해줄 사역자들이 없었다. 그래서 우리 선생들이 가는 곳마다 대대적인 환영을 받았던 것이다.

여러 선생들을 만나 필요한 경비를 제공하고 나니 얼마 되지 않던 돈이 이내 바닥이 나고 말았다. 내가 돈이 없어 힘들어 하는 것을 옆에서 말없이 지켜보던 요셉 선생이 8,000元이라는 거금을 구해왔다. 그래도 모집한 학생들을 데리고 남방으로 내려가 8개 사역장을 꾸리기에는 역부족이었다.

아내에게 전화해서 헌금 들어온 게 있느냐고 물으니 가정 생활비로 들어온 돈밖에 없다고 했다. 그래서 할 수 없이 아내 통장으로 들어온 가정 생활비 50만 원을 요셉 선생의 통장으로 송금하라고 했다. 그러나 이틀이 지나자 이 돈도 다 없어졌다.

기도하고 C시 한인교회 김무종 목사님께 전화를 드렸다. 우리 사정을 설명하고 헌금 한번 가능한가 하고 상의드리자 가능하다고 하셨다. 급히 C시로 내려가니 목사님은 45,000元을 준비해 놓고 계셨다. 이렇게까지 해주시는 목사님이 너무 고마웠다. 이 돈이면 당장 필요한 부분들은 채울 수 있을 것 같았다.

이 돈으로, 그동안 연길延吉에 머물던 기풍 선생 사역장을 제일 먼저 사천성四川省 중경重慶으로 보냈다. 기풍 선생은 떠나면서 학생들이 너무 사랑스럽다는 이야기를 세 번이나 하였다. 중경으로 가기 위해 학생들을 데리고 연길역으로 들어서던 그를 생각하니 마음이 흐뭇하기만 했다.

여기는 북조선 사령부

권능 선생은 파송되어 연변延邊에 이르자마자 깊은 산 속에 숨어 사는 부모님을 찾아 연길 의란依蘭으로 갔다. 부모님은 북한 사람들과 함께 살면서 그를 기다리고 있었다.

"아버지! 내 없는 동안 어떻게 살았슴까?"

권능 선생의 아버지 김 아바이는 신이 나서 그에게 설명했다.

"야! 야! 말두 마라. 우린 진짜 쉽게 살았다! 아 글쎄, 거 여기에 쌀이 다 떨어져 갈까 하면, 마치 누기누가 보기라두 하는 것처럼 말이야, 아래 동네 사는 전도사님이 쌀을 들구 올라오구, 또 떨어질까 하면 지나가던 사람이 먹으라구 쌀을 주구, 글다가는 또 카나다라는 나라에서까지 선교사라구 하는 사람이 와서 돈두 옷두 주잖니? 우리는 정말 너 없는 동안 잘 살았다! 근데 야… 그거 진짜 신기하더라. 이 사람 없는 심심산골에 들어오면서 어떻게 살까 하구 걱정했는데… 딱 마치 누기 보는 것처럼 공급해 주지 않구 뭐니?"

권능 선생은 울컥 눈물이 났다. 하나님께서 자기 기도에 너무도 신실하게 응답해 주셨던 것이다. 기도를 하면서도 반신반의했던 자신이 부끄러웠다.

산 속 집에는 장만식 아바이라고 하는 분이 살고 계셨다. 장 아바이는 북한에 있을 때부터 기풍 선생에 대해 잘 알고 있었는데, 권능 선생과 함께 온 기풍 선생의 변화된 모습을 보고 깜짝 놀랐다. 술도 마시지 않을 뿐더러 담배도 피우지 않고, 옛날과 완전 딴판이 되어 말할 때도, 행동할 때도 정중하고 겸손해져 있었다. 그리고 권능 선생과 번갈아 매일 가정 예배를 인도하면서 말씀을 전하고 찬송가도 가르쳐 주었던 것이다.

"아이쿠! 야 이놈 봐라. 그렇게 형편없는 개 망종처럼 놀던 저 놈이 이렇게 사람이 돼서 돌아왔어? 야~ 거 신기하다야."

"그거 너거 공부하는 거게 뭐가 있긴 있는 모양이다야!"

김 아바이도 한마디 거들었다. 그곳에 있던 모든 사람들이 기풍 선생의 변화된 모습을 보고 의아해했다.

장 아바이가 정색을 하고 기풍 선생에게 공손하게 말했다.

"나도 사역장에 학습하러 가문 안 됩까? 기풍 선생님."

기풍 선생은 나이가 57세나 되는 장 아바이가 공부하러 간다고 하자 만류하였다. 젊은 사람들도 견뎌내기 힘든 사역장의 일과를 노인이 어떻게 이겨낼지 알 수 없었던 것이다.

"기풍 선생님, 이번에 갈 때 나를 빼 놓으문 안 됩다. 나는 죽어도 학습하러 가겠슴다."

장 아바이는 기풍 선생의 다리를 붙들며 매달렸다.

김 아바이는 권능 선생에게 그가 없는 동안 일어났던 많은 일들을 들려주었다. 김 아바이가 사는 산 속으로 북한 사람들이 모여 들었다. 길을 알고 찾아 와도 찾기 힘든 곳을 어떻게 알고 오는지 낮에도 찾아오고 한밤중에도 찾아왔다. 김 아바이는 아들의 부탁도 있고 찾아오는 사람들이 불쌍하기도 해서 쫓아 버리지 않고 함께 살기 시작했다.

그렇게 한 사람 두 사람 모여 들기 시작한 것이 잠깐 사이에 20여 명으로 늘었다가 나중에는 80여 명에 이르는 큰 마을을 이루게 되었다. 그래서 산 아래 마을이나 파출소에서는 사람들이 떼로 모였다가 어느 날 한꺼번에 싹 사라지곤 하는 이곳을 '북조선 사령부' 라고 불렀다.

80명에 가까운 많은 사람들이 먹고 살 양식은 하나님께서 친히 공급해 주셨다. 권능 선생이 우리 사역장에 들어간 것을 알고부터 의란依蘭 조선족 교회에서 선교사나 목사가 탈북자를 만나고 싶어하면 제일 먼저 이곳으로 안내했고, 교회에 지원 물자가 들어오면 이곳에 최우선적으로 보내주었던 것이다. 사람들이 늘어나면 그들이 들어가 살 수 있는 막을 짓도록 비닐까지도 올려 보내주었다.

이 산 속 마을은 산 아래 마을에서 2시간 정도 떨어진 산꼭대기에 있었다. 차가 올라올 수도 없는 곳이고, 설령 공안들이 잡으러 와도 밑에서 나는 차 소리를 들으며 천천히 걸어서 피해도 얼마든지 피할 수 있는 곳이었다. 공안들은 이 곳에 탈북자들이 많이 모여 사는 것을 뻔히 알면서도 잡으러 올라올 수가 없었다.

그러나 마음 한편엔 늘 안전에 대한 염려가 있었기에 김 아바이는 산 아래 마을 사람들과 관계를 좋게 가지며 인심을 잃지 않으려고 신경을 많이 썼다. 가을철 바쁠 때는 여러 사람이 산 아래 마을에 내려가 일손을 도와주었다. 마을에 장애인이 사는 집에는 땔나무를 해서 쓰기 좋게 장작으로 패서 실어다주기도 하고, 언제든 노동력이 필요하다고 하면 지체하지 않고 가서 도와주었다.

서로 좋은 관계가 유지되면서 마을 사람들은 낯선 사람이 와서 북한 사람이 사는 집이 어딘가 물으면 알려주지 않았고, 공안이 물어도 절대 알려주지 않았다. 한번은 공안이 김 아바이를 체포하려고 작정하고 왔는데, 마을 사람들이 그 사람들 벌써 다른 데로 가고 없으니 눈길에 괜히 고생하지 말고 그냥 돌아가라고 해서 공안들이 그 말대로 돌아간 적도 있었다.

하나님께서는 의란 시내에 살던 권능 선생 당숙堂叔을 통해 권능 선생 가족들과 그 곳에 함께 사는 북한 사람들을 보호해 주셨다. 당숙은 파출소 고위 관리로 탈북자 검거 선풍이 있으면 미리 알려 주곤 하였다.

며칠을 가족들과 지낸 후 권능 선생은 사역장으로 떠나며 말했다.

"아버지, 사람들을 많이 데리고 사는데 안전에 조심하십시오."

"걱정 마라. 여기 있는 사람들 잡을라문 헬기를 동원해두 안 된다. 공안들이 우릴 잡겠다구 그러기야 하겠니?"

그때 권능 선생과 기풍 선생이 그곳에 있던 장 아바이, 유에녹 형제, 김주명 형제와 권능 선생 동생들인 김영윤, 김사무엘 형제를 학생으로 모집하여 왔다. 권능 선생은 다시 학생 모집을 나올 때까지 여기 오는 사람들을 보내지 말고 꼭 데리고 있으라고 또다시 아버지께 부탁을 드렸다.

이후 2000년까지 200명에 가까운 학생들이 김 아바이와 그 가족, 친척들의 소개로 우리 사역장에 들어왔다. 김 아바이의 산 속 집은 우리 사역장으로 오기 위한 1차 집결지나 다름없었다.

체포되는 선생들

기풍 선생 팀을 보낸 후, 익두 선생과 권능 선생 팀도 속히 보내려 서둘렀다. 칼빈 선생과 요한 선생은 아직 며칠 더 기다려야 학생 모집이 끝난다.

오늘 무디 선생을 만났다. 그동안 그는 연길延吉 서시장西市場에 있는 전화방 주인아저씨 집에 살고 있었다. 그 주인아저씨는 무디 선생이 사역장에 오기 전부터 알고 지내던 분이다. 그런데 무디 선생이 그 아저씨에게 무슨 말을 어떻게 했는지 아저씨가 그의 말을 하나님 말씀처럼 따른다는 것이다. 그에게 당신의 활동을 위해서라면 자기가 운영하는 전화방에 있는 물건들을 쓰고 싶은 대로 다 쓰라고 한다는 것이다.

이 전화방 아저씨가 무디 선생에게 북경北京에서 고아원 사역을 한다는 분을 소개해 주었다. 고아원 사역을 하시는 분은 무디 선생이 성경 100독을 했으며, 지금 북한 선교를 위해 뛰어다니고 있다는 말을 듣고 그 자리에서 스카우트 제의를 했다. 스카우트 조건으로 북한에 있는 아내와 딸을 데려다 주고 중국 신분증을 만들어 줄 테니 아이들에게 성경을 가르치고 예배 인도만 해달라고 했다고 한다.

무디 선생은 나에게 이런 이야기들을 하고 몹시도 미안해 하며 북경北京으로 떠났다. 그에게는 정말 거절하기 힘든 조건들이었을 것이다. 떠나가는 그에게 어디를 가든 하나님 앞에 바로 서서 말씀에 철저히 순종하면서 영혼을 살리는 일에 전념하라고 부탁했다. 그가 하루 빨리 아내와 딸을 만나 행복하길 주님께 기도했다.

무디 선생이 떠난 이틀 후, 선주 선생이 학생 3명과 함께 체포되었다.

선주 선생이 학생들과 함께 체포되었다는 소식을 들으니 온 몸이 그 자리에서 허물어지는 것만 같았다. 하나님께서 얼마나 귀하게 여기는 탈북자 출신 북한 선교사들인데, 또 얼마나 불쌍한 북한 형제들인데 저들이 사역 현장에서 체포되다니. 더군다나 그는 사역장의 지도자로서 북한에 끌려가면 죽음을 면치 못할 것이다.

나는 허둥거리며 모 대학의 처장님께 전화를 드려 사정을 설명하고 선주 선생 구조를 부탁드렸다. 일인당 2,000元은 있어야 빼낼 수 있을 거라고 하셔서 요셉 선생 아버님께 빌려서 급히 8,000元을 보내드렸다. 처장님은 선주 선생 일을 책임지고 맡아 주겠다고 약속하셨다.

한시름 놓고, 매하구梅河口에서 온 바울 선생을 만났다. 길림吉林시 명성교회 목사님과 집사님들이 탈북자의 신분으로 북한 선교를 위해 뛰어다니는 바울 선생을 대견하게 여겨 많은 도움을 주었다고 했다. 그는 명성교회 옆에 있는 자그마한 사랑방에 임시 사역장을 꾸리고, 새로 모집한 김주복, 강석환, 이빌립 형제들에게 성경 통독을 시키고 있었다.

며칠 후 처장님께 연락을 드리니 선주 선생을 비롯하여 아직 한 사람도 풀려나지 못하고 있는 상황이었다. 북송되기 전에 중국에서 빼내는 데 드는 돈이 최근에 일인당 2,000元에서 10,000元으로 올라 이미 준 돈 8,000元으로 선주 선생만 빼내기로 하고 일을 처리했다고 하셨다. 하지만 어찌된 일인지 선주 선생은 아직 감옥에서 나오지 못하고 있었다. 북한으로 호송될 나머지 형제들 생각에 가슴이 아팠다.

5월 24일, 칼빈 선생과 요한 선생을 연길延吉에서 만나기로 약속했다. 뒤늦게 학생 모집에 나선 두 선생도 벌써 여러 명의 학생을 모집했고, 이제 용정龍井에서 한두 명만 더 모집하기로 했다. 그러나 약속 장소인 전화방 아저씨 집에서 밤새 기다렸지만 두 사람은 나타나지 않았다.

다음날 오전까지 기다리다가 불안하고 궁금하여 이들이 은거하던 왕청汪淸 삼도구三道溝 아주마이 댁으로 요셉 선생과 함께 찾아갔다. 삼도구 사람들도 어제 오기로 한 사람들이 아직 오지 않는다며 두 선생을 눈이 빠지게 기다리고 있었다.

급히 장 처장님께 전화를 걸어 칼빈 선생과 요한 선생 같은 사람이 공안에 잡히지 않았는지 알아봐 달라고 하였다. 그리고 뭐라도 좀 알 수 있지 않을까 해서 두 선생이 모집한 학생들에게 물었다. 그 중 한 사람인 진명 형제 말이, 두 선생이 없어지던 날 오후에 자기가 고향 친구인 보위부 특무를 연길延吉역에서 만났는데, 우리 사역에 대해 어느 정도 알고 있었고 지금 우리 선생들이 여기서 학생 모집 중인 것도 알고 있더라고 했다. 진명 형제도 두 선생이 혹시 북한으로 끌려가지 않았는지 몹시 걱정하고 있었다.

장 처장님에게서 전화가 왔다. 연길시 공안국 어디에도 두 선생은 없다는 것이다. 순간 가슴이 덜컥 내려앉았다. 중국 공안이 아니라 북한 보위부 특무에게 바로 체포되었음이 분명해졌다.

다음날 전화가 왔다. 들어본 적이 없는 거친 북한 말투였다. 누구신가 하고 물을 새도 없이 저쪽에서 먼저 말을 했다.

"여보쇼? 나 진창욱이 형이요! 최광 선교사 맞죠? 나 좀 봅시다."

그리고는 연길 북대시장北大市場에 있는 대우호텔 커피숍에서 만나자고 하고 일방적으로 전화를 뚝 끊어 버렸다.

진창욱이면 칼빈 선생의 본명이었다. 나는 전화를 끊고부터 가슴이 두근거리기 시작했다. 그의 형이 어떤 사람이라는 걸 칼빈 선생에게 들어 익히 알고 있었기 때문이다.

칼빈 선생 형도 북한 보위부 특무였다. 그 중에서도 김정일 위원장 직속 외화벌이 마약 밀매단 소속 특무였다. 언제나 생명의 위협 속에서 활동해야 하는 이들은 무기도 일반 휴대용 권총 정도가 아니라, 필요시에는 기관단총 사용도 꺼리지 않는다고 했다. 지금은 마약 밀매단에서 탈퇴하여 연길延吉 조직 폭력배에 가담하고 있었지만 정말 만나고 싶지 않은 사람이었다.

약속 장소로 가니, 내가 나올지 안 나올지에 대해서는 걱정도 하지 않은 듯했다. 나의 활동 범위라고 해봤자 자기 손바닥 안이라고 생각할 정도로 그는 나와 우리 선생들에 대해 소상히 알고 있었다.

몹시 긴장한 가운데 칼빈 선생 형과 대화를 가졌다. 그러나 그는 생각처럼 나를 위협하려고 찾아온 사람이 아니었다.

"선상님, 고맙슴다."

대화 시작부터 털털한 말투로 인사를 건넸다. 내가 의아해하자, 동생이 폐병으로 죽을 수 있었는데 내가 노력해서 고쳐주었기 때문이라며, 동생이 살도 많이 찌고 건강해진 걸 보고 여러 번 찾아와 인사드리고 싶었다고 했다.

그러면서 동생이 하나님의 귀한 일꾼으로 다듬어져 감동을 많이 받았으며, 동생 문제가 정리되면 자기도 사역장에 가서 공부하고 싶다고 하였다. 만약 하나님이 동생을 안전하게 보내주시면 감사해서 공부할 것이며, 동생에게 무슨 일이 생겨도 동생이 하던 일을 이어서 할 것을 약속한다고 하였다. 나는 너무도 예상 밖의 말에 과연 이 사람이 칼빈 선생이 말했던 그 형이 맞는지 의심스러웠다. 몸 아픈 칼빈 선생이 사역 기간 내내 금식해가며 형을 위해 기도하던 것이 생각났다.

칼빈 선생 형은 나와 헤어진 후에 연길시 조폭들을 모두 풀어 연변延邊에 있는 감옥들을 이 잡듯 뒤졌지만 두 선생은 어디에도 없었다.

다음날은 요한 선생 동생을 만났다. 그는 형에 대해 이야기하면서 형이 180도 아니, 자기가 볼 때는 360도 달라져서 너무 놀랐다며, 자신도 사역장에 들어가 공부하고 싶은 생각을 가끔씩 해본다고 하였다. 그러나 현재 연길 조직 폭력배에 가담하고 있는 처지라 쉽지 않다고 하였다. 형을 위해 기도하자고 하면서 그와 헤어졌다.

첫 순교의 제물

칼빈 선생 형을 만난 지 보름 후에 칼빈, 요한 두 선생이 사라진 사건에 대해 자세히 알게 되었다. 두 선생이 나를 만나기로 약속한 전날 학생으로 모집한 윤길이라는 형제는 보위부 특무였다. 그는 두 선생에게 용정龍井 개산툰開山屯에 가면 성경 공부를 하고 싶어하는 3명의 북한 형제가 있다고 하면서 이들을 유인했다. 개산툰은 북한과 인접한 두만강 강변의 자그마한 시골 마을이었다. 두 선생은 윤길 형제를 따라갔다가 현장에서 바로 보위부 특무들에게 체포되어 북한으로 끌려갔던 것이다.

칼빈 선생이 북한 보위부에 체포되어 간 것이 확실해지자 그 형이 자기가 알고 있는 인맥을 통해 동생을 빼내겠다고 북한으로 갔다. 북한으로 가기 전 나를 찾아와서 동생을 빼내는 데 돈이 많이 필요하다며 부탁했지만 내 수중에는 돈이 전혀 없었다. 몹시 미안해하자 돌아오면 꼭 사역장에 가서 성경 공부를 하겠다고 다시 약속하고 떠났다.

그 후 혹시라도 동생을 빼내 다시 중국으로 넘어오지 않을까 학수고대했지만, 그는 다시 돌아오지 않았다. 후에 들리는 말로는 북한으로 간 그도 보위부에 체포되었다고 한다.

▶ 정주 공원에서 진칼빈 선생과
최광 선교사

칼빈, 요한 두 선생이 북한으로 잡혀간 것이 확인된 후, 모든 것을 포기하고 싶었다. 뼈가 쑤시고 근육과 피부까지 쓰라려 견딜 수가 없었다.

"하나님, 잘 아시지 않습니까! 북한 선교 안 되는 것 아시지 않습니까! 여태까지 열매 없는 것 아시지 않습니까! 몇 명 되지도 않는 이 열매를 이렇게 하시면 북한 선교 어떻게 하라는 겁니까!"

나는 울부짖었다. 함께 성경을 읽고, 같은 신앙을 고백하고, 함께 북한 선교의 사명을 붙들고 기도했던 사람들, "북조선에 예수의 피를 뿌립시다!"고 매일 함께 고백하던 사람들이었다. 내 자식들보다 더 사랑하는, 내 생명을 쏟아 부어 키운 사람들이었다. 나는 가장 사랑하는 사람을 천국으로 먼저 보내는 이들이 겪는 고통을 알 수 있었다.

훗날 권능 선생 팀 학생으로 기차에서 체포되어 북송되었던 주명 형제가 살아 돌아오면서, 도문圖們변방구류소 벽에 "주 예수를 믿으라 그리하면 너와 네 집이 구원을 얻으리라. 칼빈, 요한"이라고 써놓은 것을 보았다고 전해 주었다. 또 회령 지방에서 온 한 아주마이의 이야기를 들어보면 칼빈 선생과 요한 선생이 잡혀간 시기에 회령 지방에 포고문이 나붙고 그와 비슷한 청년 두 명을 공개 처형했다고 하였다.

칼빈, 요한 두 선생을 잃어버리고, 선주 선생을 감옥에 둔 채 2기 학생 모집을 마무리하고 연길延吉을 떠났다. 제남濟南에 온 후 한동안은 칼빈, 요한 선생 생각만 하면 심장을 도려내듯 고통스러웠다.

그러나 성경을 읽는 중에 초대 교회 스데반의 순교의 피를 통해 복음을 이방에까지 확산시키신 하나님께서, 저 얼어붙은 북한 땅에 순교의 피와 감옥 가는 주의 종들 없이는 복음화가 불가능하니, 우리 귀한 선생들의 순교와 감옥 가는 일을 통해 저 땅을 복되게 하고 계시다는 것을 깨달았다. 그때부터 하나님께서 칼빈, 요한 두 선생에게 순교의 영광을 허락하신 것에 감사하며, "내가 먼저 순교할 것이니 나를 따라 북조선 복음화를 위해 순교합시다!" 하고 형제들에게 더욱 힘 있게 선포하였다.

칼빈 선생은 당시 나이 26세로 아직은 애티나는 청년이었다. 사역장에 오기 전부터 뜨거운 신앙을 가졌던 그는, 빡빡한 사역장의 일과에도 자투리 시간을 만들어 늦게 사역장에 들어온 요한, 기풍, 바울 형제를 가르쳤다. 이렇게 일찍 하나님 품으로 돌아갈 것을 알았던 것처럼 하나님 앞에서 시간이 너무 아깝다며 그들에게 열심히 말씀을 깨우쳐주었다.

다른 형제들에게 늘 자상하였고 매사에 모범적이었으며, 축구할 때는 연신 큰 소리를 지르며 아주 적극적이었다. 국수와 냉면은 또 어찌나 좋아하는지 다른 사람들이 그릇으로 먹을 때 아예 세숫대야에 담아 먹고도 한 대야를 더 달라고 했다. 지혜도, 공부하는 방법도 남달랐다. 군 복무 시절에 설계를 했던 전력을 살려 바울의 전도 여행 지도처럼 성경의 모든 사건을 지도로 그려 다른 형제들에게 쉽게 설명해 주곤 했다.

나와 함께 길을 걸을 때, 하나님께서 요즘 주체 못할 정도로 많은 은혜를 주신다며 기뻐서 폴짝폴짝 뛰던 모습이 지금도 눈에 선하다. 또 500독 정도 성경을 읽은 후에는, 한국이나 미국에 가서 신학을 공부하고 싶던 그의 목소리가 아직도 귀에 쟁쟁하다.

▶ 소림사 입구 정자에서
박요한 선생과 최광 선교사

요한 선생은 눈이 부리부리하고 입술이 두툼했다. 목소리는 언제나 걸걸하고, 성격도 시원시원했다. 남달리 힘이 세고 몸집도 컸다.

늦게 사역장에 들어온 그는 사역장의 규칙을 잘 몰라 처음에는 너무 엉터리였다. 글자도 잘 읽지 못해서, 가끔씩 소리 내서 읽을 때 자기 차례가 오면 진땀을 빼며 글자를 뚫어져라 쳐다보던 그였다. 그러나 하나님께서 특별한 은혜를 주셔서, 또 칼빈 선생과 선주 선생에게 일대일로 가르침도 받으면서 짧은 기간에 놀랍게 변화되었다. 자기는 머리가 나쁘니 남들 한 번 할 때 열 번 스무 번은 반복해야 된다며, 밤마다 새벽 1, 2시까지 말씀을 암송하고 별도 학습을 하곤 했다.

베드로 사도와 같이 열정적이며 적극적인 그가 부흥사처럼 호기롭게 설교하던 모습, 선○○ 목사님께서 요셉의 아버지가 누군가 물었을 때 "아브라함입니다!"라고 씩씩하게 대답하던 모습, "저는 꼭 목사가 되어 북조선의 많은 영혼들을 구원하겠슴다. 지켜봐 주십시오."라고 내 앞에서 주먹을 불끈쥐며 다짐하던 모습이 아직도 눈에 선하다.

눈앞에 그려지는 두 선생을 생각하면 지금도 눈물이 난다. 그러나 그들의 피가 뿌려져 북한의 많은 영혼들이 구원될 줄로 믿고, 나에게 영광으로 허락하신 첫 순교의 열매로 하나님께 올려드린다.

땅 끝을 덮는 하늘의 열정

북조선에 예수의 피를 뿌립시다

중국에는 이런 땅이 있습니다. 남부에는 고랭이 있지만, 북부에는 대평야 있다. 그런데 동화도 대평야 두...

그 평화의 땅에서 그 많은 사람들은 기느리고 머더 길 중에서도 가장 힘들고 위험한 일, 가장 위중한 처벌로도 되는 않는 하는 사람이 많았습니다. 정책도 전책도 얼이 많습니다. 오직 정책이 있다면 하나님 아버지가 그의 커...

그 주기로 작정한 듯이 기도가 그의 일이인 채 말입니다.

온성

갈

회령

만

나선직할시

백두산 ▲   두

청진

강

함경북도

록

양 강 도

압

자 강 도

함경남도

신의주

평안북도

함흥

평안남도

평양특별시

평양

남포직할시

강 원 도

황해북도

황해남도

개성직할시

▶ 북한 지도

땅 끝을 덮는 하늘의 열정

북조선에 예수의 피를 뿌립시다

새로 모집한 형제들

두 선생이 잡혀 간 후, 선생들을 독촉해서 하루라도 빨리 연변延邊 지역을 벗어나게 했다. 인원이 어느 정도 채워진 팀은 서둘러 중국 내륙으로 보냈다. 익두 선생은 심양瀋陽에 들러 북한 형제 한 사람을 데리고 다시 정주鄭州로 가기로 했다. 바울 선생 팀은 며칠 후 제남濟南으로 오기로 약속이 되었다. 아직 감옥에 있는 선주 선생은 장 처장님께 부탁드리고, 나는 권능 선생과 함께 여름이 한창 익어가는 무더운 6월 초순, 13명의 학생을 데리고 제남으로 출발했다.

그런데 기차를 타고 심양으로 가는 도중에 일이 터졌다. 학생들 중 진명, 영광, 주명, 에녹 형제가 권능 선생과 내가 아무리 말려도 아랑곳하지 않고 계속 심하게 떠들며 카드놀이를 했다. 안전한 남쪽으로 간다고 기분이 너무 좋았던 것이다. 그러자 철도 공안이 와서 다른 손님의 편의를 위해 조용히 해달라고 부탁했는데 이 형제들이 조용히 하라는 말을 알아듣지 못했다. 이상히 여긴 공안이 신분증 제시를 요구했고, 이들은 바로 기차 공안실로 연행되고 그 길로 곧장 북한으로 이송되었다.

눈앞에서 형제들이 잡혀가는 광경을 목격하면서도 나나 권능 선생은 한마디 말도 할 수 없었다. 모녀가 같이 기차를 타고 가다 엄마 앞에서 딸이 잡혀 가도 두 눈 멀뚱히 뜨고 쳐다만 봐야한다던 주광호 선생의 말이 생각났다. 세상에 많은 아픔이 있다지만 이렇게 처참한 아픔은 처음이었다. 권능 선생도 얼마나 충격을 받았는지 제남濟南에 도착했을 때는 두 눈이 움푹 들어가 있었다.

그러나 모든 사역장이 안전한 곳으로 내려오니 일단 안심이 되었다. 권능 선생 사역장에서 며칠을 묵으며 선생들이 모집해 온 형제들을 머릿속으로 꼼꼼히 점검해보았다.

제일 먼저 중경重慶으로 내려간 기풍 선생 팀에는 장만식 아바이, 권능 선생 동생 김영윤, 북한에서 넘어온 지 겨우 3일밖에 안 된 유칼빈 그리고 김예진, 이현수 형제 등 모두 8명이었다. 홍충신 형제를 데려 가기 위해 심양沈陽에 들렀다가 다시 하남성河南省 정주鄭州로 간 익두 선생 팀은, 권능 선생의 막내 동생인 김사무엘, 김성근, 홍만식 형제 등 모두 5명이었다.

제남으로 함께 온 권능 선생 팀에는 기차에서 잡혀간 4명을 제외하고도 요한 선생의 동생인 박다윗 형제를 비롯하여 정모세, 이만식, 김국철 형제 등 9명의 형제들이 있었다. 곧이어 제남으로 올 바울 선생 팀에도 김주복, 강석환, 이빌립, 이용섭, 조선족 천상은 형제 등 9명이 있었다.

이제 감옥에서 나오면 학생들을 모집해서 내려올 선주 선생의 팀까지 생각하면 사역장의 인원이 갑자기 많아졌다. 선생들을 파송하면서 내가 예상했던 숫자에는 미치지 못했지만 그래도 매우 만족스러웠다. 이제 이 사람들 가운데 어떤 이들은 중도에 포기하고 돌아간다 해도 절반 가량의 형제들은 다시 북한 선교사로 양육될 것이다. 그렇게 되면 2기 사역이 끝날 무렵에는 꽤 많은 북한 출신 선교사들이 새롭게 세워질 것이다.

애초에 이 사역을 시작할 때는 1년 작정으로 중국에 들어왔지만, 사역이 이렇게까지 확장되니 이제 한국에 돌아간다는 것은 불가능해졌다. 이때부터 하나님께 이렇게 고백하기 시작했다.

"하나님, 저 한국에 나가지 않겠습니다. 신학교도 그만하겠습니다. 중국에
서 탈북자 선교하다가 바로 천국 가겠습니다."

이제부터는 새로 세워진 5명의 1기생 선생들이 북한 선교의 키를 잡아 나
갈 것이다. 이로써 북한 출신 선교사들에 의한 북한 선교가 막이 올랐다고
생각하니 하나님 앞에서 감사 또 감사했고, 역사와 민족 그리고 한국 교회
앞에서 이들에 대한 나의 책임에 어깨가 무거웠다.

이제 사역을 시작하는 5명의 선생들은 아직 사역에 대한 경험이 없었다.
앞으로 수많은 시행착오를 겪으며 사역을 배워갈 것이고, 혹시 실패한다 해
도 그 과정을 통해 더욱 성숙한 모습으로 빚어질 것이다. 나는 이들을 통해
수많은 북한 선교사들이 배출될 것을 꿈꾸며, 연변延邊에서의 가슴 아픈 일
들은 훌훌 털고 마음을 가다듬었다.

제남濟南에 온 후, 권능 선생 사역장에 며칠 머물며 바울 선생 팀이 오기를
기다렸다. 며칠 뒤 바울 선생 팀을 맞아 사역장을 꾸리고, 나는 사역비 모금
을 위해 한국으로 갔다. 이제부터 드는 사역비는 1기 때와는 차원이 달랐다.
1기 때 반 년 동안 생활하던 헌금으로는 두 달도 버티기 어려웠다.

한국으로 갈 때마다 매번 사역비 해결은 그리 쉽지 않았지만 주님께서는
꼭 필요한 만큼 채워주셨다. 1년 동안 북한 선교 사역을 하며 가장 크게 확
신했던 것은 어떤 경우에도 돈은 주님이 해결해 주신다는 것이었다.

나의 이 경험을 가장 잘 이해하고 깨달은 사람은 권능 선생이었다. 그는
사역장에 돈이 떨어질 때마다 제일 불안해 하던 사람 중 하나였다. 그가 처
음 사역장에 왔을 때 내게 이렇게 말했다.

"선생님, 만약 하나님이 있다구 합시다. 그래두 거지처럼 떠돌아다니던
우리들이 뭐가 그리 대단해서 관심해 주겠슴까? 세상에 대단한 사람들두
많은데 말임다."

그러나 돈이 떨어지고 양식이 떨어질 때마다 하나님께서 꼭꼭 채워주시는 것을 여러 번 체험하면서 하나님이 정말 살아계심을 확신하였다. 그리고 그 대단하신 하나님이 길거리의 돌멩이처럼 굴러다니던 자기들에게 한순간도 놓지 않고 사랑으로 돌봐주고 계신다는 사실에 놀라워했다.

처음에는, 자신이 사역장에 있는 동안 깊은 산 속에 숨어 사는 자기 가족들이 굶어 죽지나 않을까 많이 염려했다. 그러나 하나님께서 사역장의 필요를 채워주시는 것을 여러 번 체험하면서, 보잘것없는 탈북자 가족이지만 하나님께서 자기 가족의 필요도 채워달라고 기도했다. 이렇게 걱정 반, 기대 반으로 기도하면서 공부를 끝내고 학생 모집을 위해 집으로 돌아갔을 때, 그가 걱정했던 식구들은 정말 하나님의 은혜로 살았다고밖에 말할 수 없었다. 쌀이 떨어지고 돈이 떨어질 때마다 하나님께서 선교사와 목사, 그리고 조선족 교회들을 통해 풍성하게 채워주셨던 것이다.

그는 학생 모집을 끝내고 나서 감격하여 내게 말했다.

"선교사님, 그동안 물질의 어려운 과정을 겪으면서 기도할 때마다 하나님이 채우시는 것을 직접 체험했습니다. 저도 선교사님처럼 이제 북한 선교사로 세워졌으니 앞으로 저도 사람 바라보지 않구 하나님만 바라보고 사역하겠습니다. 물질이 없을 때 사람에게 손 내밀지 않구 하나님께 기도하면서 하나님께 공급받아 사역을 하겠습니다."

나는 많은 것들 중에서 바로 이 부분, '돈은 사람이 해결해 주는 것이 아니라 하나님이 해결해 주신다.'는 것을 확실하게 깨달은 그가 못내 사랑스러웠다. 이번에 한국에 가면 다른 때와 달리 많은 사역비를 모금해 와야 했지만 걱정하지 않았다. 주님께서 부족함 없이 채워주실 것이기 때문이다.

권능 선생 사역장

권능 선생은 제남濟南에 도착한 첫날부터 몹시 힘이 들었다. 잡혀간 형제들에 대한 근심으로 마음은 무겁기만 했고, 자기를 지도자로 믿고 따라온 형제들에게 미안해서 머리를 들 수가 없었다.

그의 팀의 학생들은 모두 그보다 나이가 훨씬 많았다. 그는 당시 24살이었지만 학생들은 거의 3, 40대였다. 그래서인지 중요한 일에는 그의 말을 따라주었지만, 사소한 일들에는 잘 따라주지 않았다. 기차에서도 권능 선생과 내가 카드놀이 하지 말고, 떠들지 말라고 몇 번이나 주의를 주었건만, 4명의 형제는 들은 척도 않고 그냥 떠들어대다 체포된 것이다.

그래도 감사하게 박주안 선교사가 산동山東대학 근처에 집을 구해놓아 권능 선생은 제남에 도착하자마자 형제들을 그리로 데리고 들어갔다. 숨 돌릴 틈도 없이 집을 손질하고 책걸상 등 필요한 가재도구들을 사서 사역장을 꾸미면서, 학생으로 있을 때가 얼마나 행복했는지 새삼스레 느꼈고, 할 수만 있다면 그 철없던 학생 시절로 돌아가고만 싶었다고 한다.

다음날부터 바로 그는 사역을 위한 준비 작업에 들어갔다. 신앙은 고사하고, 사역장이 뭐하는 곳인지도 모르는 학생들에게 앞으로의 사역장 일과에 대해 자세히 설명했다. 그 다음날 아침, 일과표를 큰 종이에 써서 학생들 침실과 통독실 벽에 누구나 잘 볼 수 있도록 붙여놓았다.

6 : 00 - 7 : 00	새벽 기도회
7 : 00 - 8 : 00	아침 식사
8 : 00 - 12 : 00	오전 통독
12 : 00 - 3 : 00	점심 식사, 낮잠 및 휴식
3 : 00 - 4 : 00	오후 기도회
4 : 00 - 8 : 00	오후 통독
8 : 00 - 9 : 00	저녁 식사
9 : 00 - 10 : 00	큐티
10 : 00 - 11 : 00	자유시간
11 : 00	취침

어제 이야기할 때는 건성으로 듣던 학생들이 벽에 붙은 일과표를 보고서
야 이것저것 묻기 시작했다.

"어이! 권능 선생! 기도라는 거이 이거 뭐기오?"

"통독이라는 건 또 뭘까?"

"큐티는 또 뭔데?"

그는 학생들을 다시 통독실로 모아놓고 사역에 대해 자세히 설명해 주며
사역장의 생활 규칙을 알려주었다. 그리고 아주 단호하게 말했다.

"이제부터 술과 담배는 금물임다!"

이 말에 학생들은 왈칵 화를 내며 반발하고 나섰다.

"아니? 도대체 여기가 뭐 하는 곳인데, 술도 마시지 못하게 하구 담배도
피우지 못하게 한단 말임까!"

"술이 뭐가 나쁜 물건이라구? 담배가 뭐가 나쁜 물건인데?"

"남자가 술도 안 먹구 담배도 안 피우구 어떻게 살아여? 엉?"

학생들은 어린 권능 선생을 잡아먹을 듯이 공격했다. 학생들이 이렇게 나
올 줄 짐작하고 기도로 많이 준비했지만, 막상 당하고보니 참아내기가 여간
어렵지 않았다.

계속 시끄럽게 떠들어대는 학생들을 내버려 두고 아침 통독을 시작했다.
학생들은 눈을 둥그렇게 뜨고 녹음기에서 나오는 소리와 성경책을 번갈아
보더니, 1시간도 채 못 되어 한 사람씩 통독실을 나가버렸다. 학생들이 다
나가버리자 권능 선생도 녹음기를 끄고 나왔다.

학생들은 모두 침대에 누워 코를 골며 자고 있었다. 한심해도 너무 한심했
다. 이 사람들을 도대체 어떻게 다스려야 할지 막막해 방에 들어가서 침대
에 그대로 쓰러졌다.

'주님, 어떻게 해야 함까? 학생들을 모집만 해오면 다 될 줄 알았는데 왜
이렇게 힘이 듬까? 하나님, 저에게 기운을 주십시오. 용기를 주십시오.'

주님께 기도하노라니 어느새 눈물이 펑펑 쏟아졌다. 학생 때는 사역이 이
렇게 어려울 줄 상상도 못했다. 아무리 기도해도 저 무지막지한 사람들을

다스릴 방법이 떠오르지 않았다. 첫 날은 이렇게 맥없이 지나가버렸다.

다음날, 학생들에게 사역장의 일과에 대해 다시 한 번 진지하게 설명하고, 이 일과에 따르지 않을 사람들은 사역장을 떠나라고 조용히 경고했다. 여기는 사역하는 곳이지 그렇게 제멋대로 살라고 먹어주고 재워주는 곳이 아니라고 못을 박았다. 나긋하게만 보이던 어린 선생이 무서울 정도로 강경하게 나오자 학생들은 마지못해 통독과 일과에 참여하기 시작했다.

며칠이 지난 후, 담배가 떨어진 만식 형제가 그를 졸라댔다.

"권능 선생님, 앞으로 차차 담배를 끊겠습다. 담배 조금만 사주세요. 예? 쪼꼼만요."

"지금 끊으세요."

그러자 만식 형제가 사납게 화를 내며 권능 선생을 위협했다.

"야 임마! 담배 내놔. 니가 뭔데 사람 이케 힘들게 해 엉? 담배 내놔!"

그래도 권능 선생이 담배를 주지 않자 고래고래 소리를 질렀다.

"담배 줘! 담배 줘! 난 담배를 피워야 한단 말이야! 나 담배 피고 싶어 죽겠단 말이야!"

고함을 질러대는 만식 형제 때문에 통독을 할 수가 없었다.

"뭐 하는 겁까? 만식 형제! 나이도 많은 사람이 왜 애처럼 철없이 놉니까? 이러다가 이웃에서 신고하면 우린 다 잡혀 간다. 조용히 하세요!"

화가 난 권능 선생이 야단을 쳤다. 옆집에서 신고한다는 말에 옆에 있던 형제들도 만식 형제를 말리고 나섰다. 만식 형제는 담배 때문에 애가 타는데 모든 사람들이 자기를 향해 으르렁거리자 후다닥 아파트 베란다로 뛰쳐나갔다. 그리고 베란다 난간에 아슬아슬하게 올라서서 고래고래 소리를 질렀다.

"나 담배 안 주면 죽어버릴 거야! 나 살기 싫단 말이야!"

모든 형제들이 깜짝 놀라 그를 베란다 난간에서 끌어 내리려 했다. 하지만 여차하면 뛰어내릴 자세라 누구도 감히 다가갈 수 없었다.

"야, 권능이 임마! 너 담배 안 사주면 나 이대로 뛰어내릴 거야. 담배 사줘.

담배 사주란 말이야! 이 개새끼야! 담배 사달란 말이야!"

다급해진 권능 선생이 학생들에게 회수한 담배 한 개비를 보여주었다.

"내려오세요. 그러면 이 담배 줄 거…."

권능 선생의 말이 채 끝나기도 전에 난간에서 훌쩍 뛰어내리며 담배를 낚아채 갔다. 그리고 그제야 제정신이 돌아왔는지 울면서 담배를 피웠다.

이 사건이 있고 난 후, 만식 형제를 도저히 감당하지 못하겠다고 권능 선생이 여러 번 하소연했다. 그래서 바울 선생과 의논하여 만식 형제를 바울 선생 사역장으로 보냈다.

권능 선생이 간신히 사역장의 규율을 인지시키고 순종시켜 일과를 진행하기 시작하자 이번에는 다윗 형제가 미쳐 날뛰기 시작했다. 통독에 참가할 것을 권유하는 권능 선생을 주먹으로 위협했다. 새벽 기도 시간에 통독실에 들어가 온 아파트가 울릴 정도로 녹음기를 크게 틀어놓기도 하고, 통독 시간에는 옆방에서 고래고래 소리지르며 노래를 부르기도 했다. 권능 선생이 사역장의 안전 문제 때문에 소리를 지르면 안 된다고 여러 번 주의를 주었지만, 그때마다 사납게 달려들며 행패를 부려댔다.

불안해서 옆에 있던 다른 형제가 뭐라고 한마디 하면, 다윗 형제는 또 그 형제에게 마구 달려들었다. 깡패 출신인 그는 상상을 초월할 정도로 사나웠다. 연길延吉 조직에서 함께 온 모세 형제 역시 의리를 과시하며 매사에 그를 두둔하고 나섰다. 이렇게 되자 모든 형제들이 다윗 형제에게 겁을 먹고 될 수 있으면 피하려고 하였다.

권능 선생은 어찌할 바를 몰랐다. 사역장이 그렇게 싫으면 차비를 주겠으니 떠나라고 했지만 그는 떠나지도 않았다. 사역장의 분위기는 다윗 형제로 인해 날로 험악해졌다. 통독할 때면 형제들이 모여 앉아 통독하는 책상 위에 드러눕는가 하면 책걸상을 엎어버리기도 했다. 밤에는 곤히 자는 형제들의 목에 식칼을 들이대며 죽이겠다고 위협하고, 또 낮에는 어디선가 술을 잔뜩 마시고 바울 선생 사역장에 택시를 타고 가며 택시비를 요구하는 기사에게 돈 대신 주먹을 휘둘렀다. 그러자 택시 기사가 공안에 고발해 바울 선생 사역장에 공안이 덮쳤다. 이 때문에 바울 선생 사역장 형제들은 사역장에 들어가지도 못하고 대학 주변에서 노숙하며 지냈다.

다윗 형제는 귀신에 사로잡혀 있었다. 북한에서 테러 집단에서 활동하다 중국에 온 이후에, 조직 폭력배에 있으면서 죄라는 죄는 다 짓고 다니던 사람이었다. 그러다보니 귀신도 한두 마리 정도가 아닌 완전히 군대 귀신에 잡혀 있었다. 하지만 귀신 들린 사람을 본 적 없는 형제들은 그렇지 않아도 술, 담배 문제와 빡빡한 사역장 일과로 힘든데 거의 매일 다윗 형제의 횡포가 반복되자 사역장을 떠나고만 싶어했다.

권능 선생은 아무리 주님께 매달리고 기도해도 다윗 형제가 수그러들 기미를 보이지 않자, 한국에 있던 내게 전화를 했다. 사역장이 해체될 위기니 빨리 오라고 했다.

나는 무슨 일인지도 모른 채 급히 중국으로 돌아갔다. 내가 갔을 때, 다윗 형제는 완전히 귀신에 사로잡혀 이미 눈이 뒤집힌 상태였다.

"선생님, 제남濟南까지 뭐 타고 왔습까?"

"뭐 타고 오긴 기차 타고 왔지."

"어떻게 기차 타고 왔어? 하나님이 보내서 왔지? 나는 사단이 보내서 왔구."

악한 영들이 다윗 형제를 이용해 권능 선생 사역장을 해체시키려고 발악을 하고 있었다.

나는 소록도 북성교회와 김의환 목사님이 계신 성복중앙교회에 사연을 알리고 기도 요청을 하였다. 그리고 형제들에게 지금 다윗 형제가 이런 이상한 행동을 하는 것은 그 속에 들어있는 악한 영 때문이라고 설명해 주었다. 그러나 아직 영의 세계가 있다는 것도 인정하지 않는 학생들은 도무지 믿기 어렵다는 표정들이었다.

애써 형제들을 위로하며 다시 통독 일과를 시작하는 한편, 다른 사역장의 형제들에게도 기도 부탁을 하였다. 형제들이 기도하자 다윗 형제의 반응이 좀 순해지는가 싶더니, 이번에는 전혀 다른 방향으로 공격하고 나왔다.

"야 임마! 너들이 뭐 안다고 지랄들이야? 너 한번 시편에 대해서 말해봐!"

기도 모임 시간에 형제들 사이로 비집고 들어와 앉더니, 모세 형제에게 트집을 잡으며 자기가 먼저 시편 23편을 줄줄 암송해 보였다. 여태까지 사역장에서 신약을 3번 통독하고 시편을 한 번 통독했을 뿐인데, 한 글자도 틀리지 않고 시편 23편을 정확하게 암송했다. 하지만 여기서 끝나지 않았다. 이때부터 예언을 하기 시작했다.

"이제 5분 후면 박주안 선교사가 우리 사역장에 올 거야."

정말 5분 후에 박주안 선교사가 사역장으로 들어섰다. 그러자 다윗 형제의 말을 귓등으로 흘려 듣던 형제들은 등골이 오싹해졌다. 그는 들어서는 박 선교사를 향해 소리쳤다.

"너! 방금 집에서 누구랑 싸우다 왔지? 난 다 봤어."

그리고 천장을 올려다 보며 계속 뭐라고 소리소리 질렀다. 형제들에게 기도를 멈추게 하고 조용히 들어보니, 성경을 보지도 않고 시편 1편과 23편을 암송하기도 하고 간간이 누군가에게 내용을 해석해 주기도 하였다.

그가 지금 말하는 게 옳은 것이냐고 형제들이 물었다.

"악한 영들도 성경을 잘 알아요. 그래서 믿음이 견고한 성도들을 공격할 때 악한 영은 반드시 성경을 이용해서 공격해요. 사단이 예수님을 공격할 때도 성경 말씀으로 했어요."

그제야 형제들은 다윗 형제가 귀신 들렸다는 것을 인정하고 진지하게 기도하기 시작했다. 악한 영의 활동을 직접 목격했기에 그동안 믿지 않았던 영의 세계에 대해 더 이상 부인할 수가 없었던 것이다. 하지만 형제들의 간절한 기도에도 다윗 형제는 깨어날 생각을 하지 않았다. 권능 선생도 너무 지쳐 그를 내보내든가 사역장을 해체하든가 빨리 결판을 내자고 했다. 그런 권능 선생을 위로하며 나는 한 가지 제안을 했다.

"권능 선생, 사역장 전원이 다윗 형제를 위해 3일 금식을 합시다. 우리 형제들이 다른 기도는 하지 말고 귀신 쫓아내달라는 기도만 합시다. 소록도 북성교회와 성복중앙교회 성도들께도 기도 부탁을 했는데, 우리도 금식하고 기도합시다. 권능 선생도 성경 말씀을 읽어서 잘 알지 않아요? 예수님의 능력이 함께 하는 곳에는 귀신이 꼼짝할 수도 없어요."

그러자 권능 선생이 말했다.

"선생님, 저 사람들 이제 온 지 얼마 되지두 않은 사람들임다. 아직 담배랑 술 땜에도 힘든데 어떻게 벌써부터 금식하라구 말할 수 있습까? 아마 죽어두 하지 않을 겁다."

그래서 내가 직접 형제들을 설득하며, 이 사역장에 계속 있고 싶다면 이 방법밖에 없다고 하자 마지못해 나의 제안을 받아들였다.

다음날부터, 우리는 바울 선생 사역장 형제들과 함께 3일 작정 금식 기도에 들어갔다. 마지막 날에는 제남濟南에서 가장 높은 천불산千佛山에 올라가 밤 9시부터 철야 기도를 했다. 계속 보혈 찬송을 부르며 "예수 이름으로 명령하노니 귀신아 나가!"라고 귀신을 꾸짖으며 기도했다. 계속 찬송하고 기도하던 중, 새벽 1시쯤 되니 다윗 형제가 갑자기 정신을 차리는 듯 보였다. 그는 기도하고 있는 형제들에게 멍한 눈빛으로 물었다.

"너희들 왜 이케 나에게 관심을 가지니?"

"우와! 선교사님! 다윗이가 깨어났습다! 야~ 기도하니까 진짜루 귀신이 떨어져 나간다야! 예수님 이름이 이렇게 쎈지 정말 몰랐습다! 하나님이란 게 있긴 있는 모양임다. 선교사님, 진짜 신기합다!"

모든 형제들이 감격해 했다. 우리는 날이 밝을 때까지 계속 기도하다가 아침이 되어 산에서 내려왔다. 사역장에 돌아왔을 때, 다윗 형제는 이미 완전히 제정신을 찾은 다음이었다.

"왜들 밤새 나를 위해 기도했냐?"

"야 임마, 니가 귀신이 들려 완전히 돌았지 않니? 그러니까 임마, 너를 살려주려구 기도했지 뭐야? 이젠 정신 좀 드니?"

그러면서 모세 형제가 그가 이제까지 해왔던 행동을 자세히 설명해 주자, 자기가 언제 그랬냐고 펄쩍펄쩍 뛰었다.

"야 임마! 미친 소리 하지 마라! 내가 언제 그랬니 응?"

그는 한 사람 한 사람 다 붙잡고 자기가 정말 그랬냐고 물었다. 모든 형제들이 모세 형제와 똑같은 대답을 해주자 도저히 믿기지 않는지 몹시 당황해했다. 그에게 내가 말했다.

"혹시 1년씩 2년씩 세수도 안 하고, 머리도 안 감고, 아무거나 주워 먹으며 돌아다니는 미친 사람 본 적 있어요?"

"예…."

"다윗 형제도 그랬어요. 그런데 이것이 하나님께서 결단하라고 주시는 사인인 것 같아요. 주님과 상관없이 귀신이 들려 미쳐 돌아다니며 평생을 살든지, 하나님 말씀에 미쳐서 전적인 하나님의 일꾼으로 살아가든지 결단할 때인 것 같아요. 선택은 본인이 하세요."

그 후부터, 다윗 형제는 자기가 했던 행동을 몹시 부끄러워하며 열심히 성경 공부를 하기 시작했다. 사역장의 모든 면에서 모범이 되려고 애를 썼다.

이 일이 정리되고 나자 다윗 형제는 회복되었지만, 권능 선생은 완전히 진이 빠져버렸다. 사역 첫 시작부터 다윗 형제 사건은 그에게 너무 큰 시련이었던 것이다. 게다가 그동안 다윗 형제 때문에 눌려 있던 다른 형제들이 크고 작은 사고를 쳐댔다. 가뜩이나 지친 권능 선생은 더 이상은 버텨내기가 힘들었다.

며칠 후, 하루 일과를 간신히 끝낸 권능 선생이 어깨가 축 처진 채 말했다.

"선생님, 저 사역 못하겠슴다."

그는 방바닥만 내려다보면서 힘들게 말했다.

"다시 한다고 해도 며칠만 쉬게 해주세요. 연길延吉에 올라가 얼마 동안 바람을 쐬며 쉬고 싶어요. 저 이젠 이 학생들 대하기 정말 힘듬다."

나도 그를 연길로 보내 좀 쉬게 하고 싶었다. 솔직히 나도 이번 일이 쉽지 않았는데, 이제 막 사역에 발을 내디딘 그가 얼마나 힘들었으랴. 권능 선생이 없는 동안, 사역장은 내가 맡았다. 제멋대로 구는 형제들을 타이르기도 하고 위협을 주기도 하면서 가까스로 진정시켜 나갔다.

가족들이 중국으로 들어오다

며칠 되지 않아 연길로 떠났던 권능 선생으로부터 오겠다는 연락이 왔다. 집에서 두어 달은 족히 쉬다가 올 줄로 생각했기에 너무도 뜻밖이었다.

그가 부모님이 숨어 사는 산골 집에 가보니 거기에는 성경학교사역장로 가고 싶어하는 사람들이 가득 모여 있었다. 그래서 위험한 연변 지역에서는 사역을 할 수 없으니 쉬지도 못하고 곧장 내려올 수밖에 없었던 것이다. 8월 중순에, 그는 최순교, 정용철, 강규홍, 김누가, 김권위, 조선족 최원초, 조선족 최빌립 형제 등 9명의 형제들을 데리고 제남濟南으로 왔다가 다시 사천성四川省 성도成都로 가서 사역을 시작하였다.

공안에 체포된 선주 선생은 돈만 쓰면 금방 풀려나올 줄 알았는데 웬일인지 계속 감옥에 있었다. 공안에 체포될 때, 그의 짐 속에서 통독 테이프와 찬양 테이프, 설교 노트 등 기독교와 관련된 물품들이 큰 배낭으로 하나 가득 나왔기 때문에, 배후에 누가 있는지 캐내기 위해 공안 당국에서 붙들어 두었던 것이다.

▶ 강제 북송 당하기 전 정렬한 탈북자들

선주 선생이 용정龍井 변방대 감옥에 갇혀있는 동안, 매일같이 탈북자들이 잡혀 왔고, 3, 4일에 한 번씩 북한 회령으로 이송되었다. 선주 선생은 그것을 보면서 하나님 앞에 회개하며, 이제 곧 북한으로 이송되면 생사를 가늠할 수 없는 탈북자들에게 예수님을 전하기 위해 애를 많이 썼다. 감옥에 있는 한 달 어간에 호실의 방장房長이 되어 남아 있던 사역비로 방 사람들에게 라면도 사서 나눠주고, 아픈 사람이 있으면 기도도 해주었다. 방 사람들이 북한으로 이송될 때면 "예수님은 당신들을 사랑하십니다. 어디를 가든지 예수님을 우리의 구주로 시인하고 그분을 믿고 살아야 함다."라고 그들의 손을 잡고 영접 기도를 시켰다.

선주 선생은 한 달 만에야 겨우 감옥에서 풀려나왔다. 그런데 풀려난 지 4일 만에 또다시 공안에 체포되고 말았다. 살려주시면 하나님 일 하라는 것인 줄 알겠다고 기도하며 연길 조선족 교회에 학생들을 모집하러 갔다가 그만 화를 당하고 만 것이다. 그래서 원래 있던 용정龍井 변방대로 다시 가게 되었고, 이번에는 다른 탈북자 60여 명과 함께 군용 트럭에 실려 북한의 회령 세관 앞에까지 갔다. 그런데 며칠 전 그를 풀어준 변방대 대대장이 북한군인들에게 탈북자들을 넘기기 직전에 그 혼자만 수갑을 풀어 주었다.

이 이야기를 들으면서 하나님께서 우리 선생들을 얼마나 사랑하시는지 새삼 더 느껴졌다. 그를 살려주시기 위해 주님을 알지도 못하는 대대장의 마음까지도 움직여주신 하나님께 감사하고 또 감사했다.

선주 선생은 이렇게 기적적으로 풀려나서 학생 두 명과 조선족 홍신복 형제를 데리고 제남濟南으로 왔다. 나는 그를 권능 선생 대신 내가 이끌고 있던 사역장의 책임자로 세워 사역하게 하였다.

며칠 후, 바울 선생이 찾아와 기풍 선생이 있는 중경重慶으로 내려가 사역하고 싶다고 했다. 어차피 다른 지역으로 옮겨야 할 때도 되었기에 이사 비용과 몇 달간 사용할 사역비를 주어 학생들과 함께 중경으로 떠나보냈다.

나는 다시 한국으로 가서 20여 일을 머물며 사역비를 모금하고, 모금한 돈과 통장으로 들어온 선교 헌금을 가지고 7월 말 중국으로 다시 돌아왔다. 며칠 후에 가족들도 모두 중국으로 따라 들어왔다. 이제는 다섯 개나 되는 사역장의 많은 학생들을 혼자 관리하는 것이 힘에 부치기도 하고, 가족들을 더 이상 방치해 두고 싶지 않아 이번에 한국에 갔을 때 가족들과 의논했었다.

권사님이신 어머니와 아내와 네 자녀, 모두 여섯 식구가 아무 대책도 없이 배를 타고 청도靑島로 들어왔다. 내가 가족들을 마중하러 갔을 때는 이미 주광호 선생이 우리 가족들을 맞아 자기 사역장에 머무르게 하고 있었다. 그리고 자기 사역장에서 통역을 돕던 문 이모라는 조선족 아주머니를 소개해 주어 우리 가족을 돕도록 했다.

며칠 동안의 고단한 여행으로 어머니와 아내와 아이들은 몹시 지쳐 있었지만, 여독을 풀 새도 없이 제남濟南의 선주 선생 사역장으로 데리고 갔다. 권 능 선생 사역장을 인계받은 선주 선생의 사역장이 틀이 잡힐 때까지 좀더 도와주어야 했기 때문이다. 선주 선생 사역장 학생들은 우리 가족이 며칠간 함께 지낸다고 하자 몹시 기뻐하며, 갑자기 사역장 일과에 잘 참여하기 시작했다.

거기서 3, 4일을 머물다가 우리는 다시 13여 시간의 기차 여행 끝에 정주鄭州의 익두 선생 사역장에 도착했다. 익두 선생 사역장 형제들도 우리 가족이 온다고 하루 종일 청소하고 음식을 장만하는 등, 대대적으로 우리를 맞아주었다.

"히야~ 한국 애들은 이렇게 생겼구나야! 어디 함 만져보자야!"

우리 가족이 도착하자 형제들은 우리 아이들을 보며 신기해 했다. 특히 다섯 살짜리 막내를 번갈아 가며 안아본다고 야단들이었다. 그러나 얼굴이 시커먼 낯선 북한 형제들이 초면에 과잉 친절을 보이자 아이들은 무서워 다른 방으로 도망을 갔다.

"저, 사모님, 한국 사람들은 어케 삼까?"

"한국이 잘 산다는데 정말임까?"

"한국 아덜은 다 저렇기 곱게 생겼슴까?"

이들은 밤새 기차를 타고 온 우리 가족에게 잠 잘 시간도 주지 않고 그동안 한국에 대해 궁금했던 것을 쏟아놓았다. 피곤에 지친 아이들이 허락도 없이 침실로 들어가 쓰러져 잘 때에야 질문을 그쳤다. 한국 사람도 자지 않으면 안 된다는 것을 알았는지 우리 가족에게 자기들의 침실을 내주었다.

아침이 되어 아이들이 몹시 배고파하자 식사 당번인 성근 형제가 정성스럽게 아침을 만들어 대접했다. 아이들은 청도青島에서부터 며칠 동안 입에 맞지 않는 중국 음식 때문에 변변히 먹지 못한 터였다.

"선생님, 제가 선생님 가족들이 온다구 특식 했슴다. 맛있게 드십시오."

부엌으로 가니 닭고기가 식탁에 산처럼 쌓여 있었다. 그런데 맹물에 그냥 통째로 삶기만 한 거라 솜을 씹는 것 같아 먹을 수가 없었다. 아내가 성근 형제에게 물었다.

"이건 어떻게 먹는 음식이에요?"

"아~! 한국 분들은 닭고기 잡수실 줄 모르는구나."

그는 신나게 닭고기 먹는 법을 설명해 주었다.

"이거요, 그냥 간장에 뚝뚝 찍어 먹우문 맛있슴다. 함 그렇게 잡숴보세요. 권사님, 사모님, 많이 드세요. 애들아, 많이들 먹어 응?"

나는 이미 북한 형제들과 오랫동안 함께 해왔기에 이상한 음식들에 익숙해졌지만, 아내와 아이들은 이해가 안 되는 모양이었다. 아내가 닭고기에 다시 조미료를 넣고 이리저리 볶아서 주니 형제들은 사모님이 요리사인가 하고 대단해 했다.

식사를 마치고 익두 선생의 인도로 사역장 형제들과 함께 예배를 드렸다. 어머니와 아내는 익두 선생의 설교를 통해 많은 은혜를 받았다. 중국에 이제 막 도착하여 앞으로의 중국 생활이 막연하게만 생각되었는데, 이렇게 귀하게 세워진 북한 선생의 설교를 통해 은혜를 받고 나니 중국에서 살아야 할 이유를 알게 되었다고 감사해 했다.

거기서 하루를 더 묵고 우리는 성도成都로 떠났다. 떠날 때 익두 선생 사역장 형제들은 눈물을 흘리며 배웅해 주었다.

성도역에 도착하니 권능 선생과 조선족 원초 형제가 우리를 기다리고 있었다. 내가 미처 집을 구해 놓지 못했기에 우리 가족이 바로 들어갈 집이 없었다.

"선생님, 사모님, 쪼끔만 기다리십시오. 이제 재깍 가서 집을 구해놓구 올 겁다."

자신있게 말하고 떠난 권능 선생과 원초 형제는 집 구하기가 쉽지 않았는지 3일 만에야 돌아왔다. 이들이 구한 집은 한 달 월세가 800元 정도 되는 15

평 규모의 깨끗한 아파트였다.

가족들은 아는 사람 하나 없는 중국이라는 낯선 곳에 난생 처음 와서, 오랫동안 기차를 타고 다니며 많이 힘들어 했다. 사랑하는 가족을 고생시키니 마음이 아파 눈물이 났다. 하지만 한두 달이 지나며 우리 가족은 나를 많이 이해해 주었고, 하나님의 일이 귀하게 진행되는 것을 보면서 오히려 어려운 환경을 주신 하나님께 감사했다.

성도成都에 정착한 이후, 어머니와 아내는 조선족 문 이모의 도움으로 시장에 나가 이것저것 물건들을 사왔다. 어머니는 시장에 갔다 온 이후로 중국이 너무너무 좋다고 하셨다. 시장에 갔더니 한 상자에 30마리인 성성한 갈치가 우리 돈으로 15,000원 정도밖에 하지 않고, 소꼬리 1개 1,500원, 소뼈도 한 근에 겨우 150원, 쌀 1kg에 200원, 사과 한 상자 2,000원밖에 하지 않더라고 하셨다. 이제 아이들에게 과일을 마음껏 사 먹일 수 있겠다고 너무 좋아하셨다.

베트남으로! 한국으로!

가족들을 성도에 정착시킨 후 기풍 선생 사역장과 바울 선생 사역장을 찾아 중경重慶으로 갔다. 기풍 선생 사역장은 순교 전도사 편에 한 번 생활비를 보냈을 뿐, 6월 초에 중경으로 보낸 후 두 달이 넘었지만 아직 한 번도 가보지 못했다. 그동안 하루 속히 가보고 싶었지만 여러 일들 때문에 조금도 틈이 나지 않았었다. 기풍 선생 사역장은 순교 전도사가 도와주고 있었는데 사정이 생겨 20여 일 만에 한국으로 갔다.

기풍 선생 사역장에 사역비가 떨어진 지 일주일은 되었을 텐데 연락이 오지 않으니 마냥 앉아서 기다릴 수만 없었다. 한국에 있는 순교 전도사에게 전화를 걸어 기풍 선생 사역장 주소를 물어보았다. 순교 전도사는 복잡한 중국어 주소를 기억하기 힘들었는지 가는 길만 대충 알려주었다.

"역에서 내려서요… 그냥 길 따라 쭉 가다 보면 사거리가 나오고… 다시 우회전해서 쭉 가다보면 9층짜리 건물이 나올 거예요. 그 건물 옥탑방이에요. 찾기 쉬워요."

나는 찾기 쉽다는 말만 믿고 순조롭게 만날 수 있게 해달라고 기도하면서 무작정 길을 떠났다. 하지만 무더운 중경重慶시에 내려 순교 전도사가 가르쳐준 대로 이리저리 찾아보았지만 하루 종일 헤매도 도무지 찾을 수가 없었다. 이틀 길을 왔는데 그냥 돌아 갈 수도 없는 일이라 포기하지 않고 다시 열심히 찾아다녔다. 엘리베이터도 없는 9층짜리 아파트 건물을 옷과 책이 가득 든 커다란 가방 3개나 들고 오르락내리락 하면서 찾고 또 찾았다.

하루 종일 뻘뻘 흘린 땀 때문에 온 몸에 소금이 쌓이고 목에서는 단내가 올라왔다. 구름 한 점 없는 하늘에선 땡볕이 내리쬐고 있었다. 하루 종일 걸어 다니느라 지칠 대로 지친 나는 한 아파트 밑에 주저앉았다.

다시 순교 전도사에게 전화를 걸어 찾아가는 길을 물었다. 차근차근 설명해 달라고 간곡히 부탁을 했다.

"아니? 그거 왜 못 찾아요? 그냥 역에서 내려서요, 그냥 길 따라 쭉 가다 보면 사거리가 나오고, 다시 우회전해서 쭈욱 가다보면 9층짜리 건물이 나올 거예요. 그 건물 옥탑방이에요. 찾기 쉬워요."

순교 전도사는 처음과 똑같은 말만 되풀이하였다. 하늘이 노랗게만 보였다.

"주님, 더 이상 난 못갑니다. 주님이 어떻게 좀 찾아주세요."

중얼거리듯 기도하면서 새삼스레 내 체력의 한계를 느꼈다. 너무 덥고 목도 마르고 배도 고팠다. 그리고 온 몸에 힘이 빠져 손가락 하나 까딱하기도 싫었다. 어른이 길거리에서 울기 창피했지만 나도 모르게 자꾸만 눈물이 났다. 그러나 갈 바를 알지 못하고 떠난 아브라함도 이렇게 힘들었겠구나 생각하니 힘이 좀 났다.

다시 정신을 차리고 결사적으로 찾아다녔다. 저녁 7시쯤 되어서 아무 생각 없이 허름한 9층짜리 아파트를 하나 골라 허우적대며 올라갔는데 꼭대기에서 우리말 소리 같은 것이 들려왔다. 할렐루야!

"안녕하세요!"

기쁨에 넘쳐 반갑게 소리치며 문을 열고 들어갔다. 학생들은 와자지껄 떠들어대며 한창 먹는 중이었다. 그런데 갑자기 들이닥친 나를 보더니 모두 그 자리에서 그대로 굳어져 버리는 것이 아닌가. 순간 나의 눈길은 밥상 위에서 멎어버렸다. 상 위에는 빈 술병들이 여러 개 놓여 있었고, 학생들은 모두 얼굴이 벌겋게 달아 올라 있었다.

정말 어렵게 어렵게 찾아온 기풍 선생 사역장은 이렇게 나를 맞아주었다. 아무 생각도 하고 싶지 않아 기풍 선생 방으로 들어가 그대로 침대에 쓰러져 이내 깊은 잠에 빠져 들었다.

다음날 아침에 침대에서 눈을 뜨며 어제 일을 곰곰이 생각했다. 처음엔 화가 났지만 생각할수록 그동안 내가 이 사역장에 너무 관심을 가지지 못했구나 싶었다.

"그동안 술, 담배 끊고 사역을 잘 진행해 왔슴다. 그런데 사역비는 다 떨어졌는데 선교사님은 소식두 없으니 학생들이 너무 힘들어 했슴다. 학생들은 막 떠나겠다고 하지… 그래서 위로하는 차원에서 술을 허락했슴다."

나는 기풍 선생을 믿었다. 충분히 그럴 수 있겠다는 생각이 들었다. 사역비가 떨어졌다는 이야기를 듣고도 일주일이나 지나서 왔으니 많이 불안했을 것이다. 이제부터 많은 시간을 함께 하면서 이 사역장을 집중적으로 다잡아줘야겠다고 생각하고, 7,000元을 주어 사역장을 성도成都로 이사하도록 하였다. 집을 잡고 호출기도 구입하고 꼭 연락하라고 당부하고 나는 바울 선생 사역장으로 향했다.

바울 선생 사역장 학생들 역시 술을 마시지는 않았지만 사역장 생활에 정착하지 못하기는 마찬가지였다. 나는 앞으로 하나님의 일을 할 이 형제들의 견문을 넓혀줄 겸 해서 모두 데리고 장강長江으로 여행을 갔다.

"히야~ 선생님, 살면서 유람이라는 거는 처음 가봄다. 이거이 유람이라는 건 외국 사람들이나 다니는 건 줄로 알고 있었지 않슴까?"

▶ 최광 선교사 가족과 바울 선생 사역장 학생들의 야외 예배

"우리도 유람 간다. 만세!"

특히 만식 형제가 좋아했다. 여행 내내 덤덤히 여기저기를 다니던 그는 장강長江에서 유람선을 타자 배 앞머리에 나가 사람들이 깜짝 놀랄 만큼 큰 소리로 만세를 외쳐댔다.

"만식 형제, 뭐가 그렇게 좋아요?"

"이제 죽어도 한이 없슴다. 오늘 이렇게 김정일이두 타보지 못한 장강 유람선을 타보았으니 말임다."

그 말을 듣자 나도 모르게 설움이 북받쳤다. 예수님의 사랑으로 이들을 섬기고 돌보는 일에 남은 생명을 쏟아 붓자고 마음으로 다시 다짐하였다.

여행을 마친 후, 바울 선생 사역장은 당분간 중경重慶에 그대로 두기로 하고, 나는 가족이 있는 성도成都로 돌아왔다. 그런데 기풍 선생에게서 아무런 연락이 없었다. 이사하다가 혹시 기차에서 무슨 변을 당한 것은 아닌지 몹시 걱정스러워 밤잠을 이룰 수가 없었다.

내가 노심초사 애를 태우고 있던 그 시각, 기풍 선생은 사역장 학생들을 전부 데리고 하남성河南省 정주鄭州를 거쳐 광서장족자치구廣西壯族自治區를 지나 베트남을 향해 가고 있었다.

내가 가기 전, 사역비가 다 떨어졌는데 일주일이 지나도 사람도 돈도 오지 않고 학생들은 날마다 떠나겠다고 난리를 피우자 기풍 선생은 감당하기가 너무 힘들었다. 오지 않는 사람을 마냥 기다릴 수도 없고, 그렇다고 사역장을 떠나자니 떠날 차비도 없었다. 어떻게 돈을 구할 것인가 궁리하다가, 돈이 많이 드는 북한 선교 사역을 위해 자신이 한국에 가서 돈을 벌어 나에게 부쳐주어야겠다고 생각하기에 이르렀다.

"선교사님이 맨날 이렇게 힘들게 사역하시는데 우리가 한국 가서 돈 벌어 도와주는 게 어떻슴까? 한국에 가문 정착비도 준다구 하는데, 그 돈 모아서 마음껏 북조선 선교하라구 선교사님께 주고 우리는 한국에서 통독하는 게 어떻슴까? 웰남베트남가서 한국 대사관 들어가면 바로 한국 보내준다구 하는데 우리 다같이 웰남 갑시다."

"맞다! 맞다! 그거 좋은 생각임다! 한 사람이 3,700만 원씩 정착비 받으문, 한 사람당 3,000만 원씩만 모아도 우리 9명이 모두 2억 7,000만 원이나 모을 수 있슴다. 어마어마하게 큰 돈 아님까? 그 돈이문 선교사님 북한 선교 맘대루 할 수 있을 검다!'

"좋슴다 선생님! 한국으로 갈 수만 있다면야 그깟 정착비 있어도 좋고 없어도 좋다. 우리가 언제 중국 땅에서 돈이 있어서 살았슴까? 그만한 돈이야 한국에 월급이 높다는데 다시 벌문 되지 않슴까? 우리한테 차려지는 정착비 다 선교사님께 줍시다. 우린 한국 가고. 응? 응! 그래문 선교사님두 우릴 욕하지 않을 겜다. 갑시다! 가여! 우리 기풍 선생님 만세! 만세!!'

그의 제안에 학생들도 흥분해서 떠들어 대며 맞장구를 쳤다.

이때부터 기풍 선생은 어떻게 하면 베트남으로 갈 수 있을까 늘 그 방법만 궁리했다.

베트남까지는 지도를 보며 갈 수 있다지만, 여비가 없으면 갈 수 없는 너무나 먼 길인데, 마침 내가 이사하라고 많은 돈을 주고 간 것이다. 그리하여 기풍 선생과 학생들은 모두 베트남을 향해 떠나게 되었다.

꼬박 3일을 기차를 타고 버스를 타고 중국과 베트남 국경에 도착했다. 이들 앞에는 이제 국경을 넘는 문제만 남아 있었다. 국경까지는 돈 덕분에 무사히 왔지만, 거기서부터는 돈으로 해결할 수 없는 문제들이 많았다.

우선, 중국과 베트남 국경에는 베트남 전쟁 당시의 지뢰들이 그대로 묻혀 있었다. 잘못 들어섰다가 지뢰가 폭발하는 날에는 발이 잘려나가거나 시체도 찾을 수 없게 공중분해되는 수가 있었다. 설령 지뢰밭을 성공적으로 넘었다 해도 갖가지 맹수와 독사들이 우글거리는 무시무시한 정글을 통과해야만 비로소 마을이 나타난다. 그러면 이번에는 또 마을을 지키는 국경 수비대, 그들까지도 무사히 지나야 한다. 그러면 일은 다 된 것이다. 거기서부터 지도를 따라 걸어서 가든 기어서 가든 수도 하노이까지 가서 한국 대사관을 찾아 "우리는 북한에서 온 사람들이오!"라고 소리만 치면 한국행은 따 놓은 것이다.

대오의 책임자인 기풍 선생이 지뢰밭에 제일 먼저 들어섰다. 군인 시절 금강산댐 건설만 해온 그는 지뢰밭을 통과해 본 경험이 없었다. 그저 지뢰의 원리에 대해서 조금 배웠을 뿐이지만, 전쟁 영화에서 본 행동을 흉내내며 조심스럽게 한 걸음씩 앞으로 나아갔다. 발을 내딛기 전에 뇌관을 이어주는 전기선이 없나 먼저 손으로 더듬어 확인하고 조심스럽게 한 발 한 발 내딛었다. 그러면 기풍 선생이 밟고 지나간 자리를 뒤에서 오는 사람이 한 치의 오차도 없이 다시 밟고 앞으로 걸어 나갔다.

이 길은 베트남과 중국을 넘나드는 마약 밀매꾼들도 들어서기 싫어할 정도로 위험한 길이었다. 맨 앞에 가는 기풍 선생은 새로 발을 옮겨 디딜 때마다 온 몸을 땀으로 목욕했다. 이렇게 천천히 앞으로 나아가다보니 불과 몇 백 미터밖에 되지 않는 거리를 2시간도 더 지나서야 성공적으로 넘을 수 있었다. 기적적으로 단 한 사람도 지뢰를 밟지 않고 무사히 넘어섰다.

그리고 그 무서운 정글을 밤새도록 조심스럽게 지나 마침내 마을에 도착했다. 그런데 마을을 지나가는 길에 국경 수비대 초소가 지키고 있었다. 다행히 새벽이라 초소 앞도 무사히 지났다. 모든 것이 순조롭게 되어갔다.

그리고 철길을 따라 아무 방향으로나 무턱대고 걷기 시작했다. 여기서부터는 기풍 선생도 알지 못했고, 하룻밤 동안의 초긴장의 여정에 완전히 녹초가 된데다 어디로 어떻게 가야 하노이에 갈 수 있는지 몰라 난감하기만 했다. 이곳은 중국말도 안 통하는 베트남이라 물어볼 사람도 없었다. 좀 쉬었다 가기로 하고 모두 철길에서 조금 옆으로 비켜 앉았다. 조금 다리쉼이

나 한다던 것이 그 자리에서 쓰러져 잠이 들어버렸다.

이들이 눈을 떴을 때는 베트남 수비대 군인들이 이들을 완전히 포위하고 총 끝으로 흔들어 깨울 때였다. 빙 둘러선 군인들이 그들에게 뭐라고 물어왔지만 모두가 난생 처음 들어보는 베트남 말에 눈만 멀뚱히 뜨고 있었다. 군인들은 이들을 꽁꽁 묶어 초소로 끌고 갔다.

군인들은 이들을 조그마한 방에 가두고, 중국어를 하는 사람을 데리고 왔다. 기풍 선생과 학생들은 자기들은 중국인이 아니라 북한에서 온 탈북자라고 짧은 중국어로 열심히 설명하였다. 자기들이 탈북자라는 것을 알면 한국 대사관으로 인도해 주리라고 생각했던 것이다.

그러나 이들의 신원을 파악하게 된 군인들은 갑자기 골치가 아팠다. 북한과 한국 두 나라 다 수교국이니 이들을 한국 대사관으로 데려가야 할지 북한 대사관으로 데려가야 할지 난감하기만 했다. 그냥 두자니 이들 때문에 국제적으로 시끄러워질 것이 뻔했다. 베트남 군인들은 조용히 잘 살고 있는 자기 나라에 갑자기 들이닥친 이 불청객들을 왔던 데로 다시 돌려보내라고 지시했다. 이들은 손에 수갑이 채워진 채 중국과의 국경 지역으로 이송되기 시작했다.

기풍 선생 일행은 그것도 모르고 북한 사람들이라고 신원도 확인시켰고 한국으로 망명 신청도 했으니, 이제 자기들을 한국 대사관으로 모셔다 줄 것으로 알고 잔뜩 꿈에 부풀어 있었다. 하지만 군인들이 이들을 데려다 놓은 곳은 생각만 해도 끔찍한 중국과 베트남 국경의 지뢰밭 입구였다. 군인들은 총대로 쿡쿡 찌르며 저쪽으로 다시 넘어가라는 시늉을 하면서 지뢰밭으로 내몰았다. 그제야 사태를 깨달은 이들은 죽어도 중국으로는 가지 않겠다고 버텼다. 베트남 군인들이 계속 총 끝으로 밀어대자 서로 어깨동무를 하고서 찬송을 부르며 통성 기도를 하기 시작했다. 군인들은 이런 모습을 2시간 이상 멍하니 지켜보기만 했다. 그러다 갑자기 정신이 들었는지 소리를 지르고 곤봉으로 때리며, 어깨동무 하고 있는 이들을 강제로 해산시켰다. 안 간다고 끝까지 버텼지만, 끝내 이들은 지뢰밭으로 다시 떠밀려 들어

갈 수밖에 없었다.

오던 때처럼 다시 한 발짝 한 발짝 조심조심 지뢰밭을 넘어 중국 쪽으로 돌아왔다. 하지만 이들 일행을 예의주시하던 중국 국경 수비대에 의해 이내 체포되고 말았다. 중국 군인들에게 자기들은 북한에서 온 사람들인데, 베트남으로 도망갔다가 잡혀서 쫓겨 오는 길이라고 사실대로 말할 수밖에 없었다. 그러나 이곳 군인들은 북한이라는 나라가 어디에 있는지조차 몰랐다. 처음 들어보는 나라 때문에 국제 문제에 휘말려 들기도 싫고, 이들을 다시 자기 나라로 쫓아 보내려 해도 멀리 떨어진 국경 지방까지 호송해 가려면 돈이 많이 들게 생겼다. 이래저래 귀찮아진 중국 군인들은 왔던 데로 다시 쫓아버리기로 작정하고, 이들을 베트남과 중국 국경 교두橋頭로 데리고 가서 베트남 쪽으로 쫓다시피 밀어 보냈다.

이들이 중국 군인들로부터 베트남 쪽으로 쫓겨 오자, 베트남 군인들은 중국 쪽으로 쫓았다. 결국 이들은 두 나라의 국경 교두 사이에서 양쪽 군인들의 호위를 받으며 한나절을 교두 한가운데 앉아있어야 했다.

보다 못해 화가 난 중국 군인들이 너희들 가고 싶은 데로 가라며 이들을 붙잡아 중국 쪽으로 내쫓았다. 지금 생각해보면 정말 주님의 은혜였다. 중국 군인들이 합법적인 절차로 이들을 체포했다면, 이들을 기다리는 것은 강제 북송밖에 없었을 것이다. 그러면 한국으로 도주하다 체포된 이들의 최후는 기약할 수 없었다.

이들은 베트남 군인들에게 돈이고 물건이고 모조리 빼앗기고, 심지어 신발까지 빼앗겨 완전히 거지 행색으로 중국 광동성廣東省 변방의 작은 도시를 헤매고 다니며 노숙하며 지냈다. 그러나 며칠 째 굶어 쓰러질 것 같자 기풍 선생이 할 수 없이 나에게 전화를 했다. 사라진 기풍 선생 팀 때문에 마음 고생이 많았으나 모두 무사하다는 소식에 너무 반갑고 기뻤다.

내가 즉시 돈을 송금하여 3일 후 모두 무사히 성도成都에 도착했다. 하지만 그동안의 사연을 듣자 기가 막혔다. 이 일로 쇼크를 받아 머리와 목은 물론 등까지 마비되어 음식도 제대로 먹을 수 없고, 중풍 환자처럼 거동도 불편해졌다. 한국에 나와 일주일 동안 입원 치료를 해서야 조금 움직일 수가 있었다.

나는 기풍 선생이 영적으로 회복될 때까지 그에게서 선생 자격을 박탈시켰다. 세워진 선생을 해임시키는 일은 예수에 대해 알지도 못하던 한 사람의 탈북자를 선생으로 세우는 일보다 훨씬 어려웠다.

불법 체류자의 신분으로 떠돌던 탈북자들이 선생으로 세워져서 같은 처지에 있는 형제들을 또 다른 선생으로 양육해 갈 때, 지도자라는 것에 대한 이들의 자부심은 상상을 초월할 정도로 대단했다. 북한에는 김정일 지도자 동지 외에는 어느 누구에게도 지도자라는 호칭을 붙이지 못하는데, 지도자로 세워지고 나니 자신이 김정일과 동급이 된 것 같다고 기뻐할 정도였다. 그래서 기풍 선생을 해임시킬 때 하나님께 기도를 아주아주 많이 했다.

"하나님, 이 일이 정말 힘듭니다. 만약 해임시키다가 맞아죽어도 저는 천국에 가지 않습니까? 혹시 맞아죽는 일이 생기면 순교로 받아 주세요."

주님의 도우심만 믿고 실행하겠다는 각오로 그를 해임시켰다.

사역장에 계속 남아있겠다는 형제들은 권능 선생, 익두 선생, 바울 선생 사역장에 분산시켜 보냈다. 장만식 아바이는 권능 선생 사역장으로, 김영윤 형제는 바울 선생 사역장으로, 유칼빈, 김예진, 이현수 형제는 익두 선생 사역장으로 보냈다. 나머지 형제들은 이 사건을 겪고 더 이상 공부하기 싫어졌는지 떠나겠다고 하였다. 기풍 선생은 바울 선생 사역장으로 보내 학생으로 공부하게 하였다. 자신의 잘못을 깨닫고 하나님 앞에서 사역자로서의 마음가짐을 되찾기를 간절히 바랐다.

한국 가면 아편 팔아주세요

오늘 아침에는 쌓인 피로를 풀고 싶어 오랜만에 실컷 늦잠을 잤다. 며칠 동안 시무룩히 풀이 죽어있던 막내둥이 명현이가 늦게까지 집에 있는 나를 기대 섞인 목소리로 불렀다.

"아빠!"

"와?"

심신이 지쳐서인지 대답이 퉁명스레 나갔다. 그래도 명현이는 계속 쫑알 거렸다.

"저기 아파트 끝에 가면 되게 이쁜 공원이 하나 있어요. 나랑 거기 같이 가서 놀아요 응? 아빠?"

낯선 외국 땅에 와서 친구도 없고 말도 안 통하니 제일 견디기 힘들어 하는 아이가 이 녀석이었다. 늘 엄마 치맛자락에서 촐랑거리며 밖에는 나갈 생각을 하지 않았다.

"삐리리링~ 삐리링~"

호출기가 가르릉 거리며 울어댔다. 순간 아이의 기색이 싹 바뀌었다. 저 녀석이 울리면 아빠 또 나가야 된다는 걸 이젠 잘 안다. 얼굴에 서운해 하는 기색이 역력하더니 말없이 엄마한테로 가버렸다. 그런 아이를 보니 마음이 몹시도 아팠다.

'또 무슨 일이 생긴 모양이다.'

나는 속으로 중얼거리며 호출기의 숫자를 핸드폰에 꾹꾹 입력했다.

"여보세…"

"샘! 큰 일 났습니다, 아X할. 학! 학!"

내 말이 끝나기도 전에 저쪽에서 먼저 나를 찾았다. 목소리를 들으니 바울 선생이었다. 소리가 어찌나 큰지 스피커 진동판을 찢을 듯이 울렸다.

전화를 하려고 멀리서부터 달려온 것 같았다.

'누가 또 사역장을 튀어나갔나? 아니면 또 싸움이 일어났나? 공안에 사람이 잡혔나? 근데 숨이 왜 저 모양이지?'

짧은 순간이지만 복잡한 생각들이 무거운 마음 안을 마구 헤집고 다녔다. 목소리로 봐서는 보통 다급한 일이 아닌 것 같았다.

"샘!"

"학생 2명이 말도 없이 나가버렸습다. 조선족 형제는 고향으로 돌아가겠다구 우깁다. 학생들이 복잡하게 행동하고 있으니 빨리 와서 안정 좀 시켜주시구, 우리 사역장도 성도成都로 이사할 수 있게 조치해 주십쇼."

다음날, 바울 선생에게서 또 전화가 왔다.

"선생님, 이번에는 기풍 선생이 가겠다구 계속 우깁다. 사역장의 분위기가 기풍 선생 때문에 영 안 좋습다. 선생님이 와서 어떻게 해보쇼."

나는 이제 더 이상은 선생들을 잃고 싶지 않았다. 행여나 친구인 권능 선생은 기풍 선생을 설득할 수 있을까 하여 권능 선생과 함께 중경重慶의 바울 선생 사역장으로 갔다. 하지만 그는 권능 선생과 나의 오랜 시간 설득에도 불구하고 연길延吉로 떠나 버렸다.

떠나는 그를 권능 선생과 함께 역까지 배웅하고 나니 정말 그 자리에 주저앉아 울고만 싶었다. 하지만 권능 선생 앞이라 애써 참으며 다시 성도로 돌아왔다.

집에 돌아오자 하루도 거르지 않고 사역장에서 터지는 크고 작은 사건들에 기풍 선생을 떠나보내야 하는 아픔이 더해져 심신이 지칠 대로 지쳤다. 그리고 중국 생활을 너무도 힘들어하는 아내와 아이들을 돌보는 것도 이젠 힘에 부쳤다. 선교사들에게 왜 안식년이 필요한지 그제야 절실하게 와닿으면서, 특히 나 같은 북한 선교사에게는 7년이 아니라 1년에 한 번씩 안식년이 와야 한다는 생각도 들었다.

하루는 외국에서 온 선교사와 이야기를 나눌 기회가 있었는데, 그 선교사가 나에게 아이들을 어떻게 교육하고 있느냐고 물었다. 나는 돈이 없어 네 아이 모두 학교 입학도 못 시키고 하나님께 기도하면서 기다리고 있다고 했다. 그러자, 당신은 사명이 있어서 그렇게 한다지만 아이들은 뭔가 대책을 세워야지 어떻게 그럴 수 있냐며 화를 냈다. 나도 어느 부모 못지않게 자식을 사랑하고, 하나님께서 경제적 여유를 허락하시면 아이들을 국제학교에 보내 좋은 교육을 받게 하고 싶은 마음 간절했다.

그 선교사는 아이들 둘 다 미국에서 공부하게 하고 자기 혼자 중국에 왔다고 하였다. 그 말을 듣자 나도 모르게 눈물이 왈칵 쏟아졌다. 나는 속으로 중얼거렸다.

'당신이 당신 자식 사랑하는 것보다 내가 내 아이들을 더 사랑한다. 그러나 하나님이 허락하시지 않으면 방법이 없지 않은가?'

그리고 하나님께 말씀드렸다.

"하나님, 제가 감당하는 사역이 쫓기면서 숨어 다니는 카타콤 사역이며, 또 돈이 많아도 많은 부작용을 가져오는 사역이기에 그때그때 꼭 필요한 물질만 주심을 저분은 몰라도 저는 잘 압니다. 주님, 감사합니다. 하나님의 일을 위해서라면 내 아이들 학교 공부 제대로 못해도 감사하겠습니다. 지구상에 10억 이상이 문맹이라는데, 아이들 넷 중에서 셋은 글을 읽을 줄 알고 성경도 여러 번 읽었습니다. 더 이상 공부 못해도 좋습니다. 감사합니다… 감사합니다…."

열심히 감사하다고 말씀드렸지만, 집으로 돌아오는 내내 눈물이 그칠 줄 모르고 흘러내렸다.

하지만 얼마 후에 아이들을 중국 학교에 보내어 공부시킬 수 있었고, 문이모의 딸 월금 자매에게 배워서 셋째 아이까지 중국어를 잘 하게 되었다. 그리고 그렇게 고생을 많이 했으면 아빠가 하는 선교에 대해 자기들은 하고 싶지 않다고 말할 법도 한데, 아이들의 비전이 모두 선교사인 것을 보면, 그 당시 어려운 과정을 통과한 것이 모두 하나님의 뜻이었다고 생각되어 감사하다.

며칠 후, 연길延吉로 떠났던 기풍 선생이 다시 성도成都로 돌아왔다. 역으로 마중 나가 반갑게 그를 맞아주며, 그가 다시 돌아올 수밖에 없었던 사연을 들었다. 떠나던 날 그는 중경重慶에서부터 정주鄭州까지 기차를 타고 가면서 가는 내내 맥주를 마셨다. 그때 갑자기 그의 눈 앞에 영화의 한 장면 같은 영상이 펼쳐졌다.

그가 타고 있는 기차가 갑자기 뒤집어졌다. 사람들이 아우성을 치며 죽어
가는데 그 사람들 틈에는 자기 모습도 있었다. 맥주병을 입에 문 채 그 모습
을 보고 너무 놀라 그의 눈은 터져 나올 듯이 커졌다. 너무 무서워서 온 몸이
떨렸다. 그때 깜짝 놀라 그를 바라보는 앞자리의 중국 사람이 갑자기 요나
선지자로 바뀌었다. 주변에 앉아 있던 사람들이 들고 일어나 그 사람을 들
어 그의 눈앞에서 태풍이 부는 기차 밖으로 그대로 내던지는 것이었다.

그는 겁이 와락 났다. 하나님의 일을 해야 할 사람이 도망을 가니 하나님
이 막으신다는 생각이 들었다. 그냥 더 가다가는 방금 본 환상처럼 하나님
이 이 기차를 뒤집어 놓을 것만 같았던 것이다.

나는 기풍 선생을 놓지 않고 끝까지 붙드시는 주님께 감사했다. 2기 학생
들이 선생으로 준비되어 파송될 때 함께 파송하기로 하고 그를 다시 바울
선생 사역장으로 보냈다.

연일 터지는 사건들 속에서 다시 돌아온 기풍 선생으로 인해 위로를 얻고
있던 나에게 또다시 기쁜 소식 하나가 들려왔다.

전부터, 이제는 제남濟南에서 석 달 가량 사역을 했으니 다른 도시로 옮기
라고 몇 번이나 말했지만, 무슨 이유에서인지 선주 선생은 이사를 차일피일
미루고 있었다. 그러다 드디어 이웃 주민들의 신고를 받고 출동한 공안들을
만나게 된 것이다. 학생들과 열심히 통독을 하고 있을 때 갑자기 공안 3명이
찾아와서 사역장의 문을 쾅쾅 두드려댔다. 공안들이 들어와서 신분증을 보
자고 하면 모든 것이 끝장이라 모두들 겁에 질려 떨고 있었다.

"우리 기도합시다. 이럴 때 하나님께 기도해야지! 그러니 기도합시다."

선주 선생은 학생들에게 기도를 시키고 조선족 홍신복 형제와 함께 나가
서 공안들에게 문을 열어주었다.

"당신들 여기에 모여서 뭣들 하고 있소?"

당시 중국 정부는 파룬궁法輪功이라는 사이비 종교 집단이 천안문 광장에

서 반정부 시위를 한 뒤로 이 집단을 와해시키기 위해 각고의 노력을 기울이고 있었다. 공안들은 선주 선생의 사역장 학생들도 파룬궁으로 생각하고 있었다.

"우리는 여기서 성경을 읽으면서 하나님 공부를 하고 있소."

그러자 공안 팀장이 전혀 예상치 못했던 반응을 보였다.

"오! 하나님 공부 좋다, 좋다. 하나님 공부 최고다. 하나님 공부 열심히 해라. 하나님 공부 하는 건 나쁜 일이 아니다. 혹시 내가 도울 일은 없나?"

의외의 반응에 놀랐지만 선주 선생과 신복 형제는 한 걸음 더 나아갔다.

"우리는 동북에서 온 사람들인데 거주증이 없어서 불편하오."

"파출소에 와서 나를 찾아라. 내가 해 줄 테니 걱정 마라. 내일 찾아오라."

그리고 더 이상의 조사도 없이 이내 돌아갔다.

다음날 선주 선생과 신복 형제는 어제 공안들이 하고 간 말이 미덥지 않았지만 그래도 혹시나 하는 마음으로 파출소로 찾아갔다. 공안 팀장은 약속대로 선주 선생 사역장 형제들 전원에게 임시 거주증^{우리의 주민등록증에 해당함}을 만들어 주었다. 그리고 도움이 필요하면 언제든지 연락하라고까지 하면서 아주 친절하게 대했다.

이것은 하나님께서 우리 사역장 형제들을 보호하고 계시다는 또 하나의 표적이었다. 학생들은 거주증을 자랑스럽게 보여주면서 기뻐하고 감사했다. 나도 말할 수 없이 기뻤고 또 주님의 크신 사랑에 감사했다.

"우리 하나님께 영광을 돌립시다. 살아계신 하나님이 우리를 사랑하심을 다시 한 번 확인할 수 있어서 감사하지요."

"아멘! 할렐루야!"

그러나 북한 선교사들은 한 단계 더 성숙된 하나님의 일꾼들로 양육되어야 하기에 나는 조용히 형제들에게 말했다.

"하나님께서 우리를 지켜주시고 베풀어 주신 은혜에 감사하지만, 한 번 더 생각해보면 우리는 쫓기는 몸이고, 앞으로 사역을 통해 영입하게 될 탈북자들 역시 쫓기는 몸입니다. 항상 위험이 따르는 처지에서 거짓말로 그 상황을 대하고 이렇게 거주증을 만들어 이것을 의지하면, 하나님을 의지하는 마음이 줄어들 거예요. 뿐만 아니라 '많은 사람이 불가능하다고 하는 북한 선교 우리가 하겠다.'고 말할 수 없을 테고, 또 지도자로 세워진 후 신분증이 없는 학생들을 모집하여 '하나님만 의지하고 함께 북한 선교합시다!' 라고 담대히 말할 수도 없을 거예요. 강요는 않겠지만, 기도해 보고 나와 생각을 같이 하는 사람은 자진해서 신분증을 반납해 주길 바래요."

내 말이 끝나자 바로 그 자리에서 몇 명이 반납하고, 다음날 나머지 형제들도 모두 거주증을 가져왔다. 나는 그들과 함께 하나님께 감사와 찬양을 드리며 기도한 후, 거주증을 가위로 잘라 불에 태워버렸다. 그리고 다같이 걸음걸음 하나님만 바라보고 나가겠다는 다짐을 하면서 뜨거운 눈물을 흘렸다.

선주 선생 사역장에서 며칠을 지내며 형제들과 함께 통독도 하고 예배도 드리고, 토요일에는 산동山東대학에 가서 축구도 하였다. 새벽 예배 시간에는 사역비를 위해 기도해 달라고 형제들에게 부탁했다. 벌써 한국에 다녀온 지 두 달이 지나 사역비가 다 떨어졌고, 이제 다시 나가야 했기 때문이다.

사역비를 모금하는 일은 그리 수월치 않았다. 교회에서 우리의 사역을 잘 몰랐고, 또 간혹 관심을 가지더라도 헌금한 대가로 우리 사역을 완전히 공개할 것을 요구했기 때문이다. 2기 사역으로 접어들고부터는 성복중앙교회나 잠실 신천교회, 가브리엘 선교회 등 교회나 개인에게서 통장으로 꽤 많은 돈이 후원되어 들어왔지만, 그만큼 학생들도 많아져 풍족할 때보다는 부족할 때가 훨씬 많았다.

이런 사정을 형제들에게 얘기하면서 기도 많이 해달라고 부탁하고, 나는 선주 선생 방으로 들어가 한국으로 떠날 준비를 하고 있었다. 아까부터 방문 앞에서 서성거리던 모세 형제가 살그머니 들어왔다.

"저… 선생님… 저… 드릴 말씀이 있는데요…."

그는 한참 뜸을 들이더니 누가 들을까 조용히 말을 꺼냈다.

"선생님, 선생님이 한국 가면 아편 좀 팔 수 없슴까?"

"??"

"선생님, 제가 북한에서부터 아편에 손을 댔기 때문에 아편 몇 키로는 금 방 구할 수 있슴다."

"모세 형제!"

내가 더 말할 사이도 없이 그는 다음 말을 이었다.

"그냥 저한테는 원금만 주시구, 나머지 돈으로는 선생님 선교 사역하십 쇼. 선생님 맨날 돈 없어서 그러잖슴까?"

"모세 형제, 지금 제정신이에요? 지금 무슨 말을 하고 있는 거예요?"

내가 언성을 높이자 그는 이상하다는 눈빛으로 나를 바라보더니 들어올 때처럼 슬그머니 나가버렸다.

심은 대로 거두는 법

연변延邊에서 심양沈陽을 거쳐 정주鄭州로 간 후 익두 선생은 본격적인 사역 에 들어갔다. 학생들은 다른 사역장 학생들에 비해 상당히 온순해서 비교적 그의 말을 잘 따라 주었다. 제남濟南에서 대학생 사역을 하던 박주안 선교사 도 주일마다 그 사역장을 찾아와 예배를 인도해 주시며 많이 도와주셨다.

얼마 뒤, 박 선교사가 한국으로 떠나자 익두 선생은 갑자기 혼자 남은 듯 한 깊은 외로움을 느꼈다. 더욱 철저히 주님만 의지하고 사역을 진행하리라 다짐하며 마음을 추스렸다. 그리고 아직 하나님의 존재에 대해 믿지 못하는 학생들에게 은혜를 끼치기 위해 설교 준비에 전심전력을 쏟았다. 새벽 2, 3 시가 되어야 잠자리에 드는 것이 보통이었다.

익두 선생은 처음 며칠 학생들에게 유예 기간을 주어 서서히 사역장 규칙 에 적응토록 한 다음, 곧이어 사역장 3일 금식을 선포했다. 금식을 통해 학 생들에게 담배와 술을 끊게 하고, 사역장 일과에 순종시키려는 의도였다.

모든 형제들이 순순히 잘 따라왔지만 유독 성근 형제만은 반항적이었다. 옥상에 담배 피우러 간 그에게 이렇게 하려면 연변延邊으로 돌아가라고 심하게 야단 친 것이 화근이었다.

돌 공장에서 익두 선생과 형 아우하며 지냈던 성근 형제는, 익두 선생이 지난해 우리 사역장에 들어오며 익두 선생과 헤어졌다. 그 후 그는 종이 뽑는 기술을 배워 매달 월급도 받고 저축을 하여 집으로도 보내며 다른 탈북자들보다 비교적 안정된 생활을 하였다.

하지만 익두 선생이 학생 모집을 위해 연길延吉에 온 때부터 일이 꼬이기 시작했다. 그 지역에 대대적인 탈북자 검거 열풍이 갑자기 불어닥쳐 일하던 종이 공장에서 쫓겨난 것이다. 그래도 중국어도 잘하고 중국인 신분증도 있던 그는 걱정하지 않았다. 그런데 어찌된 일인지 쉽게 구해지던 일자리가 이번에는 여기저기 찾아다녀도 좀처럼 구해지지 않았다.

"야! 성근아! 공부해보니까 진짜 이게 인생에 둘도 없는 공부다! 다른 거다 걷어치우구 내가 올라갈 때까지 니 꼼짝 말고 거 있어라."

공장에서 일하는 그에게 일부러 전화까지 걸어서 기다리고 있으라던 익두 형만 믿고 따라 나선 참이었다. 그런데 사역장에 와보니, 그렇게 의지했던 익두 형이 인간적인 모든 관계를 무시하고 사역장 리더인 자기 말에 순종하기만을 요구해 매우 실망스러웠다.

며칠 동안 사역장의 분위기를 살피던 성근 형제는 떠나겠다고 고집을 부렸다. 내가 오면 만나고 떠나라는 만류에, 언제 올 지 기약이 없는 나를 기다려 보기로 하고 그는 다시 눌러 앉아 통독을 하였다.

익두 선생은 이런 성근 형제와 다른 형제들과 함께 열심히 통독 사역을 이끌어갔다. 아직 습관이 안 된 하루 8시간의 성경 통독과 하루 두 번 2시간 기도 등 사역장의 규칙 때문에 형제들은 매우 힘들어했다. 추운 동북 지방에 서 살다 남쪽 지방으로 오니 무더운 기후도 만만치 않게 사람을 시달리게 했다. 특히나 매일 하는 찬송과 통성 기도를 생각해 제일 꼭대기 층에 사역장을 잡다보니, 한낮의 태양 열기가 집 안으로 그대로 전해져 가만히 앉아 있어도 실신해 쓰러질 지경이었다.

　며칠 후, 성근 형제가 애타게 기다리고 있는 익두 선생 사역장에 내가 도착하자 익두 선생은 너무 반가운 나머지 왈칵 눈물을 쏟았다. 학생 때는 몰랐는데 사역장의 리더가 되니 모든 것이 다르게 보인다며 그동안 힘들었던 일들을 늘어놓았다. 재미있는 것은 성근 형제가 제2의 익두 형제가 되어 익두 선생이 속 썩이던 모양을 그대로 되풀이하는 것이었다.

　"아이구 선생님. 나 저 성근이 놈 때문에 미칠 것 같다. 글쎄 내가 학생 때 선생님에게 했던 짓을 옆에서 본 것처럼 흉내내구 있지 않슴까? 콱 혼내구 싶어두 내 생각이 나서 그러지두 못하겠구 정말 속상함다. 그때 선생님두 지금 내처럼 속상했슴까? 어이구, 어이구, 속 터져라 속 터져…."

　익두 선생의 하소연을 듣고 나니 문득 연초에 있었던 일이 떠올랐다.

　밤이 깊은 때였다. 익두 선생이 통독실에서 큰 소리로 찬양을 부르는 소리가 들렸다. 나는 한참을 침대에 누워 있다가 도저히 잠을 이룰 수가 없어 벌떡 일어났다.

　통독실로 가보니 형제들은 모두 공부에 열중하고 있고, 익두 선생은 귀에 헤드폰을 끼고 녹음기에서 나오는 찬양을 따라 부르고 있었다. 아마 그래서 자기 목소리가 얼마나 큰지 잘 모르는 모양이었다.

　"익두 선생, 다른 사람들 조용하게 공부하고 있는데 혼자서 이러면 어쩝니까? 좀 조용히 하세요."

　찬양에 심취해 있던 익두 선생은 화들짝 놀라더니 순간 얼굴이 험하게 일그러졌다. 덤벼들 듯 와락 일어나며 고래고래 소리를 질렀다.

　"선생님은 왜 나만 가지고 자꾸 이러심까! 왜! 왜! 왜! 아 씨!"

　전혀 예상치 못했던 일이라 길길이 날뛰는 그를 멍하니 바라보던 내 눈에서 갑자기 눈물이 주르르 흘렀다. 사역을 시작하고 처음 5개월 동안, 북한 형제들이 무서워 한마디도 못했고, 한국으로 돌아가겠다고 수십 번도 더 짐을 쌌다 풀었다 했었지만 이때 일이 제일 힘들었다.

아무 말도 못하고 내 방으로 돌아와 조용히 울면서 주님께 기도드렸다. 그렇게 몇 시간을 기도하고 나서 주님께 말씀드렸다.

"하나님, 너무 힘듭니다. 왜 하필 접니까? 왜 하필 이 자립니까? 이번에는 정말 한국으로 가겠습니다."

그리고 가방을 꺼내 짐을 다 싸놓고 하나님께 마지막 인사를 드렸다.

"하나님, 오늘이 사역장에서 마지막 날입니다. 이제 한국에 가면 자리도 많을 텐데 중고등부를 하든 대학부를 하든 저에게 맡겨진 일 열심히 잘 하겠습니다."

그러자 하나님께서 조용히 말씀하셨다.

"그 짐 가방 내려놓아라. 네 자리가 여긴데 어딜 가느냐? 한국에 네가 갈 곳이 없다."

나는 아무 말도 못하고 쌌던 짐을 도로 풀었다.

조금 시간이 지나자 익두 선생이 내 방에 찾아와 용서를 빌었다. 그런 그에게, '익두 선생이 알다시피 지금까지 내가 줄 수 있는 것은 이미 다 주었고, 형제들을 위해 내가 할 수 있는 것은 다 하고 있다. 내가 익두 선생에게 줄 수 있는 것이 무엇인지 이야기만 해라. 내 생명까지도 주겠다.' 고 중심으로 말했다. 그러자 익두 선생도 울면서 마음을 열고 자신의 불행한 가족사를 들려주었다.

그의 큰아버지는 일본 동경東京의 와세다早稻田대학 핵물리학 박사였다. 60년대 초 김일성이 '사회주의 조국으로 민족의 대이동' 이라는 슬로건을 내걸고 일본 조총련계 동포들을 북한으로 끌어갈 때, 그의 큰아버지는 그 선전에 속아 익두 선생 할머니를 비롯한 일가족을 이끌고 북한으로 넘어갔다. 그러나 얼마 지나지 않아 같은 연구소에 있던 사람으로부터 간첩분자로 모함을 받아 정치범들이 가는 탄광촌으로 추방되고 말았다. 그 바람에 평양에서 대학을 졸업하고 갓 결혼해 살던 익두 선생 아버지도 같이 추방되었다.

익두 선생은, 부모님이 모두 재일동포이며 아버지는 평양에서 대학까지 졸업한 엘리트임에도 평생을 시멘트 공장의 하급 노동자로 비참하게 사는 모습을 보며 사회에 대한 불만과 원망이 사무쳐, 어릴 때부터 자주 악몽에 시달리며 소리를 지르다 잠에서 깨곤 하였다고 했다. 유년 시절에는 엄하신 아버지 밑에서 살가운 사랑도 별로 못 받았고, 학교 선생님이나 선배 중에도 좋은 사람을 만나지 못했다고 했다.

또 이런 이야기도 들려주었다. 처음 이 사역장에 올 때, 며칠 동안 살며 동정을 살피다가 여차하면 한국 놈은 죽여 버리고 돈을 가지고 달아나려고 계획했다고 한다. 나와의 장시간의 대화 이후로 그는 많이 달라져 갔다.

그는 1기 형제들 중 가장 상대하기 힘들었던 선생이었다. 순간순간 폭발하는 감정을 다스리지 못해 하루에도 여러 번 신경질 부리는 그를 위해 어느 선생보다도 더 많이 기도하고 축복했었다. 어떤 때는 너무 힘들어 저 사람은 좀 내보내 달라고 기도하기도 했지만, 하나님께서 내가 쓸 것이니 너는 걱정하지 말라는 깨달음을 주셔서 그때부터 마음을 편하게 가질 수 있었다. 하나님께서 그때 말씀해 주셨던 것처럼 그를 이렇듯 귀하게 선생으로 세워주셨고, 또 계속 다듬어가고 계셨다.

주님은 어떤 사람이든 그가 심은 대로 거두게 하신다. 세상에서도 심은 대로 거두는 원리는 동일하지만 특히 선교사에게는 무서울 정도로 정확했다. 익두 선생뿐 아니라 이후에 세워진 다른 선생들도 사역장의 리더가 되면 반드시 그가 학생 시절 자신이 선생에게 속을 썩였던 그대로 학생들에게 당하곤 했다. 그렇게 익두 선생을 속썩이던 성근 형제도 훗날 선생으로 세워져 사역을 할 때, 자기처럼 엄청 속 썩이는 학생 때문에 똑같은 곤욕을 치르는 것을 보았다.

성근 형제에게 왜 사역장을 떠나려고 하는지 이유를 물었다. 성근 형제는 울면서 이야기했다.

"선교사님, 저는 빨리 돈을 벌어 북한에 계신 부모님께 보내야 함다. 안 그러면 두 분이 다 굶어서 돌아감다. 이렇게 한가하게 앉아서 공부할 여유가 저한테는 없슴다."

그는 외아들로서 연로하신 부모님을 두고 혼자 중국으로 넘어와 연변延邊에서 일하면서 악착같이 돈을 모았다. 옆에 있는 탈북자에게 아무리 급한 일이 생겨도 절대 돈을 빌려주는 법이 없었다. 그래서 함께 사는 탈북자들 속에서 왕따를 당하며 이런 저런 수모도 많이 겪었다. 이렇게 3년 동안 모은 2,000元을 한 푼도 남기지 않고 고스란히 고향에 계신 부모님께 보내드렸다. 북한에서 전문대까지 졸업한 그는 익두 선생의 속을 썩이긴 했지만 공부하는 것을 좋아했다. 마음 같아서는 자기도 정말 공부하고 싶다고 하였다.

나는 그의 딱한 사정을 도울 수 없는 현실이 안타까웠다.

"이 세상의 주인은 하나님이시잖아요…."

성근 형제가 갑자기 얼굴을 찌푸리며 내 말을 끊었다.

"나는 하나님 본 적 없슴다! 어떻게 본 적두 없는 걸 믿슴까?"

"성근 형제가 믿든 안 믿든 그분은 이 세상의 주인이에요. 그러니 성근 형제가 돈을 벌어 부모님을 돌봐줄 수도 있지만, 만약 여기서 하나님을 믿고 성경 공부를 한다면 하나님이 꼭 책임져 주실 거예요. 내가 보기에 성근 형제가 여기서 성경 공부하는 것을 하나님이 기뻐하시는 것 같아요. 그래도 고집하고 돌아가 부모님을 위해 돈을 번다면, 결국 공부도 못하고 부모님도 온전히 섬기지 못할 거예요."

나의 말을 듣고 그는 고민을 했다.

"그럴 일은 없겠지만, 만약 내 말대로 되지 않으면 내가 책임져 줄게요."

그제야 그는 남아서 공부해 보겠다고 하였다.

한 고비를 넘기자, 점차 사역장 생활이 안정되면서 익두 선생 사역장 형제들은 하루하루 달라져갔다. 꾸준한 통독과 익두 선생이 심혈을 기울여서 전하는 설교 말씀 그리고 기도를 통해서 조금씩 신앙이 싹터 갔다. 익두 선생은 그동안 많이 힘들었지만 변화되어 가는 형제들을 바라보며 보람도 느끼면서 사역에 정을 붙이기 시작했다.

정주鄭州에서 사역을 시작하고부터 어느덧 5개월이 지나니 익두 선생의 사역장에 대해 수군거리는 이웃 사람들이 많아졌다. 이웃 사람들은 식사 당번이 반찬거리를 사러 나갈 때면 이상한 눈길로 바라보곤 하였다. 중국말도 전혀 할 줄 모르는 청년들이 여럿이 모여 살면서 어디 일하러 가지도 않고 하루 종일 집 안에만 틀어박혀 있는 것이 수상한 모양이었다. 주위에 이런 반응이 나타나기 시작하면 이제 떠날 때가 된 것이다.

사역장의 이사는 언제나 유별나게 빠르고 간단하다. 너무도 자주 이사를 하다보니 형제들은 모두 성경보다도 몇 시간 내로 후다닥 이사가는 방법부터 배우게 되는 것 같았다. 익두 선생이 "이사갑시다!" 하고 말한 지 2시간 후에 이들은 이미 정주를 떠나 사천성四川省 성도成都로 향하고 있었다.

익두 선생 사역장이 성도로 이사갈 때, NSM 선교회 선배이신 이순홍 목사님이 나와 함께 중국에 오셨다. 목사님은 당시 대학원 신학 석사 과정을 밟으면서 교회를 개척 중이셨는데, 학교를 휴학하고 교회는 다른 분에게 잠깐 맡겨 놓고 들어오신 참이었다. 온유하신 성품의 목사님은 익두 선생 사역장에서 3개월간 함께 생활하시며 기도와 사랑으로 형제들에게 많은 도움을 주셨다.

익두 선생 사역장 사람들이 30여 시간의 기차 여행 끝에 무사히 성도에 도착했을 때는 해가 뉘엿뉘엿 넘어가고 있는 저녁 무렵이었다. 우선 저녁 식사부터 하고 서둘러 집을 얻으러 나섰지만, 중년 남자 한 사람과 패기만만한 20대 남자 9명인 이들에게 선뜻 방을 내주겠다는 사람은 없었다. 어떤 집주인은 중개소를 통해 전화 연락이 되어 이들을 만나러 왔다가 이들의 행색을 보고 그냥 돌아가 버리기도 했다.

그런데 당장 저녁에 들어가 잘 데도 없는 것이 문제였다. 중국은 여관에 방을 잡으려 해도 신분증을 요구하기 때문에 불법 체류자들인 북한 형제들은 밤이 오면 편안하게 여관에 들어가 잘 수 있는 형편이 못 되었다. 할 수 없이 역전 부근의 비디오방에서 하루를 지내기로 하고 큰 비디오방에 들어갔다.

자리를 잡고 앉아 비디오를 보며 날이 새기만을 기다리고 있을 때였다. 밤도 깊어 새벽이 가까워질 무렵, 느닷없이 비디오방 출입문이 열리며 공안몇 명과 사복 공안 몇 명이 들이닥쳐 신분증을 검사하기 시작했다. 제일 뒷좌석에 심드렁하니 앉아 졸고 있던 형제들의 눈이 불시에 꼿꼿해졌다. 익두선생은 너무 놀라 심장이 쿵쾅거리고 간이 심장에 가 붙는 줄 알았다.

"살려주십시오. 하나님! 나는 잡혀도 다른 사람은 무사했으면 좋겠슴다."

그 순간에도 기도가 먼저 나왔다. 그러자 속에서는 심장을 비롯해 모든 내장 기관들이 한바탕 전쟁을 치르는데도 겉으로는 아주 태연해졌다.

공안들은 맨 앞줄 몇 사람과 중간쯤 앉아 있는 몇 사람을 골라 검사하더니 그대로 나가버렸다. 알고보니 신분증 검사가 아니라 그날의 비디오방 입장권 검사였다. 범죄자와 공개 수배된 사람들이 이런 데서 잘 자기 때문에 공안들은 심심하면 들러서 이처럼 한바탕 소동을 피우는 것이었다.

익두 선생은 다음날은 무슨 일이 있어도 집을 구하리라 단단히 마음 먹고 조선족 안 선생과 함께 아침 일찍 길을 나섰다. 이를 악물고 집을 구하러 다녔지만 오전 내내 허탕이었다. 익두 선생이 빈손으로 어깨가 처져 돌아오자 점심을 먹던 중 이순홍 목사님이 불쑥 말을 꺼내셨다.

"오후에는 저도 같이 가요!"

'목사님, 당신께서 오셔봤자 중국말 한마디도 못하시니, 괜히 우리들 다니는 데 짐이나 되시는데….'

역시나 젊은 남자 두 사람에 중년 남자 한 사람, 참 누가 봐도 이상한 일행이 아닐 수 없었다. 게다가 가는 곳마다 목사님이 익두 선생과 조선족 형제에게 큰 소리로 자꾸 이것저것 물어보시는 통에 주변에 있던 중국인의 시선이 집중되었다. 익두 선생은 안절부절 하다 못해 속이 새까맣게 타는 것 같았다. 몇 집을 돌아봐도 별 소득이 없자, 목사님이 이번에는 큰 길 사거리 앞에 딱 멈추어 서시면서 기절초풍할 아이디어를 내셨다.

"우리 기도합시다!"

목사님은 익두 선생과 조선족 형제가 놀라든지 말든지 다짜고짜 이들의 손을 잡고는 눈을 감고 큰 소리로 기도하시기 시작했다.

"주여! 우리가 지금 집을 구하고 있는 중인데…."

목사님이 기도의 운을 떼자 주변 사람들의 이상한 시선이 세 사람에게 몰려와 꽂혔다. 그날따라 기도가 어찌나 긴지, 익두 선생은 목사님이 아멘으로 기도를 마무리할 때까지 간신히 기다렸다. 그리고 믿음이 사라지기 전에 얼른 다음 집을 찾아갔고, 어렵지 않게 아주 적절한 집을 구하게 되었다.

익두 선생은 평소 담대한 것과 우둔한 것은 거의 같다고 생각했었다. 그러나 이 일을 통해 세상 사람들의 담대함과 믿음의 사람들의 담대함이 다르다는 것을 알게 되었다. 믿음의 사람들의 담대함은 실로 믿음에 기초한, 그 어떤 환경이나 상황, 사람들이 꺾을 수 없는 믿음의 담대함이라는 것을 알게 되었다.

뱀술을 먹은 학생들

전 사역장에 안정이 찾아왔다. 바울 선생 사역장도 이전보다 많이 안정된 분위기 속에서 사역이 진행되었다.

바울 선생은 흐뭇했다. 드디어 자기가 가르치는 학생들도 오늘부터 금식하겠다고 스스로 작정하는 것이 아닌가. 그것도 성경의 깊은 뜻을 알고 싶어서, 인격적으로 잘 다듬어진 주님의 사람이 되고 싶어서 금식하려고 했다. 대부분의 형제들이 10일 금식을 했고, 어떤 학생은 20일을 금식하며 기도하였다.

학생들의 금식이 끝나자 바울 선생은 이들의 보식 문제로 바빠졌다. 자식처럼 귀엽고 사랑스럽기만 한 학생들이 자칫 건강을 해치지나 않을까 몹시 염려스러웠다. 평소에도 학생들을 잘 섬긴다고 내내 부엌일을 전담하다시

피 하였다. 매일 콩을 갈아 직접 두부를 만들고, 신선한 야채를 18가지 이상 갖추어 각종 반찬을 다 해 먹었다.

어떻게 뭘 먹이면 몸을 속히 회복시킬 수 있을까 한참 생각하던 그에게 언뜻 몸이 허약한 사람에게 뱀술과 자라를 먹이던 것이 생각났다.

'옳지, 바로 이거다! 뱀술과 자라탕을 먹이자. 얼른 원기가 회복되겠지.'

그는 형제들에게 몸을 보양하는 차원에서 뱀술을 먹자고 제안했다. 사역장에서 술을 마시면 안 된다는 것은 누구나 잘 알고 있었다. 그러나 선생이 자진해서 술을 사주겠다고 하니, 마시고 싶어도 사역장 규율 때문에 간신히 참고 있던 학생들로서는 얼씨구나 할 일이었다.

그렇게 뱀술을 마신 지 며칠 후에 내가 사역장에 들르게 되었다.

"선생님, 지금 바울 선생이 학생들에게 뱀술을 마시게 하고 있습다. 이거 난 아무리 생각해봐도 옳다고 생각지 않습다. 이것 보세요! 이렇게 큰 병으로 하나씩 말입다."

빌립 형제가 자기가 받은 뱀 술병을 나에게 흔들어 보였다.

순간 눈앞이 캄캄해지면서 온 몸에서 힘이 쭉 빠졌다. 학생이 선동한 것도 아니고 선생이 솔선수범하여 술을 마시게 하다니 있을 수 없는 일이었다. 하나님 앞에 큰 죄악이었다.

"바울 선생! 몸보신 하는데 왜 쇠고기, 돼지고기를 두고 하필이면 뱀술이에요?"

그는 머리를 숙이고 기어들어가는 소리로 간신히 대답했다.

"몰라서 그랬습다."

바울 선생이 계속 학생들 몰래 술 담배하면서 사역해오고 있는 것을 알고 있었다. 통독 시간에 부엌에서 음식만 만들고 있다는 것도 알고 있었다. 바울 선생이 먼저 확실하게 술, 담배를 끊고 학생들과 같이 앉아 통독을 해야 제대로 성경 공부가 되고, 음식 잘 해 먹이는 것보다 말씀을 잘 먹이는 것이 학생들을 제대로 사랑하고 섬기는 것이라고 누누이 얘기했지만 그는 말을 듣지 않았다.

그러다보니 리더인 그의 영적 상태가 사역장에 그대로 반영되어 형제들 중 여럿이 자주 악몽을 꾸고, 수시로 이상한 환상을 보았고, 나는 그 사역장에 들어가기만 해도 머리가 깨질 듯이 아팠다. 그리고 유독 이 사역장만 공안이 덮쳐서 벌써 세 번째 집을 잡느라고 4개 사역장의 한 달 생활비에 해당하는 500만 원 가량을 써버렸다. 중국에서는 집을 빌릴 때 몇 달치 집세를 선불로 내야 하기 때문에 사역장을 한 번 꾸리려면 우리 돈으로 100~150만 원이 소요되었다1999년 기준. 선생이 술 마시고 담배를 피우니 학생들도 바울 선생 밑에서 배우기 싫다며 다른 사역장에 보내주지 않으면 떠나겠다고 완강하게 나왔다. 그때마다, 바울 선생이 회복해서 선생으로서 사역을 잘 감당할 수 있기를 바라며 학생들을 다독거리고, 이 사역장을 위해 더 많이 기도했었다. 그래서 이번만은 도저히 용서가 되지 않았다.

"바울 선생, 사역 그만두는 게 어때요? 이렇게 하려면 그만두세요. 술 마시면서 사역할 수 있는 곳으로 가세요."

"아니! 그럼 내 이 사역장은 어떻게 함까?"

"해산할 겁니다."

순간 그의 얼굴이 새파랗게 질렸다.

"아니, 선, 선생님, 이거이 너무한 거 아닙까? 뱀술을 좀 마시게 했기로서니 사람을 이렇게 쫓아내기까지 한단 말임까? 내가 뱀술 마시게 한 거이, 그거 정말 잘못했시여! 근데 이것 때문에 정말 이렇게 사역장이 해산되고 쫓겨 가기까지 해야갔시여?"

자신의 잘못은 알았지만, 이렇게까지 나올 줄은 몰랐는지 펄쩍 뛰었다.

그는 술 좀 마시는 것이 무슨 대수라고 이렇게까지 심하게 나오나 하고 서운해 했지만, 그건 성경 말씀을 잘 모르는 소리였다. 고린도전서 6장 10절은 "도적이나 탐람하는 자나 술 취하는 자나 후욕하는 자나 토색하는 자들은 하나님의 나라를 유업으로 받지 못하리라"고 말씀하고 있고, 잠언 23장 31-32절은 "포도주는 붉고 잔에서 번쩍이며 순하게 내려가나니 너는 그것을 보지도 말지어다 이것이 마침내 뱀같이 물 것이요 독사같이 쏠 것이며"

라고 말씀하고 있다.

나는 그에게 성경 말씀을 통해서도 얘기하고, 또 우리 교단의 전통과 나의 젊어서의 경험도 얘기하면서 왜 술을 마시면 안 되는지 설명해 주었다. 그리고 지금 사역에 쓰이는 모든 돈은 한국의 성도들이 피땀 흘려 번 돈을 한 푼 두 푼 모은 것인데, 그들은 우리가 하나님 말씀 잘 배우고 선교사로 활동하는 데 쓰라고 이 돈을 보냈지 술 먹고 낭비하라고 보내지 않았으며, 학생이 그랬다면 또 이해할 수도 있겠지만 선생이 나서서 그렇게 했다면 하나님 앞에서 큰 죄악이라고 반나절이 다 되도록 그에게 차근차근 설명해 주었다. 그러자 얼굴에 잔뜩 억울한 표정을 짓고 말없이 내 말을 듣고 있던 바울 선생이 말했다.

"선생님, 말을 듣고보니 정말 잘못했시여. 정말 알고보니 내가 나쁜 짓 한 게 맞시여. 내가 영적으로 흐트러져 있었던 모양임다. 그렇다고 사역장을 해산하고 쫓아내는 건 너무한 거 아님까? 내가 흐트러져 있으면 사역장에서 다시 회복해야지, 나가면 세상인데 그러면 나보고 영적으로 죽으라는 말임까? 회복을 해도 여기서 해야 되지 않슴까?"

이번에는 절대로 용서하지 않으려고 했었다. 내 입술에 권세를 주셔서 내가 하는 말이 주님께서 하시는 말로 들리도록 해달라고 며칠을 기도하고, 기풍 선생을 해임시킬 때처럼 순교를 각오하고 왔었다. 그러나 회복을 해도 여기서 해야 되지 않느냐는 말에 가슴이 뭉클해져 더 이상 강하게 나갈 수가 없었다.

"그럼 이젠 잘 할 수 있겠어요?"

"옙! 잘 할 수 있슴다!"

"한 번만 더 기회를 줄게요. 다음은 없어요!"

어느 사역이나 마찬가지지만 특히 탈북자 사역은 전적으로 성령의 인도하심을 받지 않으면 단 하루도 무사하기가 어려운 사역이다. 나는 바울 선생이 회복해서 정말 사역을 잘 해나가기를 간절히 바라며 사역장을 나왔다.

베트남으로! 북한으로!

선주 선생에게서 다급한 전화가 왔다.

"선생님, 저 더 이상 사역 못하겠습다."

"아니 왜요? 왜 그래요?"

"…"

선주 선생은 학생들에게 형편없이 맞았다고만 할 뿐 이유에 대해서는 아무 말도 하지 못했다. 나는 기도하면서 대책을 강구하다가 기풍 선생을 데리고 제남濟南으로 급히 달려갔다. 가보니 사역장의 분위기는 몹시 어수선했고, 모세 형제는 나를 보자마자 격분해서 떠들어댔다.

"선생님, 저 따위 것도 책임집니까?"

모세 형제와 선주 선생에게서 일의 자초지종을 들어보니 선주 선생이 실수를 많이 한 것 같았다. 그는 속 썩이는 학생들 때문에 사역장에 애정을 쏟지 않고 계속 밖으로 나돌았다.

"너 따위 것들 다 가두 데려올 사람들은 흔하니 공부를 하든지 말든지 맘대로 해라."

사역을 잘 이끌어 줄 것을 권고하는 학생들에게 그가 한 말이었다. 이 말에 깡패 출신인 다윗 형제와 모세 형제가 이성을 잃고 선주 선생을 아예 죽일 작정으로 두들겨 패다가, 다른 형제들이 말려서야 가까스로 진정된 것이다. 선주 선생은 자기의 잘못을 인정하고 스스로 리더직을 포기하고 이 사역장의 학생으로 남겠다고 하였다.

다음날 기풍 선생을 선주 선생 대신 리더로 세웠다.

"선생님, 이번에는 기도하면서 잘 해보겠습다. 지금 제가 이 사역장에서 할 수 있는 일은 하나님 앞에 바로 서 있는 모습을 보여 주는 것뿐임다."

이렇게 말하는 기풍 선생이 믿음직스러웠다. 워낙 리더십이 탁월한 선생이니 이 정도의 어려움쯤은 쉽게 해결해 나갈 수 있을 것 같았다.

이번에는 기풍 선생의 사역을 잘 도와주고 싶어 기풍 선생에게 물었다.

"기풍 선생, 사역장을 내가 사는 성도成都로 옮기는 게 어때요? 그러면 나도 자주 방문할 수 있고 비용도 절감할 수 있을 것 같아요."

"아닙다, 선생님. 전 바울 선생이 있는 중경重慶으로 가겠슴다!"

그는 무엇 때문인지 계속 중경으로 가겠다고 고집했다.

성도에 권능 선생과 익두 선생 사역장을 두고, 중경에 바울 선생과 기풍 선생 사역장을 두면 그래도 이전보다는 관리하기가 훨씬 쉬워질 것 같았다. 그래서 승낙하면서 그에게 이사 비용을 주고 나는 성도로 돌아왔다.

하지만 며칠이 지나 선주 선생 사역장 학생들로부터 또다시 전화가 왔다.

"아이고 선생님, 이 일을 어떻게 하문 좋슴까? 아 거 씨부랑, 기풍 선생이라는 자슥이 민선주 선생하구 조선족 홍신복이 하구 이양원이를 데리고 웰남으로 도망갔슴다."

정말 기풍 선생이 또다시 이럴 줄은 꿈에도 생각지 못했다. 전화를 받을 때 순간 내 몸이 그 자리에서 굳어져서는 펴지지 않았다.

남의 몸처럼 말을 듣지 않는 몸을 이끌고 기풍 선생 사역장 학생들을 만나러 중경으로 갔다. 기차에서 나는 계속 울면서 주님께 물었다.

"주님, 이 사역을 계속해야 합니까? 주님… 사인을 주세요. 저는 이제 더이상은 못 할 것 같습니다."

다음날 도착하여 학생들을 만나 보았다. 기풍 선생과 선주 선생은 학생들을 중경까지 데리고 와서 바울 선생 사역장에 남겨두고, 선주 선생과 양원 형제1기 학생으로 잠시 있다가 떠났는데, 9월 말 내가 한국 나간 사이 다시 기풍 선생 사역장에 2기 학생으로 들어왔음, 베트남까지 길 안내를 위해 조선족 신복 형제를 데리고 베트남으로 떠나버렸던 것이다.

"형제들은 왜 기풍 선생과 선주 선생을 따라 한국으로 가지 않았어요?"

"그 사람들이 한국에 갈 수 있다면 전번에 벌써 갔지요. 그리구 이번에는 지뢰밭을 안전하게 넘을 수 있다는 보장도 없지 않슴까? 설사 안전하게 넘어갔대두 한국에 간다는 보장도 없는데, 그 무모한 길을 누가 따라감까?"

모세 형제를 비롯해 모두가 이렇게 말했다. 두 선생이 이렇게 떠나가자 학생들은 공부에 흥미를 잃고 연변延邊으로 떠나버렸다. 하지만 국철, 다윗, 모세 형제는 계속 남아서 공부하고 싶어했다. 처음에는 제일 말썽을 부리던 사람들이 그래도 끝까지 남아서 공부하겠다고 하니 대견스러웠다.

다윗 형제와 모세 형제는 권능 선생 사역장으로 가서 공부하고 싶어했다. 두 형제를 그 사역장으로 보내려 하니 권능 선생이 펄쩍 뛰었다.

"아이구, 그 귀신 같은 두 사람을 내보고 또 맡으라는 거예요? 저는 못 맡아요. 못 맡아요."

"권능 선생, 두 형제가 이제는 많이 다듬어져서 괜찮을 거예요."

그러나 사역 초기에 두 형제에게 혼쭐이 난 그는 내가 아무리 권해도 다윗 형제만은 절대로 받을 수가 없다고 했다.

할 수 없이 다윗 형제는 바울 선생 사역장에 남기고, 모세 형제만 권능 선생 사역장으로 데리고 갔다. 그리고 중경重慶에 혼자 남게 된 바울 선생 사역장도 성도成都로 이사하도록 조치하였다.

베트남으로 떠나간 두 선생은 다시 돌아오지 않았지만, 훗날 이야기를 들어보니 주님께서 역시 두 선생을 붙들고 계셨음을 알 수 있었다.

한국으로 가기 위해 베트남으로 떠난 기풍 선생과 선주 선생은 약속대로 국경 근처에서 신복 형제는 돌려보냈다. 그리고 양원 형제와 함께 이번에도 지뢰밭을 무사히 넘었고, 전번의 경험을 살려 베트남 국경 수비대에 잡히지 않고 국경도 무사히 넘어갔다.

하지만 한국 대사관이 있는 하노이로 가는 길을 알 수가 없었다. 그때 기풍 선생이 철길을 따라가자는 기발한 아이디어를 냈다. 하노이는 수도인 만큼 철길을 따라가다 보면 반드시 도착하게 된다는 것이다. 세 사람은 근 한 달 동안 철길을 따라 걸어가 하노이에 도착했고, 천신만고 끝에 한국 대사관도 찾을 수 있었다. 하지만 이들이 구세주처럼 생각하고 뛰어 들어간 한국 대사관에서는 30분도 채 안 되어 이들을 내쫓아버렸다.

할 수 없이 몇 천 리 길을 다시 걸어 중국으로 되돌아왔다. 그 와중에 지칠

대로 지친 기풍 선생은 하반신이 마비되어 길에서 몇 번씩 쓰러지기도 했다. 그러다 광주廣州에 가면 한국 사람들이 많으니 차비라도 좀 얻을 수 있지 않겠냐고 생각했다.

광주를 향해 걸어가던 중 세 사람은 배가 너무 고파 공안국에 들어갔다.

"우리는 북한 탈북자들이오!"

감옥에라도 들어가면 밥은 얻어먹을 수 있을 것 같았던 것이다. 그러나 갑자기 나타나 생뚱맞은 말을 하는 이들을 공안들은 어처구니없는 눈으로 바라보기만 했다. 거지 같아 보이는 사람들이 두꺼운 책 한 권씩을 들고 있자, 한 공안이 무슨 책이냐고 물었다. 선주 선생이 기다렸다는 듯 웃으며 말했다.

"이건 성경책이오! 당신도 예수 믿으시오!"

"야 임마! 니 꼴 보니 예수 믿고 싶은 생각 하나도 없다. 썩 나가!"

공안은 돈 몇 푼 쥐어주고는 이들을 밖으로 내쫓아버렸다.

이들은 몰래 화물 기차 꼭대기에 올라타고 천신만고 끝에 광주에 도착했다. 하지만, 도착한 지 3시간 만에 모두 공안에 체포되고 말았다. 공안이 이들을 다른 노숙자 무리에 섞어 중국의 여기저기로 보내버려 세 사람은 뿔뿔이 흩어졌다.

선주 선생은 교도소에서 강제 노동을 하고 나온 후 상해上海로 갔다. 추운 겨울날, 여기저기 거리를 떠돌다가 너무 춥고 배 고파 공안에게 두 팔을 모아 내밀며 애걸하였다.

"나는 북한에서 도망쳐 온 사람임다! 제발 날 좀 잡아가 주십시오!"

선주 선생은 그렇게 공안에 체포되어 상해 간수소에 한 달간 갇혀 있었다. 그런데 놀랍게도 기풍 선생이 거기로 들어오는 게 아닌가!

"아?! 선주야! 니가 어떻게 여기 있니? 아이구 자식아, 반갑다야. 근데 니는 왜 잡혀 들어왔니 응?"

다시 만난 두 선생은 기쁘고 반갑기도 했지만 왠지 모를 서러움이 북받쳤다. 그 넓은 중국 대륙에서 서로 헤어졌지만 결국 이들이 갈 수 있는 길은 여벌이 없는 외길이었던 모양이다.

한국으로 떠났던 이들의 여정은 결국 북한행이 되고 말았다. 두 선생은 신의주 보위부 집결소_{정치적인 범죄자들을 수감하는 곳}에서 일주일쯤 취조를 받고 곧 안전부 집결소_{일반 범죄자들을 수감하는 곳}로 옮겨져 석방될 때까지 한 달 가량 함께 있었다. 집결소에서 기풍 선생은 그동안 통독과 암송을 통해 깨닫고 있던 말씀을 통해 믿음이 회복되었고, 회개 기도를 드릴 때 그의 마비되었던 한 쪽 다리도 많이 풀어졌다. 그는 집결소 반장 밑에서 호실장號室長을 맡아 반장의 오른팔 역할을 하며, 아파서 죽어가는 사람에게 자기 옷을 팔아 먹을 것을 사주기도 하고, 또 자기 식사 중 절반을 아픈 아이에게 나누어 주는 등 주님의 사랑을 실천하였다. 반장의 오른팔 역할을 하던 관계로 아픈 사람을 위해 기도해 줄 수 있었고, 선주 선생이 아플 때도 기도해 주고 약도 구해 주었다. 그렇게 하나님의 은혜 가운데 감옥 생활을 하던 중, 2000년 2월 16일 김정일 생일 특사特赦로 석방되어 다시 중국으로 넘어왔다. 그리고 심양沈陽에서 캐나다 출신 선교사와 장로를 만나게 되어 그들의 도움으로 건강을 회복하고, 사역장을 꾸려 탈북자들을 하나님의 일꾼으로 양육하는 사역을 감당하였다. 2000년 말에는 내가 사역하고 있던 섬서성陝西省 서안西安으로 사역장을 옮겨 5개월간 함께 사역하다가, 이후 다시 절강성浙江省으로 사역장을 옮겨 사역하였다.

하나님은 북한을 사랑하십니다

이 글은 선주 선생이 신의주 안전부 집결소에 있을 때 겪은 일들을 '하나님은 북한을 사랑하십니다.' 는 제목으로 열방빛 선교회 홈페이지(www.nkmission.com)에 4회에 걸쳐 연재한 글입니다. 선주 선생은 신의주 집결소에서 석방된 후 다시 탈북하여 중국에서 사역하다가 현재 한국에 들어와 있습니다.

하 나 님 은 북 한 을 사 랑 하 십 니 다 /편

제가 북한의 신의주 안전부 집결소에 있을 때 일입니다. 거기에는 중국에서 붙잡혀 온 60여 명의 탈북자들이 수용되어 있었습니다. 아마 남자가 26명, 여자가 30명이 넘었던 것 같습니다. 저는 거기에서 하나님의 백성은 하나님이 돌보심을 깨닫게 되었습니다.

중국에서 잡혀 함께 북한으로 이송된 저희 일행이 집결소에 도착했을 때, 거기에는 이미 많은 사람들이 있었습니다. 몸 검사가 끝난 후에 호실을 배치 받았습니다. 집결소에는 방이 모두 6개의 호실로 되어 있었습니다. 1호실과 4호실은 여자들의 호실이었고, 2호실은 국내 전과자들, 3호실은 탈북했던 남자들의 방이었습니다. 특히 1호실은 탈북하여 한족이나 조선족에게 시집을 가서 임신한 여자들이 북한으로 끌려와 강제로 낙태를 당한 후 모여 있는 방이었습니다. 5, 6호실은 1월이라 방을 비워두고, 많은 인원을 한 방에 수용하고 있었습니다. 겨울이라 사람들을 갈라놓으면 담요가 부족하고 추워서 병에 걸리기 때문입니다.

한 호실은 대략 5평 정도의 방이었습니다. 먼저 있던 사람들을 포함하여 26명의 사람들이 잠을 잘 때면 다리 사이에 다리를 끼우고 잠을 잤습니다.

낮에는 물론 줄을 지어 앉아 있어야 합니다. 얇은 모포를 뒤집어쓰고 있으려면 무지 추웠습니다. 먼저 들어와 있던 사람들 중에는 여름에 들어와 아직도 담당 분주소(파출소)에서 데리러 오지 않아 여름 옷차림 그대로 떨고 있는 사람들도 있었습니다. 그들의 모습은 정말 보기 힘할 정도로 말라 있었습니다. 거의 모든 사람들이 뼈에 가죽만 남아있었고, 몸은 벼룩에 물린 상처 자국뿐이었습니다.

호실에는 믿기지 않을 정도로 벼룩이 엄청 많았습니다. 사방에 벼룩이 천지였고, 이 벼룩들이 사람들의 틈을 비집고 들어가 온 몸을 물었습니다. 그것은 사실 고문 받는 것보다 더 고통스러웠습니다. 벼룩이 때문에 잠을 잘 수가 없었습니다. 먹지도 못하고 잠도 못자니 사람들의 신체는 날로 쇠약해져만 갔습니다. 호실 안은 온통 벼룩과의 전쟁이었습니다.

옆방의 여자 호실도 마찬가지입니다. 어떻게 아냐구요? 믿기지 않겠지만, 남자 호실과 여자들의 호실 사이에 사람 머리만한 구멍이 뚫어져 있어 그들의 모습도 엿볼 수 있습니다. 여자들도 벼룩 때문에, 몸 안에 들어간 벼룩을 털어내느라 창피한 것도 모르고 웃옷을 벗곤 합니다.

나의 속옷은 하얀 런닝이었지만 벼룩이 땜에 시커먼 옷으로 변하고 말았습니다. 후에 중국으로 다시 탈북했을 때 '기념으로 가지고 있을까?' 라는 생각을 했습니다. 같은 방에 있던 청진이 고향인 사람은 벼룩에 물려 얼마나 긁었는지 온 몸이 뻣뻣한 가죽이 되어 있었습니다. 잠을 잘 땐 하품도 제대로 못합니다. 입으로 벼룩이 튀어 들어가니까요. 잠 잘 때 아무리 옷을 비끌어매고 틈이 없게 해서 자도 소용없습니다. 벼룩이 양말을 파고들어서 온 몸을 물어놓으니까요. 이 벼룩이들은 코로, 귀로, 옷 틈으로 비집고 들어가 사람들을 고통스럽게 했습니다.

거기에다 6월, 7월에 잡혀 들어온 사람들은 추위에 떨고 있으니 그야말로 인간 생지옥이 따로 없었습니다. 우리 일행은 그나마 겨울에 잡혀온지라 옷은 겨울옷이었습니다. 저 같은 경우에도 이런 경험이 있는지라 내의도 두

벌씩 입었었습니다. 그렇게 한 달 가량 집결소 생활을 하였습니다. 집결소의 식사는 삶은 통 강냉이 150알 정도에서 많을 때에는 200알 정도까지였습니다.

거기에서는 사람 취급을 받는 것이 아니라 짐승 취급을 받습니다. 중국에서 이송되어 신의주 보위부 집결소에 넘겨져 인원 확인을 할 때였습니다. 겨울이라 날이 빨리 어두워졌습니다. 집결소에 도착하니 대기하고 있던 사람이 한 호송 요원에게 하는 말이 "여, 몇 마리 왔어?"라고 물어보는 것입니다. 그리고 우리 일행을 "한 마리, 두 마리…"라고 세고 있었습니다. 그 순간부터 우리는 인간이기를 포기해야 했습니다. 발가벗긴 채 몸에 돈이나 혹은 값나가는 물건을 가지고 있나 확인하고, 필요한 물건이 있으면 무조건 회수했습니다. 입 밖에 내면 죽인다고 협박도 했습니다.

집결소의 호실에 들어가니 썩은 냄새가 진동했습니다. 1년 열두 달 소독은 물론 청소 한 번 안 하고, 세탁은 고사하고 세수 한 번 할 수 없는 곳이 집결소입니다. 인간 지옥을 상상하려면 그곳을 기억하면 됩니다.

거기에서 살아남는 방법은 단 한 가지, 다른 사람들보다 강해야 하는 것입니다. 힘이 세고 건강해야 살아남을까 말까 합니다. 힘이 센 사람은 약한 사람의 음식을 빼앗아 먹습니다. 결국은 약한 사람은 죽어야 합니다.

우리 일행 중에 고향에서 깡패 짓을 하던 사람이 있었습니다. 정말 교활한 사람이었습니다. 그는 오자마자 4일 만에 반장 직책을 맡았습니다. 먼저 있던 반장이 호송 중 탈출 방법을 사람들에게 말해 주었다는 정보를 집결소 선생 사회안전원, 우리의 교도관에 해당함들에게 제공하고 반장으로 승진된 것입니다. 반장은 거기에서도 굶어 죽을 염려는 없습니다. 왜냐하면 반장의 급식은 다른 사람들에 비해 3배 정도의 통 강냉이를 먹으니까 그런 걱정은 안 해도 됩니다. 거기에다 그의 신체는 건강했고 힘도 셌습니다.

식사 시간에는 작은 비닐봉지 하나를 준비하고 있다가 강냉이가 나오면 얼른 봉지에 담아 호실에 돌아와 먹어야 합니다. 한 알 한 알 일일이 꼭꼭 씹어 먹는 사람들의 모습은 정말 가관입니다. 생명을 유지하기 위해서 금처럼 아끼는 유일한 식량이니 그럴 만도 합니다. 먹고 난 후에는 오늘은 몇 알인지 서로 얘기도 나눕니다. 집결소에서는 일주일에 한 번 화장실을 가야 정상입니다. 내가 먹은 통 강냉이가 금방 소화되어 배설되면 그만큼 영양이 빨리 빠져 나간다는 것을 의미하기 때문입니다. 그렇기 때문에 껍질이라도 소화시키려고 한 알 한 알 정성스럽게 먹습니다.

집결소에서 병에 걸리면 그것은 사형 선고와 같습니다. 일단 병에 걸리면 다른 병이 동시에 와서 합병증에 걸리기 때문에 자기 몸을 관리하는 데는 무지 신경을 씁니다. 병원에도 갈 수 없고 그렇다고 약을 주는 것도 아닙니다. 추위에 견디기 힘든데다 온갖 전염병이 존재하고 있는 거기에서 앓는다면 곧 죽음입니다. 저희가 집결소에 도착하기 전에 거기서 이미 6명이 목숨을 잃었다고 했습니다. 호송 도중 또 5명이 차에서 얼어 죽었답니다. 남자들 호실에 벌써 앓고 있는 환자가 4명이나 있었고, 여자들 호실에도 여럿이 앓고 있었습니다. 거기에서 저의 신앙생활이 시작되었습니다.

하 나 님 은 북 한 을 사 랑 하 십 니 다 *2편*

저는 신의주 안전부 집결소에서 신앙생활을 하는 중에 하나님의 사랑하심을 알게 되었습니다. 그때 저는 기풍 선생과 함께 중국 상해上海에서 단동丹東으로, 단동에서 다시 북한 평안북도 신의주 집결소로 이송되었습니다. 기풍 선생과는 상해 간수소에서 만나 함께 북한으로 호송되었습니다. 기풍 선생과는 처음부터 말씀 공부를 같이 했고, 파송도 같이 받았습니다. 지금까지도 늘 함께 하는 친구이기도 합니다. 그나마 친구랑 함께 있으니 조금 안도감도 생겼습니다.

이 험한 곳에서 살아날 수 있는 길은 오직 하나님을 의지하는 길밖에 없다는 생각이 들었습니다. 그러니 자연 기도가 흘러나왔고, 찬양이 흘러나오게 되더라구요. 물론 혼자서 남들이 알지 못하게 합니다. 식사가 나오기 전에도 꼭 식사 기도를 하곤 했습니다.

어느 날, 내 뒤에 앉은 나이 어린 친구가 갑자기 내 귀에 대고 "하나님이 태초에 천지를 창조하시니라."고 말하는 것이었습니다. 그때 그의 나이는 19살이었습니다. 뜬금없이 그런 말을 하니 한순간 놀랍고, 또 다른 사람들이 듣지 않았는지 주위를 휘둘러봤습니다. 다행히 누구도 보는 사람은 없었습니다. 저는 그에게 "그건 갑자기 뭔 소리야?"라고 모른쇠를 하였습니다. 그 애 말이 걸작입니다.

"형님, 저도 하나님을 믿어요."

"너, 나 뭘로 보고 그런 소리를 해?"

"저, 형님 기도하는 것 봤어요."

"언제?"

"식사 때마다 기도했잖아요?"

더럭 겁이 좀 났습니다. '애가 날 그렇게 지켜보고 있었나?' 슬그머니 그에게 물어보았습니다.

"누구에게 얘기했냐?"

"아니에요."

'후유.'

"그래. 너 정말 하나님을 믿냐?"

"예."

"그 믿음 변하지 마라. 힘들고 어려우면 함께 기도해."

"저 형님만 믿을게요."

'짜식, 하나님 믿는다면 하나님을 믿어야지.'

동지가 한 명 더 생기니 기분이 좋았습니다. 그 애도 좋은지 흥얼흥얼 콧

노래로 찬양을 합니다. 찬송가 182장 찬송이었습니다. "찬송합시~다아아,
찬송합시~다아아, 내 죄를 씻으신 주 이름 찬송합시다."

그때였습니다. 바로 내 앞에 앉아있던 사람이 그 애 보고 이렇게 말하는
것이었습니다.

"야 임마, 너 죽고 싶어?"

'이크, 큰일이다.'

저는 그 사람의 입을 막고 "형님, 저게 뭔 노랜지 아시오?"라고 물었습니
다. 그러자 그가 눈을 동그랗게 뜨고 나를 보며 하는 말이 "어, 저거 찬송가
아냐?"였습니다.

"어떻게 알았어요?"

"나두 교회에 좀 나갔었어."

"그럼 입 다물고 가만 계슈."

잠깐새에 또 한 명의 동지가 생긴 셈이 되었습니다.

그런데 놀라운 일은 그 다음에 벌어졌습니다. 좌우 앞뒤 앉은 사람들 모두
교회에 다니던 형제님들이었습니다. 서로가 "나두 교회에 다녔어."라고 대
답하는 것입니다. 어떤 형제님은 "그게 무슨 비밀이야? 중국에서 교회 안 다
닌 사람 있음 나와 보라고 해."라고 말하는 것이었습니다. '이크, 이 사람들
이 죽으려고 환장했나?'

서로가 못 믿을 곳이 북한 사회입니다. 지금 반장이 전 반장을 작은 혐의
로 고발하고 반장이 된 것처럼 말입니다. 누가 어느 순간에 "저 사람들 하나
님 믿습니다."라고 고발하면 그야말로 끝장인 것입니다. 교수형감일지도 모
릅니다. 김정일 국방위원장의 지시에 시범으로 제일 먼저 찜 당한 사람은
두말없이 총살입니다. 그래야 다른 사람들이 두려워하기 때문입니다. 물론
밖으로 나갈 때까지 그런 일은 전혀 일어나지 않았습니다. 하나님의 은혜와
보호하심인 줄 믿습니다.

하루 이틀 지나면서 하나님을 믿고 교회에 다니던 사람들이 한 사람 한

사람씩 주위로 모이기 시작했습니다. 거의 60% 이상이 그리스도인이었습니다. 그러면서 집결소 안에는 하나의 조직이 자연스럽게 형성되었습니다. 일명 예수님의 조직인 셈입니다(제 생각입니다). 누가 말하거나 결성한 적도 없는데, 예수님을 믿는 형제들이 한 곳으로 모이기 시작한 것입니다. 바로 하나님이 예비하고 준비하신 북한을 복음화시키기 위한 하나님의 귀한 백성들입니다. 하나님이 바로 당신의 백성들을 하나로 모아주셨습니다. 이렇게 알지 못하던 친구들이랑 예수님의 이름 때문에 하나가 되었습니다.

하 나 님 은 북 한 을 사 랑 하 십 니 다 *3편*

이제는 두려움이 없어졌습니다. 많은 형제들과 힘을 모으고 하나님의 사랑을 나눌 수 있다고 생각하니 힘이 났습니다. 집결소에서 제일 불쌍한 사람은 제일 약한 사람입니다. 그런 사람들에게 뭉친 힘이 있으니 무슨 걱정이 있겠습니까? 좀 힘이 세다고 생각하는 친구들도 그전의 약육강식의 법이 이제는 통하지 않게 되었습니다. 현재의 반장은 힘도 세고 신체도 좋다지만 우리들에게는 어쩌지 못했습니다. 왜냐구요? 독불장군이란 없습니다. 반장도 옆에서 도와주는 사람이 있어야 반장직을 제대로 할 수가 있는 것입니다. 그런데 호실장 2명이 모두 그리스도인이었고 무시 못할 친구들입니다. 거기에다 반장의 오른팔이라고 할 수 있는 사람이 바로 기풍 선생이었습니다. 그전의 집결소가 아니었습니다. 하나님의 사랑이 넘치는 집결소가 되었습니다.

어떤 친구들은 중국에서 교회에 나가며 은혜 받던 설교 중에 의문이 되는 부분들을 물어보기까지 하는 것입니다.

"내가 목사님을 한 6개월 동안 따라다니면서도 삼위일체 하나님이 뭔지 잘 모르겠는데, 좀 말해 줄 수 있어?"

'아이고 주님, 이것이 뭔 일입니까? 여기에서도 성경 공부를 해야 합니까?' 그것은 하나님의 축복이요, 하나님의 은혜요, 믿음의 결실임을 믿습니다.

배가 고파 옷을 팔아서 먹을 것을 구한 친구들은 옆의 친구들과 나주어 먹는 일이 일어났습니다. 생각할 수 없는 일이 집결소에서 일어나고 있었습니다. 그 곳에서 먹을 것은 생명과도 같습니다. 그런데 그 생명을 다른 사람들과 나누었다는 것이 바로 기적이라고 봅니다.

결국은 중국에서 한 번이라도 교회에 다닌 사람들은 자기도 하나님을 믿는다고 말합니다. 믿지 않지만 그렇게 얘기합니다. 하나님을 믿는다는 것은 부끄러운 일이 아니고, 오히려 믿지 않는다는 것이 부끄러운 일이 되었습니다. 그들은 하나님을 믿는 사람들이 어떤 사람들임을 알기에 우리와 함께 어울리면 집결소 안에서 당할 수 있는 피해는 피할 수가 있었습니다. 주 안에서 뭉친 그리스도인들의 힘이 이렇게 강한지 새롭게 느끼게 되었습니다.

갈라지고 다투고 싸우고 비방하고 시기하는 그 모든 것들은 마귀가 좋아하는 것이며 마귀가 하는 일입니다. 예수 안에 있어 하나가 되면 그렇게 강할 수 없습니다. 그래서 사단은 사람들의 마음에 미움과 시기와 질투와 분쟁을 심어놓고 싸우게 하는 것입니다. 그러면 사단은 기뻐하고 하나님은 슬퍼지니까… 그렇기 때문에 하나님은 그리스도인들이 예수 안에서 화평하길 원하고, 하나가 되길 원하고, 사랑하길 원하시는 것입니다.

이제는 집결소가 천국으로 변하였습니다.

"높은 산이 거친 들이 초막이나 궁궐이나
내 주 예수 모신 곳이 그 어디나 하늘나라
할렐루야 찬양하세 내 모든 죄 사함 받고
주 예수와 동행하니 그 어디나 하늘나라."

그때 찬송가 495장이 그렇게 은혜로울 수가 없었습니다. 내가 하나님 믿는다는 사실은 비밀이 아닙니다.

어느 날 기풍 선생이 '파송의 노래'를 부르고 있었습니다. 그런데 그 찬양을 알고 있는 형제님들이 여럿이 있어 함께 불렀습니다. 그러다 들키기라도 하면 어쩌려고…. 그러나 하나님이 함께 하시고 기뻐하신다는 생각이 온 맘을 덮으며 두려움이 사라지고 있었습니다. 기쁨이 충만하고 주님을 기쁘게 한다는 생각이 들어 오히려 즐겁기만 했습니다.

그런 날이 지나는 가운데 슬픈 일이 일어났습니다. 앓고 있던, 고향이 청진인 사람이 죽은 것입니다. 들어온 지 2개월 정도 되었지만 중국에서 잘 먹던 생각, 편안하던 생각만 하다보니 점점 지금의 강냉이 몇 알로 만족이 안 되고, 배가 고파 견딜 수 없어 병에 걸렸습니다. 그 바람에 온갖 잡병에 시달리고, 파라티푸스에 설사병까지 걸렸습니다. 매일 30분 간격으로 화장실 출입을 했고 수분을 보충하지 못하니 몸은 눈에 띄게 말라만 갔습니다. 잠자리에 대소변을 보더니 기력을 잃어갔고, 아침에 일어나보니 싸늘하게 식어져 있었습니다. 앓기 시작한 지 10여 일 정도 지난 때였습니다. 반장이랑 기풍 선생이랑 약도 구해 주고, 생각할 수 없는 쌀밥까지 먹여주었건만 가망이 없었습니다.

그가 죽던 날은 그 누구도 하루 종일 아무 말도 하지 못했습니다. 나도 저렇게 될 수 있다는 두려움 때문입니다. 제일 몸이 허약하고 앓고 있던 사람들이 많이 울었습니다. 19살내기 친구도 너무 슬프게 우는 것이었습니다. 후에 고백하는 말이 나도 죽을 수 있다는 두려움 때문이었다고 합니다.

하루는 그 친구가 수심에 잠겨 있었습니다. 그의 고향은 평양이었습니다.

"너 무슨 근심이 있나?"

"형님, 집에 엄마가 계시는데 엄마가 내 소식을 들으면 어떻게 생각하실까요?"

"왜?"

그의 얘기가, 아빠는 안전원이었는데 병에 걸려 세상을 떠났지만 아빠의 친구들이 자기를 아빠처럼 키우겠다고 자기 가족을 돌봐주고 있는데, 자신은 이렇게 탈북해서 집안 망신 시켰으니 집에 돌아가면 어떻게 할지 모르겠다는 것입니다. 거기에다 두려움에 끼니까지 거르고 있으니 몸은 쇠약해져 가기만 했습니다. 그러면서 "형님, 기도 좀 해 줘요."라고 부탁하는 것이었습니다.

"그래."

저는 그의 가슴에 손을 얹고 기풍 선생과 함께 기도하였습니다.

"하나님, 얘가 떨고 있습니다. 집 생각에, 엄마 걱정에, 자기의 가족 땜에 근심이 있습니다. 주님, 그가 주 안에서 평안하길 원합니다. 그에게 복음의 기회를 주시고, 그를 통하여 그의 가족이 하나님 만나게 해 주시고, 구원받게 해 주시고, 천국 백성이 되게 해 주십시오. 그가 집에 돌아가 당할 수 있는 모든 일들을 막아주시고, 그로 말미암아 구원의 기쁨이 충만하길 원합니다. 주 안에 있는 자에게는 두려움이 없다고 하셨습니다. 신실한 하나님을 의지하게 도와주시고, 그런 하나님을 알게 하여 주십시오. 날 구원하신 예수님 이름으로 기도했습니다. 아멘."

집결소의 생활이 하루하루 지나갔습니다.

하 나 님 은 북 한 을 사 랑 하 십 니 다 *4편*

집결소에 좋은 소식이 퍼졌습니다. 새천년 2000년 2월 16일, 김정일 국방위원장의 생일을 맞아 관대하게 탈북자들을 용서해 주고 집으로 돌려보낸다는 소문이었습니다. 처음에는 2월 8일인가 음력 설을 맞으며 내보낸다는 소문이 있었지만 그날에는 아무런 일도 일어나지 않았습니다. '아… 헛소문인가보다.' 희망과 기대는 무너졌습니다.

그러던 어느 날, 저에게 큰 일이 닥쳐왔습니다.

집결소에서는 밤마다 인원을 조직해서 2시간마다 2명이 한 조가 되어 복도 근무를 서야 합니다. 왜냐하면 복도는 하나고 호실은 여러 개이지만 화장실은 하나입니다. 남녀 공동변소로 쓰이니 혹시 밤에 불상사라도 생기면 별로 안 좋기 때문이죠. 수시로 직일直日 안전원에게 근무 상황을 보고해야 하고 사람들의 탈출 시도도 감시해야 하는 것이 근무자의 임무입니다.

우리 호실에서 근무서는 날이었습니다. 호실에서 두꺼운 겨울옷은 나와 기풍 선생과 반장 그리고 다른 한 사람만 입고 있었습니다. 여름에 들어온 사람은 엄동설한에 밖에서 떨어야 했습니다. 그래서 자주 기풍 선생이나 나의 옷을 벗어주는 날이 많았습니다. 근무 나가는 사람들은 의무적으로 내 옷을 입고 근무 서는 것으로 생각하고 있었습니다.

괘씸한 생각이 들어 옷을 벗어주지 않고 그 사람들이 어찌하나 지켜보았습니다. 얇은 여름옷을 입고 밖에서 떨고 있는 모습은 정말 눈뜨고 볼 수 없었습니다. 복도에는 얼음 성에가 두텁고 하얗게 덮였는데, 거기서 2시간 동안 떨고 있으려면 들어올 때는 꽁꽁 얼어서 들어오곤 합니다. "예수 사랑이다." 하고는 나도 추웠지만 그 후로는 군말 없이 내 옷을 내주었습니다.

그러던 어느 날, 갑자기 내 온 몸에 열이 나면서 추워오기 시작했습니다. 파라티푸스 전염병에 걸린 것입니다. 통 강냉이는 입에서 쓰거워 도저히 넘길 수 없었고, 설사병에 걸려 10~15분 간격으로 화장실을 가곤 했습니다. 유일한 식량인 통 강냉이도 먹지 못하니 몸은 쇠약해져 가기만 했습니다. 기풍 선생은 화를 내면서 강냉이라도 억지로 먹으라고 합니다. 도저히 음식을 먹지 못하자 기풍 선생은 반장에게 이야기해서 옆방의 국내 전과자들에게 약을 구해 왔습니다. 그것도 2번씩이나… 쌀밥까지 얻어주어 먹기까지 했습니다. 그 안에서 약을 구하기가 하늘의 별 따기였고 쌀밥 한번 먹어보려면 너무나 힘든 일이었는데….

　기풍 선생이 그때 나 땜에 고생 많이 했습니다. 옆에서 기도하고 찬송도 불러주고 나를 살리겠다고 애를 많이 썼습니다. 하나님이 기풍 선생과 함께 있게 해 주신 것이 얼마나 감사한지 몰랐습니다. 3일 만에 나의 건강은 점차 회복되어 갔고 다시 원래의 모습을 찾게 되었습니다. 먼젓번의 청진 사람은 병을 이기지 못하고 죽었지만 난 살아났습니다. 하나님의 은혜고, 하나님이 옆에 고마운 분들을 붙여주셔서 애써준 덕분인 줄 압니다.

　집결소 안의 대빵들이 나서서 애써주니 사람들은 날 참 어렵게 대했습니다. 반장은 그 후로 다른 사람들이 내 옷을 입지 못하게 했고, 잠자리도 제일 좋은 곳으로 옮겨주는 것이었습니다. 하지만 내가 살고 죽는 것은 하나님의 일이고 하나님의 권한이니 계속 옷을 벗어주었습니다. 기풍 선생은 "그러다 너 죽는다."고 했지만 그러면 다른 사람들이 떨게 되니 별수 없었습니다.

　음력 설이 지나 김정일 국방위원장의 생일이 가까워졌습니다. 탈북자들을 용서하고 집에 돌려보낸다는 것은 거의 기정사실로 되어버렸습니다. 2월 14일, 제일 오래 있던 사람들과 어린이와 노약자, 환자들이 1차로 통행증을 발급 받고 집에 돌아가게 되었습니다. 나도 1차 환자 명단에 올라 먼저 출소하게 되었습니다. 1999년 11월 29일 상해 간수소에 구류된 후로 2월 14일까지… 밖에 나와 오랜만에 보는 햇빛이었습니다.

　집결소의 생활을 뒤돌아보니 거기서 살아나온 것이 기적으로밖에 생각할 수 없습니다. 하나님이 날 그곳으로 인도하신 까닭을 알게 되었습니다. 온갖 죄악이 만연한 땅, 추위와 굶주림에 떨고 있는 우리 북한의 백성들을 너무나 잊고 살았습니다. 방황하는 많은 영혼들을, 생명을 갈망하는 수많은 아이들과 거리의 방랑자들, 고통 가운데 살던 모든 일들을 잊고 살았습니다. 하나님의 사명을 받았음에도 불구하고 현재의 나의 편안함에 안주하며 살고 있던 나를, 하나님은 깨우치시기를 원하셨던 것 같습니다. 하나님은 나에게 내 부모, 내 형제, 내 고향, 내 조국, 내 민족을 구원할 민족의 복음화 사역에 동참할 수 있는 축복을 주셨던 것입니다.

또한 하나님은 집결소에서 많은 형제들을 만나게 해 주시고, 당신이 북한을 사랑하고 있으며, 또한 북한을 위해서 일하고 계심을 알게 하셨습니다. 북한의 회복을 보여주시고, 북한에도 하나님이 역사하심을 깨닫게 하셨습니다. 집결소에서 무지 회개 기도 많이 했습니다.

"나의 무지함과 나만을 위해 살고 나만을 생각하던 그 모든 일들, 내 북한을 잊고 살던 내 모습, 하나님 이젠 알았습니다. 하나님이 나에게 북한을 주시고 많은 영혼들을 맡겨주심을 믿습니다. 그 영혼들을 위해 기도하고 전도하며 살게 해 주십시오. 당신의 복음으로 살고 죽을 수 있는 자가 되길 원합니다. 이 땅을 고쳐주시고, 이 땅에 주의 은혜가 충만할 수 있는 주의 날을 허락해 주십시오. 늘 사명 가운데 살게 해 주십시오. 예수님 이름으로 기도했습니다. 아멘."

그 후 다시 탈북했고, 중국에서 북한 복음화 사역을 계속했습니다. 기풍 선생은 2월 19일에 출소했고 중국에서 다시 동역하게 되었습니다. 그때 탈북자 한 사람 한 사람이 그렇게 귀할 수가 없었습니다. 하나님이 준비시키신 하나님의 귀한 북한 복음화의 일꾼들이라고 생각하니 사랑 안 하고 싶어도 안 할 수가 없었습니다.

지금도 하나님은 우리 북한을 위해서 일하고 계시며 우리 북한을 사랑하고 계십니다. 중국에서, 러시아에서, 제3국에서 하나님은 선교사들을 통해 열심히 일하고 계십니다. 나만 모르고 있었습니다. 그러나 이제는 압니다. 하나님이 나를 통해서 얼마나 큰 일을 준비하고 계시는지… 끝까지 나를 버리지 아니하시고 지켜주시고 인도하신 우리 주님을 찬양합니다. 주님이 북한에 역사하시는 그 모든 일들은 계속 이어지리라고 믿습니다.

노크라는 건 뭘까?

1월 초순, 처남 나태효 목사가 사역 현장을 방문하셨다. 나 목사가 중국으로 출발할 때 나는 한국에 있었기 때문에 바울 선생이라는 사람을 성도成都 공항에 내보내겠다고 하며 넌지시 물었다.

"목사님, 북한 사람들 만나본 적 있어요?"

"없어요. 전혀 없어요."

"무섭지 않아요?"

"북한 사람들 그래봐야 잘 먹지도 못해서 힘도 없는 사람들이라던데 뭐가 무서워요? 부담 없이 도와줄 수 있는 데까지 도와주고 말씀 전해 주고 가려고 해요."

나 목사는 북한 선교를 해보고 싶어하는 첫 순간부터 혼자 북한 사람을 만나게 되었다.

공항에 마중 나간 바울 선생은 북한군 특수 부대 출신이었다. 나 목사는 어려서부터 싸움꾼인지라 악수를 나누면서 대번에 바울 선생의 손이 어떤 사람의 손인지를 알아보았다. 그때부터 그는 태권도 공인 8단이 무색하게 잔뜩 겁에 질리기 시작했다.

바울 선생을 따라 사역장으로 들어가면서 더욱 겁에 질렸다. 어두컴컴한 지하 통로를 한참이나 허리를 숙이고 기다시피 들어가는 것이 완전히 마피아 소굴로 들어가는 느낌이었다. 한참을 그렇게 들어가니 희미한 불빛이 보이면서 음산한 지하방이 나왔다.

바울 선생은 집에 들어서자 나 목사를 통독실에 모여 있던 형제들에게로 안내했다.

"미국에서 온 나태효 목사라고 해요."

겨우 이 한마디로 본인 소개를 마치자, 말이 끝나기 무섭게 형제들 중 한 사람이 벌떡 일어나 큰 소리로 외쳤다.

"우리 다같이 일어나서 미 제국주의 침략자를 타도하자!"

간신히 두려움을 참고 있던 나 목사는 그때부터, 어떻게 하면 여기서 살아 나갈 수 있을까 하는 생각만 하였다.

소리 지른 형제는 멀리 미국에서 자기들을 만나러 사역장에 오신 목사님이 반갑다고 북한에서 부르던 구호를 농담 삼아 한 것이었다.

그날 저녁, 나 목사는 바울 선생과 한 방에서 자며 하도 무서워 짐짓 말했다.

"나는 미국에서 태권도 사범을 하던 사람이오. 태권도 8단 소유자요."

"그런 거 어디다 써요? 북한에서는 독침, 칼침으로 하지 그런 거로 안 함다."

이부자리를 펴며 바울 선생이 아무 생각 없이 대꾸한 말이었다. 그런데 이 말을 들은 나 목사는 그날 밤 한숨도 자지 못하고, 주님께 제발 이 사역장에서 살아 나가게만 해달라고 기도했다.

이렇듯 오직 이 곳에서 살아나가기만 간절히 바라며 가까스로 5일을 참고 지냈는데 드디어 구원자가 나타났다. 다름 아닌 2기 학생들에게 성막 강의를 해주기 위해 이 사역장에 온 최휘석 전도사였다. 최 전도사는 처음 1기생 북한 형제들을 만나면서 나 목사가 겪었던 과정을 이미 한번 겪었던지라 첫날부터 형제들과 웃으면서 대화도 하고 말씀도 전했다.

다음날부터 나 목사는 최 전도사가 의지가 되어 사역장에 온 후 처음으로 설교도 하고 학생들과 조심스럽게 이야기도 나누었다. 학생들은 그가 미국에서 왔다고 하니 신기해 하며 호기심에 이것저것 물었다.

"목사님, 미국 사람은 인디언의 머리 가죽을 벗겨서 팔아 먹는다는데 정말임까?"

"미국에서는 흑인을 개나 말처럼 취급한다는데 정말임까?"

"미국 사람은 눈깔들이 노랗다는데 정말임까?"

"미국이 살기 좋습까?"

"미국 놈들은 왜 그렇게 우리 북조선을 못 살게 함까?"

나 목사는 이들에게 미국에 대한 초보적 지식을 제공하느라 거의 반나절을 진땀을 뺐다. 하지만 아무리 열심히 이야기해도, 형제들은 미덥지 않은 눈길로 그를 바라볼 뿐이었다.

그러다가 점심 식사 시간이 되자 학생들에게 무언가 해주고 싶어 물었다.

"형제님들이 제일 먹고 싶은 것이 무엇입니까? 내가 오늘 사 줄게요."

그러자 학생들이 약속이나 한듯이 외쳤다.

"계란! 목사님, 계란! 계란 사주시오!"

목사님은 계란을 사러 무턱대고 밖으로 나왔다. 지나가는 사람들을 붙잡고 손짓 발짓 온갖 시늉을 다 해가며 시장가는 길을 물었다. 영어를 조금 할줄 아는 대학생을 만나 시장이 어디에 있는지, 계란을 중국어로 뭐라고 하는지 배워 간신히 계란을 살 수 있었다. 학생들이 그렇게도 먹고 싶어하니 실컷 먹이기로 작정하고, 10kg들이 통에 하나 가득 사 가지고 돌아왔다.

저녁 시간이 되어 이들이 계란으로 무슨 요리를 해 먹는지 궁금했다.

"계란으로 뭘 만들어 먹어요?"

그러자 바울 선생이 친절하게 대답해 주었다.

"몽땅 삶았습다."

"몽땅?"

"예."

"삶았다구요?"

"예."

"왜요?"

"먹자구요."

바울 선생에게 물어볼수록 도무지 이해가 되지 않았다.

"그거 다 먹을 수 있어요?"

"그럼요! 그거 얼마나 된다구."

"??"

나 목사는 도저히 뭐가 뭔지 이해가 되지 않았다. 그날 저녁 식사는 삶은 계란과 간장이 전부였다. 그들은 둥글게 모여 앉아 삶은 계란이 가득 담긴 큰 통을 가운데 놓고 계란을 간장에 쿡쿡 찍어 먹기 시작했다. 그리고 멍하니 서서 바라만 보고 있는 그에게도 친절하게 권했다.

"같이 먹읍시다, 목사님. 많이 드세요. 목사님, 잘 먹겠습다!"

나 목사는 계란을 사 준 덕분에 그날 저녁은 삶은 계란 두 알로 대체해야 했다. 그들은 계란 한 통을 순식간에 해치웠다. 다음날 바울 선생이 말했다.

"미국 선교사님, 계란 정말 잘 먹었습다. 근데 한 번만 더 사주시면 안 되겠습까?"

바울 선생을 멍한 눈길로 바라보다가 말했다.

"얼마나 사면 충분하겠어요?"

나 목사는 계란 대신 각 사람에게 소형 녹음기를 하나씩 사주었다. 이때부터 형제들이 조금씩 편해지기 시작했다.

일주일 후 내가 아내와 함께 바울 선생 사역장으로 갔을 때, 나 목사는 안색이 중환자처럼 창백해져 있었다.

나는 나 목사를 모시고 다시 익두 선생 사역장으로 갔다. 여기서도 나 목사는 형제들에게 미국에 대한 올바른 지식을 갖게 하느라 많은 설명을 해야 했다. 익두 선생 사역장 형제들도 설명을 열심히 듣기는 해도 절대 믿지 않았다.

내가 하는 말은 지나가는 말이라도 잘만 믿는 사람들이 자기가 아무리 진지하게 설명해도 믿지 않자 나 목사는 화가 잔뜩 났다. 거기다가 환경이 바뀌면서 음식이 몸에 맞지 않은 것까지 겹쳐, 그만 심한 배탈 설사가 나서 자주 화장실을 들락거렸다. 그런데 화장실에서 5분 가량 일을 보는 사이 학생들이 네 번씩이나 노크도 없이 화장실 문을 벌컥 열고 들어왔다.

"어? 사람이 있구마!"

형제들은 목사님이 앉아있는 것을 보고는 제풀에 놀라 후다닥 나가버렸다. 한두 번도 아니고 네 번이나 화장실 문이 벌컥 열리자, 나 목사는 네 번째 들어온 형제에게 작심하고 소리를 질렀다.

"형제! 제발 노크 좀 하고 들어오세요!"

후다닥 나갔던 형제가 다시 문을 열고 눈이 커다랗게 된 채 물었다.

"목사님? 노크라는 건 뭡까?"

그런 형제를 바라보며 나 목사는 울 수도 웃을 수도 없었다. 용변을 마치고 화장실에서 나와 그 형제에게 따지듯 물었다.

"아니, 형제, 노크도 몰라서 변보는 사람에게 다시 들어와 물어봐요?"

화난 듯한 나 목사의 목소리에 그 형제뿐 아니라 다른 형제들도 어리둥절한 눈빛으로 바라보다가 이번에는 아예 단체로 물었다.

"목사님, 노크란 거 그거이 뭡까?"

북한 사람들은 왜 그런지 화장실에 들어갈 때 노크를 하지 않았다. 알고보니 사역장에 있던 형제들 대부분이 농촌에서 살던 사람들이어서 그랬다. 농촌에는 재래식 화장실이 마당에 있는데, 여름이면 늘 악취가 나기 때문에 화장실 문이 항상 열려있게끔 해놓았다. 그러다보니 문이 열려있는 화장실에 들어가는 것이 습관이 되어 노크의 필요성을 전혀 몰랐던 것이다.

나 목사는 커피를 마시며 북한 사람들에 대해 너무너무 재미있어 하시면서 나를 나무라셨다.

"최 선교사! 자네 이들을 북한 선교사로 키울 거라면 그래도 기본적인 인격 교육은 좀 해야 하지 않겠나?"

나는 목사님께, 내가 그들과 함께 하는 시간은 한 기수에 대략 10개월 정도에 지나지 않기 때문에 그 기간 안에 성경 말씀 공부와 인성 교육을 다 시킬 수 없으며, 인성 교육은 처음부터는 불가능하고 이들이 말씀 안에서 어느 정도 변화된 다음에야 가능하다고 말씀을 드렸다. 나의 말을 듣자 다시 나에게 물으셨다.

"그런데 자네 말은 그리 잘 믿으면서 왜 내 말은 그렇게도 안 믿나? 그래도 내가 목사고, 또 인간적으로 봐도 자네하고 친척이 아닌가?"

어떻게 이들을 한순간에 다 알 수 있으랴. 지금 같은 신뢰가 쌓이기까지 북한 형제들과 얼마나 많은 아픔을 겪어야 했는지 천천히 말씀드리자, 그제서야 북한 선교의 난이도를 조금씩 이해하시는 듯하였다.

위기危機 그리고 유월逾越

8월 중순 새로 조직된 권능 선생 팀에는, 함께 온 형제들 외에도 기풍 선생 사역장에서 편입된 장만식 아바이, 선주 선생 사역장에서 편입되어 온 정모세 형제가 함께 하고 있었다. 그리고 10월 말부터는 한국에서 박명진 전도사가 성경 통독을 하며 권능 선생에게 많은 힘이 되어주고 있었다.

권능 선생은 어린 나이에도 불구하고 이듬해 4월에 선생들을 파송시킬 때까지 단 한 번의 사고도 없이 사역장을 잘 이끌고 나갔다. 가끔씩 들러보면 살이 10kg은 족히 빠져서 뼈에 가죽만 남다시피 말라있었다. 그런 그를 보노라니 안쓰럽기도 하고 대견하기도 했다.

익두 선생과 바울 선생 사역장을 사천성四川省 성도成都로 이사시켜 이제 모든 사역장을 한 곳에 집결시키니 관리하기가 쉬워졌다. 그런 반면 안전에는 여러 모로 위험해졌다. 그때까지 나는 북한 보위부 특무들이 우리를 추적하리라고는 생각지도 못하고 중국 공안만 신경 썼었다. 그러나 한 가지 사건을 겪고 나자 북한 보위부에서 우리 사역장의 존재를 이전부터 파악하고 있었으며, 사람을 보내 계속 미행해 오고 있었음을 알게 되었다.

보위부 특무들은 오랫동안 끈질기게 우리를 추적해오다가, 우리가 성도에 전부 모여 있다는 걸 알고 며칠 전 이곳으로 왔다. 우리가 이 곳에 산다면 반드시 근처에 있는 한국 식당에서 밥을 먹을 것이라고 생각해, 먼저 한국인이 경영하는 식당부터 돌면서 우리를 찾아 나섰다. 우리가 연길延吉에서 기차로 나흘이나 걸리는 중국 내륙에 깊숙이 들어와 있는 것도 이런 식으로 알아냈다.

하루는 우리가 자주 냉면을 먹던 조선족 식당 주인아저씨가, 얼마 전 자기 식당에 보위부 특무로 짐작되는 사람들이 와서 북한 사람들이 모여 성경 공부하는 곳을 좀 안내해 달라고 했다며 조심하라고 일러주었다.

또 오늘은 성도에 와서 친분이 생긴, 한국 기업에 근무하시는 집사에게서 전화가 왔다. 낮에 북한 사람 두 사람이 자기 회사에 찾아왔었는데 자기를 만나자마자 성경 공부할 수 있는 곳을 소개해 달라고 간절하게 부탁했다고 하셨다. 집사님은 순간 그 사람들의 모습이나 태도에서 섬뜩함이 느껴져 그런 곳을 모르겠다고 했더니 그렇다면 직장을 좀 마련해 달라고 또 부탁을 하였단다. 어떤 기술이나 특기가 있느냐고 물으니 자기들은 아무것도 할 줄 아는 것이 없지만 한 가지 잘 할 줄 아는 것은 사람을 죽이는 일이라고 했다고 한다. 그들의 눈빛이나 태도에서 살벌함이 느껴졌으며, 대화 중에 정치, 사회, 문화 면에서 아주 박식한 것이 보통 사람 같지는 않았다고 하셨다.

다음날에는 성도成都시 교통대학에서 공부하시는 선교사가, 공안들이 학교에 찾아와 북한 선교사가 어디 있는지 아느냐고 한국 사람들에게 묻고 다녔다고 하시면서 안전에 각별히 유의하라고 당부하셨다.

나는 급히 권능 선생에게 전화를 걸어 이 사실을 알렸다. 그리고 어떻게 대처할 것인지 의논하자 권능 선생이 말했다.

"선생님! 선생님 아덜 빨리 다른 데 빼십시오. 우리는 집 안에 꼭 숨어서 머리빼기두 안 보이문 되지만, 선생님 아덜은 학교를 다니니까 인차이내 발각이 됩다! 이 주변에 중국 학교 다니는 한국 아덜 찾으문 선생님 아덜밖에 없지 않습까? 괜히 선생님 아덜 잡혀서 일이 복잡하게 되니까 빨리 빼주십시오!"

3개 사역장을 동시에 이사시킬 경비가 마련될 때까지 사역장들을 성도에 그대로 두기로 하였다. 전 사역장에 이 사실을 알리고 외출 금지령을 내렸다. 토요일에 밖에 나가 하던 운동도 금지시켰고, 각 사역장의 조선족들만 조심스럽게 나가서 찬거리를 사오게 하였다.

우리 가족은 기차로 17시간 걸리는 다른 도시로 즉시 이사를 시켰다. 짐을 꾸리고 학교에서 수업중인 아이들을 데려 오고 기차표를 사고 하는 시간들은 그야말로 피 말리는 시간들이었다.

탈북자 중에서 고생하지 않고 쉽게 중국에서 살아갈 수 있는 사람은 절대로 성경 공부 사역장을 찾지 않는다. 이모저모 들어보면, 그들이 바로 우리를 미행해 오던 북한 보위부 특무들이라는 것을 금방 알 수 있었다.

그들이 다녀간 식당에서 우리 선생들의 사역장까지는 그리 멀지 않았다. 보위부의 추적이 우리 곁에까지 바짝 다가온 것이 확실했다. 얼마든지 그럴 가능성은 있었다. 모든 사역장이 이 곳에 집결한 후에도, 사역장 생활에 적응하지 못해 선생들과 나의 간곡한 만류에도 끝끝내 연변(延邊)으로 돌아간 형제들이 있었기 때문이다. 이들이 사역장을 떠날 때, 나름대로 여비도 넉넉하게 주고, 원한다면 통독 테이프도 한 세트 복사해 주는 등 나로서는 최선을 다해서 보냈다. 하지만 이들이 연변에 가서 보위부 사람들에게 정보를 주지 않을 것이라고 장담할 수는 없는 일이었다.

우리가 이 곳에 있다는 것을 확실하게 포착했는지, 그 이상한 두 그림자는 계속 우리 사역장 주위를 맴돌았다. 뒤이어 다른 해보다 일찍 공안들의 호구 조사가 시작되었다. 우연의 일치인지 우리 사역장을 찾고 다니는 두 사람의 출현과 함께 호구 조사가 시작되었고, 예년과 달리 한 집 한 집 거르지 않고 철저하게 조사한다는 것이다. 북한 보위부는 중국에서 활동할 때 반드시 중국 공안과 협조해서 활동하기 때문에, 우리가 중국 공안에 발각되는 날에는 자동적으로 북한 보위부에 체포되게 되어 있다.

며칠 전에는 익두 선생 사역장에 공안이 찾아왔는데 문을 열어주지 않자 그냥 돌아갔다고 했다. 그래서 익두 선생 사역장 형제들은 며칠째 교통대학 운동장에서 노숙하며 지내고 있었다. 추운 겨울날 밖에서 자야 하는 형제들 생각에 가슴이 아팠지만 다른 방법이 없었다.

전체 사역장이 금식에 들어갔다. 어머니를 비롯해 우리 가족들도 사역장의 안전 문제를 위해 함께 금식하며 기도하였다. 한 사역장도 사고 없이 이번 호구 조사와 보위부 추적을 넘길 수 있도록 간절히 기도했다. 다급히 소록도 북성교회에도 전화를 걸어 상황을 설명하고 기도 요청을 하였다. 내가 할 수 있는 모든 조치를 다 취해 놓았지만 여전히 불안했다.

탈북자 사역을 하면서 나는 상상도 못한 수많은 어려움을 겪어야만 했다. 이루 말할 수 없는 아픔과 슬픔, 외로움의 시간을 당할 때마다 이 모든 과정이 나와 우리 사역에 반드시 필요하며, 하나님은 이 과정을 통해 사람이 감히 다 측량하지 못할 하나님의 일을 이루신다는 믿음으로 버텨나갔다. 그때마다 너무 힘들어 기도하려고 앉으면 눈물밖에 나오지 않았다. 그러나 하나님 앞에서 울고 나면 마음속에 알 수 없는 평안함이 일어나곤 하였다. 하나님께서는 당신의 일을 당신의 종들의 눈물을 통해 이루어 가시는 것 같기도 하다. 이렇게 매 순간 거센 파도들을 넘어설 수 있었다.

이번에도 주님은 우리 사역장을 보호해 주셨다. 애굽의 장자를 치던 여호와의 사자가 이스라엘 백성들의 집은 그냥 넘어갔듯이, 한 집 한 집 빼놓지 않고 철저히 조사하던 공안들이 우리 선생들의 사역장은 빼놓고 그냥 지나가 버렸다. 이 때만큼은 사역장의 모든 형제들도 결코 우연이라고 생각지 않았다. 한 사역장도 아니고 전체 사역장이 신기할 정도로 호구 조사에 걸리지 않고 지나간 것은 기적이 아니고는 있을 수 없는 일이라는 것을 이들도 잘 알고 있었다.

권능 선생 사역장에서는 공안이 방문한 날, 다같이 새벽 기도를 마친 후 권능 선생이 갑자기 이상한 느낌이 든다고 하며 밖으로 나가자고 했다. 그래서 형제들이 두 사람씩 차례로 나가 뿔뿔이 흩어져 있다가 몇 시간 후에 돌아오니 이미 공안이 다녀간 후였다.

바울 선생 사역장에서는 구창안 목사가 오셔서 교회사 강의를 하고 계실 때였다. 한창 형제들에게 강의를 하던 구 목사에게 갑자기 이상한 감동이 오기 시작했다.

"학생들을 데리고 빨리 나가라!"

마음속에서 계속 분명한 소리가 울려나왔다.

'나가다니? 지금 수업 중인데 어디로 나가?'

처음 사역 현장에 온 구 목사는 이러한 느낌이 무엇을 의미하는지 잘 몰랐지만 알 수 없는 불안감이 몸을 덮쳐왔다. 그때 자기 의지와 상관없는 말이 불쑥 나갔다.

"다들 밖으로 나갑시다."

순간 형제들의 눈빛이 홱 돌아갔다. 형제들은 늘 불안 속에서 살아서인지 위험한 상황임을 직감하고, 모두 급히 사역장을 뛰쳐나가 뿔뿔이 도망쳤다. 구 목사도 북한 형제들을 따라 허겁지겁 도망쳐 나왔다.

구 목사는 뭐가 뭔지 도무지 이해가 되지 않았다. 자기가 왜 그런 말을 불쑥 내뱉었는지도 이해되지 않았고, 자기 말 한마디에 모든 형제들이 그토록 민첩하게 움직이는 것도 신기하기만 했다.

형제들이 사역장을 나간 지 3분 후, 공안들이 사역장을 덮쳤다. 공안들은 이 집에 많은 청년이 살고 있다는 것을 알고 떼를 지어 왔지만, 바울 선생 사역장 형제들 중 한 사람도 만날 수 없었다.

이 사건 후로 형제들의 시각이 크게 달라졌다. 여느 때 같으면 너무도 선명한 주님의 역사마저 우연이라고밖에 보지 않던 형제들이, 이번 사건은 전적으로 주님이 도와주셔서 일어난 기적이라고 인정하며 사역장의 일과에 더욱 적극적으로 참여하였다. 그리고 이해하기 힘든 상황이 닥쳐도 포기하기보다는 하나님을 믿고 의지하는 쪽으로 생각하려고 애썼다.

"고난당한 것이 내게 유익이라 이로 인하여 내가 주의 율례를 배우게 되었나이다" 시 119:71.

시편 기자의 고백처럼, 고난 속에서 그 고난보다 더 크신 하나님의 사랑을 경험하며 형제들은 더욱 성숙되었다.

익두 선생과 '쉬리' 사건

익두 선생은 학생들을 잘 가르쳤다. 학생들이 기계적으로 성경을 읽는 것을 조금이라도 막아보려고, 토론식 학습 방법을 도입하였다. 저녁에 그날 성경 통독 시간에 마음에 와 닿았던 구절과 이해하기 힘든 구절을 서로 발표하고 토론하게 하고, 마지막에 자신이 학생들의 의견을 종합한 다음 결론

▶ 김의환 총장님이 익두 선생 사역장 형제들과
　함께 예배 드리는 모습

을 짓고 넘어가는 식이었다. 이런 토론식 공부 효과는 대단했다. 전 같으면 건성건성 넘어가던 구절도 곰곰이 따져보며, 여느 때보다 더 정확하고 깊이 있게 말씀을 이해하고자 하였다.

그는 학생들이 말씀을 얼마나 많이 통독하느냐도 중요하지만, 성경 한 구절이라도 정말 잘 이해하고 자신에게 적용할 수 있도록 가르치려고 애를 많이 썼다. 통독 횟수가 신약 100독을 넘어섰을 때는, 일과를 조금 변형시켜 운영하여 단조로운 일상에 변화를 주고자 하였다. 조선족 안 선생을 통해 하루에 40분씩 중국어 공부도 시키고, 기도 시간에도 일률적으로 부르짖어 기도하는 대신 부르짖는 기도와 묵상 기도, 큐티를 선택해서 하게 하였다.

그리고 이 사역장의 말썽꾸러기 홍만식 형제를 공부시키느라 늘 개인 교사처럼 붙어서 가르쳤다. 만식 형제는 별명이 '밥통'으로 배만 부르면 통독 시간이건 뭐건 상관없이 언제든 잠을 자는, 매사에 진지함이라고는 눈꼽만큼도 없는 사람이었다. 북한에서 변압기 속에 있는 구리선을 훔치다가 사형선고를 받고 중국으로 도망쳐 나올 때, 주먹이 쑥쑥 들어갈 정도로 항문이 열린 허약 3기 상태로 두만강을 기어서 넘어왔다.

처음에 5개로 시작되었던 2기 사역장이 선주 선생과 기풍 선생 사역장의 해산으로 3개로 줄었지만, 세 사역장의 학생 모두가 이제 신약 70독, 구약 8독 이상을 하며 착실하게 성장하고 있었다. 선생들에게 다음 단계인 지도자 훈련 단계로 들어가게 했다. 이제부터는 단순히 학생이 아니라, 언제라도 파송되면 사역장을 맡아 운영할 북한 선교 사역자들인 것이다.

익두 선생 사역장 형제들도 본격적인 지도자 훈련 단계로 들어갔다. 익두 선생은 우선 설교 훈련을 위해 설교의 원칙을 가르치고, 철저하게 말씀을 자기 것으로 소화해서 강대상에 서게 했다.

예배 후에는, 나머지 사람들이 그날의 설교자에게 질문하는 시간도 가졌다. 그러면 설교자가 얼마나 잘 이해해서 말씀을 전했는지 30분간의 질의응답 시간에 다 밝혀졌다. 처음에는 대충대충 넘어가려던 형제들도 이런 방식의 말씀 적용 훈련 횟수가 거듭됨에 따라, 하나님의 말씀을 설교하는 것에 더욱 진지한 태도를 보였다.

이렇듯 학생들 한 사람 한 사람이 지도자 훈련을 통해 점점 더 선생의 면모를 갖추어 갈 즈음, 충신 형제가 일주일간 사역장을 책임지고 이끌 차례가 되었다.

밖에 나갔던 충신 형제가 사역장 아래층에 있는 비디오방에서 한국 영화 '쉬리'를 한국말 그대로 방영한다고 흥분해서 막 떠들어댔다.

"익두 선생님, 오늘만은 통독 대신 영화 보러 갑시다, 예?"

"딱 한 번만 봅시다! 이제는 통독두 70독이나 했잼니까? 그만 하문 많이 했잼니까? 한 번만 좀 봅시다."

학생들도 덩달아 흥분해서 익두 선생을 조르기 시작했다. 익두 선생은 평일에는 공부하고 토요일이나 주일에 운동하는 지금까지의 일과를 허물어뜨리기 싫었지만, 학생들이 하도 졸라대자 마지못해 허락하였다.

그런데 큰 기대를 가지고 비디오방에 도착해보니 어찌된 일인지 영화는 시작부터 중국어로 더빙되어 나왔다. 충신 형제가 영화가 너무 보고 싶어 거짓말했는지 잘못 알았는지 알 수 없지만, 중국어를 모르는 학생들은 전혀 알아들을 수가 없었다.

"충신 형제, 알아들을 수도 없는데 사역장으로 돌아갑시다."

"아임다 선생님. 다른 곳에 가면 분명히 한국말로 하는 영화가 있슴다. 다른 데 가봅시다."

"아니 그럼, 왜 잘 알아두 보지 않구 있다는 말을 했습까?"

"아 씨, 좀 봅시다. 어차피 나온 거 가지구 왜 자꾸 이렇게 까다롭게 놉니까? 제가 다른 비디오방 가서 한 번 더 찾아 보겠슴다!"

충신 형제는 계속 고집을 부리며 불손한 태도로 나왔다. 익두 선생은 그만 화가 폭발해 학생들이 보는 앞에서 충신 형제를 발로 걷어차고 학생들을 강제로 다 끌고 사역장으로 올라왔다. 이순홍 목사가 옆에 계셨지만 화가 나니 목사님도 눈에 들어오지 않았다. 학생들은 평소에 강압적으로 사역장을 이끌던 익두 선생에게 가뜩이나 불만이 쌓였었는데, 충신 형제 구타하는 것을 목격하자 그간 쌓였던 불만이 터져버렸다.

"야야, 난 간다. 드럽다. 저런 깡패 같은 놈이 선생이야? 나 공부 안 한다."

"우리두 안 한다. 이딴 공부 맨날 해서 뭘 해? 선생이란 놈이 저 모양인데 우리두 안 한다."

"우리를 내보내 주시오!"

현수 선생부터 시작하여 사역장 전원이 일과에 불참하기 시작했다.

익두 선생 사역장은 새천년 희망찬 새해 벽두부터 '쉬리' 사건 때문에 무겁게 가라앉는 분위기가 되고 말았다. 그는 사역장의 상황이 역전되기를 바라며 죽으면 죽으리라는 각오로 10일 단식 기도에 들어갔다. 스스로도 알지만 고쳐지지 않는 혈기와 사람들을 다스리고 이끌어가기에 너무도 부족한 자신의 모습에, 하나님의 사랑과 참다운 능력과 인내를 달라고 하나님께 간절히 매달렸다. 그러나 음식은 고사하고 물도 한 모금 마시지 않는 단식 기도는 몸에 있는 수분이 다 빠져나가면서 혀가 바짝바짝 타들어가 너무 견디기 힘들었다.

그래도 4일까지는 잘 버티다가 4일째 되던 날 욕조 속에 몸을 적시러 들어갔다 그만 물을 한 모금 꿀꺽 마시는 바람에 단식 기도는 끝이 나버렸다. 단식 기간 동안, 그를 보호해 주시고 선생들 한 사람 한 사람의 마음을 간간이 돌려놓는 하나님의 도우심이 있었지만, 침체되었던 사역장의 분위기는 좀처럼 회복되지 않았다.

형제들은 예배 시간에 턱을 괴고 딴 생각을 하는가 하면, 귀를 쑤시거나,

어렵게 끊은 담배를 다시 피우는 등 날마다 영적으로 퇴보하는 모습을 역력히 드러냈다. 학생들의 이런 모습을 지켜보아야 하는 익두 선생은 하루하루 온 몸을 쥐어짜는 듯한 긴장과 압박감 속에서 숨도 제대로 쉴 수 없었다. 그는 다시 7일 작정 금식 기도에 들어갔다.

금식 기도 6일째 되던 날, 그는 형제들 한 사람 한 사람 앞에 일일이 무릎을 꿇고 용서를 구했다. 남자의 체면과 선생의 권위를 무엇보다 중요하게 여겼던 그로서는 정말 하나님의 강권적인 은혜가 아니고는 도저히 불가능한 일이었다.

익두 선생이 자신의 잘못을 인정하며 진정으로 사죄하자 형제들은 그를 용서하기로 하였다. 그리하여 사역장의 분위기는 '쉬리' 사건이 있은 지 근 보름 만에 간신히 정상으로 돌아섰다.

하지만 성근 선생만은 끝까지 익두 선생을 용서하지 않았다. 그는 자신이 일주일간 사역장을 이끌 때, 통독 시간에 성경책 대신 아예 중국어 책을 펴놓기도 했다.

"성근 선생, 다른 사람들 다 성경 공부하는데 혼자서 중국어 공부하면 어떻게 해요?"

"상관 마십시오. 당신 말은 더 이상 들을 필요 없으니까. 나한테 당신은 이제 사람으로 보이지 않습니다!"

성근 선생은 끝끝내 익두 선생을 용서하지 않았다. 아마도 친형처럼 믿고 의지했던 사람이라 그만큼 실망도 컸던 것 같았다. 이후 이 사역장이 서안西安으로 이사갈 때 성근 선생이 끝내 익두 선생을 따라가지 않아 할 수 없이 그를 권능 선생 사역장으로 보냈다.

익두 선생은 이번 사건을 계기로 규율이나 원리 원칙보다는 사랑이 먼저라는 것을 뼈저리게 느꼈다. 또한 말로 안 되면 주먹이 나가던 습관도 완전히 고치게 되었다.

사역을 더 이상 확장시키지 말게

2기 사역을 시작할 당시 1기 선생들이 모집한 학생들은 모두 53명이었다. 그러나 예상대로 많은 사람들이 중도에 사역장을 떠났다. 떠난 사람들은 여러 사정이 있었지만 대부분 술과 담배 때문이었다. 선생들은 술, 담배 때문에 학생들을 떠나보낼 때마다 좀 느슨하게 하면 안 되냐고 항의했지만, 사실 누구 못지않게 내 마음이 아팠다.

기풍 선생과 선주 선생 사역장이 무너지면서 처음 모집된 사람들 중 반 이상이 중도 탈락하고, 이제 사역장 전체 인원은 23명밖에 남지 않았다. 하지만 하나님의 일은 사람의 많고 적음에 달려있지 않으니, 이들 중에서 진실한 하나님의 일꾼이 단 한 사람밖에 나오지 않아도 이 사역을 계속해야 했다.

2월 말에 김의환 총장께서 사역장을 방문하셨다. 지난 11월 초에 처음 오셨을 때는 세 사역장을 돌며 말씀을 전해 주셨고, 6개월 이상 성경 통독을 하면서 예수님을 영접하게 된 형제들에게 세례를 주셨다. 김의환 목사님은 김정일 위원장의 초청으로 북한에도 직접 가보시고 러시아, 중국 등 여러 곳을 다니며 북한 복음화는 아직 때가 아니라고 결론 내렸었다고 했다. 그런데 우리 사역장을 둘러보면서 그 생각이 완전히 바뀌었다고 하시며 나와 우리 선생들을 많이 격려해 주셨다. 또 익두 선생 사역장을 가셨을 때는 어린 사무엘 형제와 충신 형제가 조리있게 말씀 전하는 것을 보고 너무 귀여워 가방에 넣어가고 싶다고도 하셨다.

나는 호텔에서 목사님을 만나 사역 정황을 보고드렸다. 이제 3개월 후면 지금 세워진 2기생 선생들도 연변延邊으로 파송되어 새로운 학생을 모집해 올 것이며, 그러면 23명의 선생들 중에서 적어도 15개 이상의 새로운 사역장이 세워질 것이고, 사역장의 인원도 150명 정도로 늘어날 것이라고 말씀드렸다. 그리고 지금 새로 세워진 모든 사역장 선생들이 이 문제로 기도하고 있다고 말씀드렸다.

"최 선교사, 자네 지금 있는 이 인원도 먹이고 공부시키기 어려운데, 이제 150명까지 불어나면 그 경비를 어떻게 감당하려고 그러나? 그러니 사역을 더 이상 확장시키지 말게. 지금 이대로 계속 끌고 나가게나."

사역의 확장을 위해 1기 선생들과 함께 1년 전부터 계속 기도해 왔고, 또 이 사역은 확장 없이 현상유지만 하는 것이 불가능한 사역이었다. 도중에 시험을 이기지 못해 포기한 선생들도 있지만, 1기 선생들은 사역을 해가는 과정에서 더 확실하게 북한 선교의 사명을 붙잡으며 선교사로서 한 차원 더 수준이 높아졌던 것이다.

또한 지금 학생으로 사역장에 와서 공부하는 형제들은, 자기들도 앞으로 사역장을 맡게 되고 북한 선교사로서의 사명을 수행해 나갈 수 있다는 데서 많은 위로와 힘을 얻으며 그 힘든 사역장의 생활을 견뎌내는 실정이었다.

이런 상황에서, 새로 세워진 2기 선생들에게 파송을 하지 않고 한도 끝도 없이 공부해야 한다고 하면, 대부분 지금 하는 성경 공부에 흥미를 잃고 떠나가 버릴 것이다. 이러한 이유들을 목사님께 설명하며 덧붙여 말씀드렸다.

"목사님, 사역비가 힘드시면 더 이상 헌금하지 마시고 그냥 기도로만 동역해 주셔도 고맙겠습니다."

이 말이 끝나자 갑자기 분위기가 싸늘해졌다. 말을 내뱉고 나서야 내가 큰 실수를 했다는 것을 깨달았다.

목사님은 성복중앙교회 담임 목사님으로 계시면서 성복중앙교회를 중심으로 잠실 신천교회, 성남 금광교회, 세계로교회, 숭인교회, 멕시코 한인교회 등 여러 곳에서 1년에 약 2,500만 원 이상 헌금해 주고 계셨다. 또 우리 사역의 시작부터 큰 관심을 가지고 물질뿐만 아니라 기도 지원을 아끼지 않으셨으며, 다른 많은 교회에 우리 사역을 소개해 후원자들을 연결시켜 주시는 등 아주 큰 역할을 감당해 오셨다. 이런 목사님께 그 말이 몹시 섭섭하게 들릴 수 있겠다는 것을 뒤늦게 깨닫고는 너무 죄송했다.

한동안 아무 말씀이 없으시던 목사님이 사역장으로 가보자고 하시며 먼저 일어나셨다. 먼저 권능 선생 사역장으로 향했다. 권능 선생 사역장에서 예배 드리고 교제하면서 새롭게 세워진 2기 선생들에게 말씀하셨다.

▶ 2기생 북한인 선교사들이 세워지는 날
김의환 총장님과 함께

"옆에서 이 사역을 지켜보는 나는 돈이 많이 걱정되는데, 최 선교사는 전혀 돈 걱정을 하지 않아요. 하나님이 주실 거랍니다."

그러자 선생들도 목사님의 말을 반갑게 받았다.

"맞습다 목사님. 돈은요, 하나님이 주실 거예요. 저흰 돈 걱정 같은 건 안 함다. 우린 처음부터 그렇게 사역을 받아왔습다."

우리 사역을 보면서 많은 선교사와 목사들이 사역비를 걱정했지만, 나의 물질관은 시종일관 '돈은 하나님이 주신다' 는 것이었다. 나의 이 믿음대로 하나님은 또 그렇게 필요한 물질을 채워주셨다.

2기 사역으로 접어들면서 몇몇 교회와 성도들이 정기적으로 후원해 주었지만, 사역장마다 예상치 못한 사건, 사고가 빈번하여 재정은 늘 빠듯했다. 하지만 하나님께서는 언제나 부족함과 풍부함을 시의적절하게 겪게 하시며 우리 사역을 훌륭히 인도해 주셨다.

솔직히 사역장의 선생이나 학생들은 풍부함보다 부족함 가운데서 하나님의 은혜를 더 많이 체험했다.

권능 선생 사역장에 이어 목사님은 익두 선생과 바울 선생 사역장을 둘러보며 말씀을 전해 주셨고, 새로 세워진 선생들을 보며 매우 기뻐하셨다. 학생들 전원을 호텔에 초청하여 같이 아침 식사를 하고, 오후에 함께 청성산靑城山 유람을 한 후 한국으로 가셨다.

가자! 가자! 연변으로!

파송을 한 달여 앞두고, 파송 자금 마련을 위해 3월 초에 한국에 갔다가 4월 초에 중국으로 왔다. 와서보니 내가 없는 사이에 바울 선생 사역장에 놀라운 일이 일어나 있었다.

내가 중국으로 들어오기 3일 전, 갑자기 공안들이 바울 선생 사역장에 호구 조사를 나와 신분증 제시를 요구했다. 그러나 제시할 신분증이 없는지라 바울 선생을 비롯한 모든 학생들은 곧장 공안국으로 연행되어 유치장에 갇혔다.

"아이고 선생님, 우리 이젠 다 죽었슴다! 여기 와서 이렇게 성경 공부까지 하구, 한국에서 왔다는 선교사들하구 맨날 붙어 댕기면서 살았지, 이제 어떻게 하문 좋슴까? 그 떡 대가리 같은 천국인지 지옥인지 가보기두 전에 이제는 다 죽었슴다. 이제 어떻게 하문 좋슴까? 아이고 선생님이 어떻게 좀 해보시우…."

몇몇 학생들은 한숨을 폭폭 내쉬며 사역장의 책임자인 바울 선생 얼굴만 쳐다보았다.

"에 씨! 사람이 한 번 죽지 두 번 죽나. 어차피 사람이 한 번 죽는 거 아님까? 까짓 거 이렇게 죽으문 순교라는데 그러문 천국 가는데 뭐가 무섭슴까?"

말은 이렇게 했지만 바울 선생도 앞이 막막하기만 했다.

'앞을 봐도 뒤를 봐도 빠져나갈 길은 없구… 이제 조선에 나가문 죽는 거 밖에 길이 없네….'

그래도 선생인 자기까지 얼굴을 찌푸리면 안 되겠다 생각하고 명랑하게 웃고 떠들었다. 그러자 사도 바울은 감옥에서 하나님을 찬양하고 옥문을 깨고 나왔는데, 비록 가짜 바울이지만 진짜 바울처럼 한번 하나님을 찬양해야겠다는 생각이 들었다. 마침 애용하던 하모니카가 호주머니에 있었다.

바울 선생은 하모니카를 꺼내 찬송가 338장 '천부여 의지 없어서' 를 불었다. 저녁이 되어 고즈넉한 유치장 안에 하모니카 소리만 애절하게 울렸다. 흐느끼던 형제들이 조용히 따라 부르며 하나님께 살려달라고 기도하기 시작했다. 다른 감방에 있던 중국인들도 하모니카 소리에 귀를 기울이고, 밖에서 당직을 서던 공안도 찬송가의 곡조가 싫지 않은지 손가락을 까딱거리며 손장단을 맞추었다.

잠시 후, 공안들은 형제들을 모두 불러내 갔다.

"니들은 뭐하는 사람들이야?"

"우리는 조선족이오!"

그러자 공안들은 종이 한 장을 내밀었다.

"여기다 집 주소들을 다 써라."

바울 선생이 제일 먼저 볼펜을 들고 쓰기 시작했다.

"주 예수님을 믿으십시오! 그러면 당신과 당신의 집이 구원을 얻을 것입니다."

종이가 다음 사람에게 넘어갔다.

"하나님은 공안원 선생님을 사랑하십니다. 그래서 독생자를 보내 주셨습니다. 공안원 선생님이 예수님을 믿으면 멸망하지 않고 구원을 얻을 것입니다."

공안들 중 한 사람이 종잇장을 들고 이리 돌리고 저리 돌리며 한참 보더니 갑자기 소리를 빽 질렀다.

"이게 도대체 뭔 글자야? 중국글로 다시 써라."

새 종이가 나오자 바울 선생부터 시작해 아까 썼던 말씀들을 다시 써넣었다.

"내일 다시 조사할 테니 모두 집으로 가라."

공안들은 아무리 봐도 이 사람들이 범죄자 같지 않았는지 새벽 3시쯤 모두 집으로 돌려보내며 공안 1명을 감시자로 동행시켰다. 형제들은 사역장으로 가며 살려달라고 속으로 계속 하나님께 부르짖었다.

사역장에 도착한 이들은 조선족 형제에게 공안에게 말을 시키게 했다. 그런 후 화장실 쪽 문으로 한 명씩 도망가기 위해 창문을 뜯기 시작했다. 그때 갑자기 공안의 휴대전화기가 울렸다.

"집에 급한 일이 생겨서 가봐야겠다. 니들 도망 안 칠 거지? 니들 달아나면 내 모가지 떨어지니까 내가 돌아올 때까지 꼼짝 말고 기다리고 있어!"

"우리가 뭐 죄를 지었소? 자기 집 두구 왜 도망가오?"

조선족 형제가 재빨리 대답했다. 공안은 30분 후에 돌아오겠다고 하며 급히 나갔다.

바울 선생 사역장 사건도 있었고, 전체 사역장이 성도成都에 머문 기간도 벌써 4개월이 지났기에 아무래도 이곳에 더 이상 머무는 것은 무리였다. 권능 선생 사역장은 3일 후에 파송시키고, 익두 선생과 바울 선생의 사역장은 우리 가족이 있는 서안西安으로 옮기기로 했다. 권능 선생 사역장 선생들이 학생 모집을 끝내고 돌아오면 곧이어 익두 선생 사역장, 바울 선생 사역장 순으로 선생들을 파송시키기로 계획했다.

권능 선생 사역장 파송 예배 때, C시에서 김무종 목사님이 파송 예배를 인도해 주기 위해 오셨다. 예배가 끝나자 선생들 모두가 열광했다.

"오! 파송이다. 만세, 만만세!"

"가자! 가자! 연변으로!"

모세 선생은 방안에서 껑충껑충 뛰어다니더니 이어 북한 사람 특유의 곱사춤을 추며 집 안을 돌아다녔다. 순교 선생은 베란다에 나가 두 팔을 벌리고, 거리에 대고 고래고래 고함을 질렀다.

"오! 북한아~ 우리가 간다. 기다려라 동방의 예루살렘아!"

그는 갑자기 시인이 되었는지 끝없이 소리소리 지르고 있었다. 나는 그를 황급히 끄집어 들였다.

"혹시 특무가 지나가다 듣기라도 하면 어떻게 하려고 그래요?"

하지만 순교 선생을 말릴 겨를도 없이, 장만식 아바이가 나를 와락 끌어안고 울면서 말했다.

"선교사님, 이젠 우리도 북한 선교사들이란 말이여?"

모두들 이 날만을 기다려왔다.

'북한 선교사!'

그동안 이것을 바라보며 그 많은 어려움을 이겨냈다. 어떤 때는 돈이 떨어져 며칠씩 금식해야 했고, 때로는 공안이 무서워 추운 날 밖에서 새우잠을 자면서도 마음속에 소중히 간직하고 살았던 희망이었다.

▶ 권능 선생 사역장 학생들이 선생으로 세워진 청성산에서

예배를 인도해 주신 목사님을 배웅한 후, 권능 선생과 나는 들떠있는 선생들을 제지하느라 한동안 애를 먹었다. 가까스로 진정시키고 내가 말했다.

"그동안 수고들 하셨어요. 힘든 훈련들을 감당해 내느라고 말이에요."

"아닙니다! 우리 권능 선생이 더 수고했슴다!"

학생들은 모두 이구동성으로 권능 선생을 칭찬했다.

"북한에서 살 때 '스승이 싼 똥은 개도 안 먹는다.'는 속담을 읽구 이해를 못했었는데 여러분들을 가르치면서 그 말의 의미를 잘 알게 되었어요."

숙연해져 앉아 있는 학생들에게 권능 선생이 이렇게 말하자 모세 선생이 말했다.

"선생님, 너무 속에 두지 마오. 우리가 그동안 너무 몰라서 그랬지만 이제야 또 그러겠슴까? 우리 이제부터 잘 할 거요!"

제일 속을 많이 썩였던 모세 선생이 정색을 하고 이렇게 나오자 모두들 즐거운지 와와 하고 웃었다.

"저놈이 언제 철이 드나 했는데 철들 날이 오긴 오네."

장 아바이가 즐겁게 맞받아치자 모두들 또다시 와 하고 웃었다. 오늘은 즐거운 날이다. 그 어떤 말을 해도 싫지 않고 즐겁기만 했다.

"자, 이제부터 나를 따라 합창하세요."

나는 다시 이들을 진정시키느라 박수를 "딱! 딱! 딱!" 치며 큰 소리로 구호를 선창했다. 통독 시간에 조는 학생들을 깨우느라 치던 박수가 이젠 습관이 돼버렸다.

"행복 끝! 고생 시작!"

모두가 무슨 말인지 이해 안 간다는 표정을 지으며 구호를 따라했다.

"행복 끝! 고생 시작!"

나는 다시 구호를 외쳤다.

"조금 더 큰 소리로 외치세요! 행복 끝! 고생 시작!"

모두 큰 소리로 따라 외쳤다.

"행복 끝!! 고생 시작!!"

"한 번 더! 더 크게! 행복 끝!!! 고생 시작!!!"

여전히 이해되지는 않지만 모두 다시 악 쓰듯 큰 소리로 외쳤다.

"행복 끝!!! 고생 시작!!!"

"앞으로 사역을 하면서 이 말이 어떤 의미인지 잘 알게 될 거예요. 그리고 지난 번에는 파송에 대한 경험이 없어서 진칼빈 선생과 박요한 선생을 잃었어요. 이번에는 이런 일이 없어야 할 거예요. 북한 사람을 만나면 같은 동족이라고 불쌍하게 보고 너무 믿지 마세요. 대화할 때 주의하고, 또 선생들이 기거하는 숙소 위치는 절대로 알려주지 마세요."

이번에는 한 사람도 체포당하지 않고 학생들을 모집해서 안전하게 돌아오기를 간절히 바라며, 1기생 선생들이 파송 당시 겪었던 위험과 주의사항을 강조하고 또 강조했다.

"선생님, 학생들 다 모집하면 학생들을 데리고 어느 도시로 가야 함까?"

"그건 나와 권능 선생님만 아는 비밀입니다. 학생 모집이 끝나면 권능 선생에게서 지시를 받고 가라는 곳으로 가면 됩니다. 각 선생들은 오직 자기 사역장 외에 다른 사역장의 위치와 상황에 대해서는 알 필요도 없고, 또 알아서도 안 됩니다."

내 말이 끝나자 분위기가 갑자기 침울해졌다.

학생 때는 한 사역장에서 같이 살며 공부했지만, 각자 파송지로 가서 활동하기 시작하면서부터는 다른 사람의 활동에 대해 철저하게 서로 몰라야 했다. 그래야만 만일의 경우 피해를 최소화할 수 있기 때문이다. 이들에게 서로의 메신저 역할을 할 수 있는 사람은 권능 선생 한 사람뿐이었다.

"자, 이제는 기도하고 출발합시다."

내 말이 떨어지자 앞으로 자기들이 가야 할 길이 목숨을 잃을 수도 있는 위험한 길이라는 것을 깨닫고 모두들 근엄한 표정으로 기도했다. 무거운 분위기 속에서 기도가 진행되다가, 누가 말한 것도 아닌데 다같이 '파송의 노래'를 부르기 시작했다.

"너의 가는 길에 주의 평강 있으리 평강의 왕 함께 하시니…."

나도 함께 노래 부르며 한없이 북받쳐 오르는 감동 속에 울었다. 이들이 처음 사역장에 올 때 생각이 났다. 그때 이들 중 어떤 사람은 연길延吉의 유명한 깡패였고, 누구는 아편 장사꾼이었고, 누구는 도둑질로 하루하루 살아가던 사람이었다. 나머지 선생들도 모두 끼니를 위해 여기저기 떠돌아다니던 사람들에 불과했다. 그들의 모습 속에서 지금의 이 모습을 상상이라도 할 수 있었겠는가?

"하나님, 감사합니다! 2기생 북한 출신 선교사들을 세워주셔서 감사합니다. 이들이 주님 주신 사명 붙잡고 순교의 각오를 가지고 변방으로 학생들을 모집하러 떠납니다. 이들을 통해 130~150명의 3기생들을 모집할 때, 생명싸개로 저들을 감싸주시고 저들의 안전을 지켜주시며, 귀한 학생들을 여호와 이레로 예비하사 순적히 만날 수 있도록 인도하여 주시옵소서. 저들의 걸음걸음 주님 함께 하여 주시옵소서!"

내가 기도를 마치며 울자 이어 권능 선생이 울더니 모두가 울면서 다시 노래를 불렀다.

"너의 가는 길에 주의 평강 있으리 평강의 왕 함께 하시니

너의 걸음걸음 주 인도하시리 주의 강한 손 널 이끄시리

너의 가는 길에 주의 축복 있으리 영광의 주 함께 가시니

네가 밟는 모든 땅 주님 다스리리 너는 주의 길 예비케 되리

주님 나라 위하여 길 떠나는 나의 형제여

주께서 가라시니 너는 가라 주의 이름으로

거칠은 광야 위에 꽃은 피어나고

세상은 네 안에서 주님의 영광 보리라

강하고 담대하라 세상 이기신 주 늘 함께

너와 동행하시며 네게 새 힘 늘 주시리."

권능 선생은 아이처럼 엉엉 소리 내어 울었다. 나는 하염없이 울고 있는 그를 꽉 끌어안았다. 학생들에 비해 한참 어린 그가, 오늘을 위해 참고 견뎌야 했던 말로 다하지 못할 수고를 나는 누구보다 잘 알았다. 그 모든 어려움을 이기고 오늘까지 잘 견뎌준 그가 장해 보였고, 그를 통해 이렇듯 훌륭한 2기 선생들을 만들어 주신 주님께 감사했다.

나는 복음을 들고 사지死地로 나가는 선생들 한 사람 한 사람을 안아주며 그들의 앞길을 축복해 주었다. 이 사역장에서 6개월간 함께 해온 박명진 전도사도 흐르는 눈물을 닦지 못한 채 선생들을 안아주고 있었다. 노래가 끝나고 모든 선생들이 서로서로 굳게 포옹한 후 기차역으로 떠났다. 이때가 2000년 4월 14일이었다.

권능 선생 팀에서 파송된 선생들은 장만식 아바이, 정모세 선생, 정용철 선생, 최순교 선생, 조선족 최빌립 선생, 조선족 최원초 선생, 김성근 선생, 강석환 선생까지 모두 8명이었다. 이 중에서 강석환 선생은 처음 바울 선생 팀에 모집된 학생이었는데 중간에 권능 선생 사역장으로 옮겨 계속 공부하다가 이때 같이 파송받게 된 것이다.

권능 선생 사역장에서 파송되지 못한 사람들은 김권위, 김누가, 강규홍 선

생이었다. 파송 전날 이들 세 선생이 나에게 찾아왔다.

"선교사님, 우린 파송돼 나가지 않겠슴다."

"아니? 왜요?"

학생 모집 때 겪게 될 위험 때문에 벌써부터 겁을 먹고 물러서는 줄 알고 서운한 마음이 들었다.

"저… 솔직히 아직 담배를 끊지 못했슴다. 선생이 담배 피우면서 학생들을 공부시킬 수는 없지 않슴까? 저흰 좀더 준비해야 할 것 같슴다. 그리고 성경적인 지식도 아직 준비 많이 못 되었슴다."

이들의 요구대로, 이들을 권위 선생 책임 하에 서안西安으로 가서 새로 사역장을 잡고 계속 공부하며 더 준비하게 하였다.

체포된 모세 선생

권능 선생 사역장 선생들을 파송한 후 먼저 익두 선생 사역장을 서안으로 옮겼다. 그러자 익두 선생이 불만이 가득 차서 항의했다.

"선교사님, 우리 사역장은 왜 파송하지 않슴까?"

그도 권능 선생과 마찬가지로 열심히 사역해 왔고, 또 누구 못지않게 훈련도 잘 시켰고, 성경도 똑같이 100독을 했다. 그런데 이번에 권능 선생 사역장만 파송하고 자기는 새로운 곳으로 이사를 가서 또 사역장을 꾸려야 하니 내키지 않는 모양이었다. 사실 학생들도 하루라도 빨리 사역을 시작하고 싶어했기 때문에, 파송 날짜가 늦춰지는 것을 매우 힘들어 했다.

"익두 선생, 권능 선생 사역장 선생들이 돌아올 때까지 기다렸다가 나가세요. 작은 도시에 갑자기 선생들이 한꺼번에 몰려가 학생을 모집하면 소문이 크게 날 거고, 그렇지 않아도 공안과 보위부에서 우리를 잘 알고 있는데 더 집중 추적을 받게 될 거예요. 그러면 파송나간 선생들의 신변이 위험해지잖아요. 몇 명씩 파송되어 조용조용 학생들을 데려오는 게 안전할 것 같아요. 그리고 사역비 때문에도 동시 파송은 불가능하니 익두 선생이 양보하세요."

"그럼, 그때까지 여기서 그냥 사역을 하다가 파송 받아 올라 가렵니다. 왜 또 서안西安으로 이사를 가야 함까?"

그는 권능 선생이 쓰던 사역장을 그대로 쓰겠다고 계속 고집을 부렸다. 나는 가까스로 그를 설득해서 서안으로 보냈다. 혹시 권능 선생 사역장에서 파송된 선생들 중 한 사람이라도 체포될 경우 이곳까지 추적이 가능하기 때문이었다.

익두 선생 사역장을 보내고 나니 다음 문제는 바울 선생 사역장이었다. 바울 선생 사역장은 그냥 계속해서 성도成都에 남아 사역하게 하면서, 공안에 체포될 때 사용하던 사역장은 버리고 도시의 반대편으로 가서 새로운 사역장을 잡게 했다. 그런데 어떻게 된 일인지 바울 선생 사역장은 성도에 처음 올 때부터 시작해서 계속 공안에 쫓기더니 이번에도 새로 집을 잡은 지 일주일도 지나지 않아 그 동네에 호구 조사가 시작되었다. 그래서 다른 동네로 가서 다시 집을 잡게 했지만 마찬가지로 그 곳에서도 이들이 오기만을 기다렸다는 듯이 곧장 호구 조사가 시작되는 것이었다.

이렇게 되자 바울 선생은 사역에 대한 자신감을 완전히 상실하고, 다시 술을 마시기 시작했다. 그가 다시 술을 마시자 학생들이 발끈하고 일어났다. 빌립 형제와 다른 3명의 형제가 나를 찾아와 말했다.

"선교사님, 우린 더 이상 바울 선생과 함께 공부하고 싶지 않습다. 우리끼리 공부하게 해주십쇼."

"아니? 왜 그래요?"

"학생들을 사랑해서 식당 근무를 혼자서 다 감당하는 것은 고맙지만, 학생들의 본보기가 되어야 할 선생이 앞장서서 술 마시는데, 어떻게 그런 선생하고 사역할 수 있습까? 우린 더 이상 저 사람을 우리 선생이라구 생각하구 싶지도 않습다."

지난 번 뱀술 사건 때 다시는 술을 마시지 않겠다는 다짐을 받았기에 바울 선생이 또 술을 마신다고 하니, 배신감에 온 몸이 부르르 떨렸다. 이제 파송까지 얼마 남지 않았는데 그가 끝까지 인내해 주지 못하는 것이 안타까웠다.

"바울 선생, 사역장을 떠나세요. 나는 바울 선생과 함께 사역하고 싶지 않아요. 세상으로 나가서 마음 편하게 술을 마시세요."

"선교사님, 미안함다. 입이 열 개라도 할 말이 없슴다. 전 안 될 것 같슴다."

그는 고개를 숙이고 말했다. 지난 번에 했던 약속도 약속이지만 계속되는 공안들의 추적에 지쳐 마음으로는 이미 포기하고 있었던 것이다.

바울 선생이 포기하자 김영윤, 이빌립, 이용섭, 박다윗 선생을 제외하고 나머지 선생들도 떠났다. 바울 선생 사역장 형제들도 벌써 선생으로 세워진 상태니 어디를 가든 주의 일을 할 것이라고 확신하며 아픈 마음으로 떠나보냈다. 떠나면서 바울 선생은 울었다.

"선교사님, 잊지 않겠슴다. 그래두 선교사님 때문에 제가 예수님을 알게 됐구, 오늘 이만큼이라도 사람 되지 않았슴까? 꼭 잊지 않겠슴다. 다시 만나지 못해두 잊지 않겠슴다."

2기 사역을 시작하면서 제일 먼저 기풍 선생을 잃었고, 그리고 선주 선생을 잃었다. 오늘은 또 이렇게 바울 선생을 보내야 하니 가슴이 찢어질 것만 같았다.

이제라도 떠나가는 바울 선생을 붙잡고 싶었지만 그렇게 할 수는 없었다. 나는 주님의 것이니 주님의 뜻대로 살아야 했다. 주님의 뜻대로 이들을 북한 선교의 사명자로 키워내야만 했기에 울면서 바울 선생과 형제들을 떠나보낼 수밖에 없었다. 부디 저들의 앞길에 주님의 인도하심이 있기를 간절히 기도했다.

바울 선생과 형제들을 보내고 난 후, 다윗 선생과 빌립 선생, 영윤 선생 그리고 용섭 선생을 서안西安으로 보내 사역장을 잡고 파송될 때까지 계속 훈련하게 했다.

며칠 후, 권능 선생에게서 전화가 왔다.

"선교사님, 큰일 났슴다. 모세 선생이 갑자기 연계가 안 됨다."

첫 소식부터 나를 흠칫 놀라게 하는 말이었다.

"연락이 안 된 지 며칠째예요?"

"한 주일이 넘었슴다. 모세 선생이 묵던 주인집 아주마이한테까지 알아봤는데, 며칠 전에 금방 온다구 하구 나간 사람이 다시 돌아오지 않는다구 함다."

권능 선생의 말을 듣는 나는 목이 타기 시작했다.

"뭐 하러 어디로 나갔다는 말은 없어요?"

"그냥 사람 만나러 나간다구 했답니다. 그래서 지금 여기서 공안들 쪽으로 알아보고 있슴다."

며칠 후 다시 소식이 왔다. 모세 선생이 공안에 체포되었다는 것이다. 그리고 그에 대한 소식은 더 없었다. 많은 형제들이 북한으로 잡혀 갔다가 오면서 먼저 잡힌 선배들의 소식을 조금씩 알아 오기도 했지만, 어찌된 일인지 그에 대한 소식은 전혀 들을 수가 없었다.

모세 선생은 북한에서 살 때 소문난 불량배였다. 그는 북한에서 지은 죄가 너무 많아 처벌이 두려워 중국으로 도망쳐온 사람이었다. 중국에 온 이후에도 계속해서 연길延吉 깡패들 속에서 살면서 강도, 마약 밀매 등 나쁜 짓만 하고 다녔다. 그러다가 깡패들 속에서 마약 장사를 하면서 실수로 큰 돈을 손해 보게 되었다. 조직의 보복이 두려워 도망을 다니다 갈 곳이 없자 우리 사역장으로 들어왔다.

그는 키가 1.5m도 안 되는 사람이었다. 싸울 때는 총알같이 달려들어 순식간에 상대방을 때려눕히는 타고난 싸움꾼이었다. 한번은 형제들과 함께 축구를 하러 갔을 때, 그가 권위 형제와 말다툼하다가 갑자기 욕설을 퍼부으며 서로 싸우기 시작했다. 그때 그는 주위에 나뒹구는 맥주병 두 개를 집어들더니 마주쳐 깨뜨렸다. 그러자 맥주병은 금방 유리 날이 삐죽삐죽 돋은 살인 무기로 변했다. 그의 눈빛을 보면서 그가 사람을 찌르는 데 조금도 주저하지 않을 사람이라는 것을 알 수 있었다.

권능 선생 사역 초기에, 다윗 형제가 귀신 들려 갖은 횡포를 부릴 때였다. 3일 금식 마지막 날 천불산千佛山에 올라가 함께 철야 기도를 하기 위해 바울 선생 사역장 형제들 모두 권능 선생 사역장으로 와 있었다. 바울 선생 사역장 형제들 중에는 갓 예수님의 이름의 권세에 대해 알고 매우 흥분해 있던 형제가 있었다. 그 형제는 그 권세를 다윗 형제에게 들린 귀신을 쫓아내는데 시험해 보기로 작정하고, 한쪽에 비스듬히 앉아 건들거리는 다윗 형제에게 가서 큰 소리로 외쳤다.

"예수 그리스도의 이름으로 명하노니 이 악한 귀신아! 썩 물러가라!"

순간 다윗 형제의 눈이 벌개지더니 후다닥 튀어 일어나며 소리를 질렀다.

"이 개 같은 자식이, 너 오늘 나한테 죽어봐라!"

다윗 형제는 그 형제에게 달려들어 사납게 때리기 시작했다. 3일을 금식해 기진맥진한 상태라 누구도 말릴 생각을 못하고 있었다. 깜짝 놀라 내가 급히 다윗 형제에게 달려가 그 형제를 뜯어냈다. 그러자 숨을 돌린 그 형제가 나의 지지에 힘입어 다윗 형제에게 달려들었다. 얼핏 보면 다윗 형제가 나와 그 형제까지 두 명을 상대하는 듯이 보였다. 그러자 모세 형제가 나에게 와락 달려들면서 사납게 소리를 질렀다.

"야! 이 개새끼야! 내가 해보자!"

그는 아마 내가 다윗 형제를 때릴 줄로 생각했던 모양이다. 누가 옳고 그른지도 생각지 않고 무조건 자기 친구만 두둔하는 깡패식의 의협심이었다. 그는 내가 알고 있는 그 어떤 북한 사람보다도 더 거칠고 사나운 사람이었다. 이런 그도 성경 말씀을 읽으면서 변화되기 시작했고, 자기가 죄인이라는 것을 깨닫고 죄를 회개하고 주님의 사랑을 알아 갔다. 그리고 구원의 감격과 기쁨을 느끼기 시작하더니 일 년이 채 되기도 전에 완전히 다른 사람이 되었다. 그는 나를 만날 때마다 곧잘 이런 농담을 했다.

"선교사님, 혹시 북한에 사람을 파송시킬 일은 없슴까? 그러면 모세 바로 제가 나갈 검다."

우리 사역장에는 모세 선생 외에도 사역장에 들어오기 전 강도, 살인, 마약 밀매 등을 하던 1급 죄인들이 몇 사람 있었다. 하지만 이들도 하나님의 말씀을 읽으며 예수님의 십자가 사랑 앞에 무릎을 꿇었다. 하나님께서 이 죄 많은 사람들을 당신의 말씀으로 쪼개어 놓으셨고 변화시켜 놓으셨다.

북한으로 체포되어 갔다면 모세 선생은 십중팔구는 처형되었을 것이다. 그러나 이제 그가 처형당했다 해도 이미 구원 받은 영혼임을 알기에 나는 울면서 주님 앞에 감사 드렸다. 진칼빈 선생, 박요한 선생에 이어 우리 사역장에 또 하나의 별이 떴으니, 정모세, 그 별의 이름을 세상에서는 알아주지 않아도 주님은 그 별을 품으시며 영원토록 그 빛이 비치게 하시리라.

두만강은 홍해였습니다

그러나 마음은 언제나 동방의 예루살렘 평양에 있나니

▶ 전체사역장 위치

신강위구르자치구

감숙성

내몽고자치구

하북성   요녕성

혹룡강성

길림성

길림   왕청
안도 연길 도문

청해성

영하회족자치구 산서성

섬서성

보계 서안

청주

하남성

제남
산동성

강소성

상해

서장자치구

사천성
성도 ●

중경 ●

호북성

안휘성

절강성

운남성

귀주성

호남성 강서성

복건성

광서장족자치구

광동성

홍콩

대만

해남성

두만강은 홍해였습니다

그러나 마음은 언제나 동방의 예루살렘 평양에 있나니

첫 3기 사역장

모세 선생이 체포된 후, 다른 선생들은 서둘러 학생 모집을 끝내고 안쪽으로 내려오기 시작했다. 권능 선생에게서 전화가 왔다.

"선교사님, 최순교 선생이 제일 먼저 학생들을 모집하고 어제 서안西安으로 떠났슴다."

이틀 후, 순교 선생이 서안에 도착하여 나에게 전화를 했다. 내 전화번호는 학생 모집을 끝내고 연변延邊을 떠날 때 권능 선생이 알려주었다. 그는 기쁨에 들떠 웃으면서 말했다.

"하하, 선교사님, 저 순교임다. 학생들을 데리고 막 도착했슴다. 이젠 어떻게 하람까?"

이른 아침 역전에 나가 그를 만나니 오랜만에 아빠를 다시 만나는 아이처럼 기뻐서 껑충껑충 뛰었다.

"아~유! 선교사님, 다른 때는 아무 데나 맘대로 돌아다녀두 무서운 거 하나두 모르겠던데, 이번에는 얼매나 무서운지 몸이 다 쫄아듭디다. 그래도 학생 모집 잘 마치고 왔습다, 선교사님. 하하."

귀한 학생들을 보내주셔서 감사하다고 기도하고 나도 그를 얼싸안으면서
물었다.

"기차 안에서는 그래도 다 무사히 왔어요?"

"아요~오! 말두 마십시오. 오다가 신분증 검사를 한 다섯 번은 했습다. 그
때마다 내 정말 죽어라 얼굴을 처박구 기도했지 않구 뭡까! 하나님, 제발 무
사히 지나가게 해달라구 말임다. 학생 때는 그냥 아무 생각두 없이 덜렁거
리면서 왔는데, 야 이거, 선생이란 거 이거, 진짜 보통 부담되는 거 아임다.
선교사님, 아 글쎄, 여기까지 오는데 한 십 년은 감수한 것 같습다."

"야~ 참, 선교사님, 이거 학생 때 권능 선생 하는 거 보고는 그냥 편안하게
앉아서 틀만 차리구 있다구 생각했는데, 이거 이제 며칠 해봤더니 이거이거
영 힘들어, 헐한 거 아임다."

그의 수다는 그칠 줄 몰랐다. 학생 모집 후 하루도 쉬지 못하고 곧장 학생
들을 데리고 내려오는 참이라 몹시도 지쳤지만, 얼굴에는 기쁨과 보람과 긍
지로 가득 차 있었다.

계속 수다를 늘어 놓는 순교 선생과 그와 함께 온 학생들을 데리고 역전
포장마차로 갔다. 배가 많이 고플 형제들에게 먹고 싶은 거 마음껏 먹으라
고 하니, 형제들은 나를 낯설어 하면서도 이것저것 많이 먹었다.

그리고 순교 선생에게 돈을 주어 조선족 형제와 함께 집을 구하게 했다.
순교 선생이 집을 구할 동안, 학생들은 나와 함께 서안西安시의 중심 공원인
흥경공원興慶公園에 있었다.

순교 선생과 함께 온 형제들은 모두 8명이었다. 철도기관에서 사로청 간
부로 일하다 온 신소광 형제, 모 체육단의 축구 선수였던 최효선 형제, 권투
선수였다는 키 작은 조봉희 형제, 우리나라의 과학기술원KAIST에 해당하는
북한 이과대학을 졸업하고 아내와 아이들이 굶어 죽어 중국으로 도망쳐 온
김기철 형제, 장철남 형제, 노주석 형제 그리고 조선족 신재록, 조선족 이우
열 형제.

이들은 아직 내가 누구인지 모른다. 우리는 잔디밭에 둘러 앉아 이야기를 주고 받았다. 먼저 각자 자기소개를 했다.

"나는 신소광임다."

"나는 조봉희라구 함다."

그런데 자기소개라는 것이 전부 이런 식이었다. 절대로 자기가 어디서 왔으며 무엇을 하던 사람이란 말을 하지 않았다. 이들이 자기 이름이라고 소개하는 이름도 진짜 이름이 아니었다.

한번은 어떤 형제가 나에게 자기를 소개할 때 임광호라고 하기에, 그 이름을 기억했다가 후에 그 형제를 보고 그렇게 부르자 아무 대꾸도 하지 않았다. 이상한 생각이 들어 그에게 이름이 임광호가 아닌가 하고 묻자 그 형제가 도리어 어처구니없다는 듯이 말했다.

"아이구 참, 선교사님두 사람이 글케 순진해 가지구 어케 삼까? 그래 정말 내 말을 믿었슴까? 그럼 선교사님은 지금 여기 있는 사람들의 이름이 모두 진짜 이름이라구 생각함까? 아이? 내가 처음 선교사님 만나서 뭘 믿고 내 이름을 알려줌까?"

나는 가짜 임광호 형제의 말을 듣고 놀라기도 하고 어처구니 없기도 해서 그저 웃고 말았지만, 그때부터는 북한 사람들이 이름을 말할 때 그저 임시 호명으로만 듣게 되었다.

북한 사람들을 볼 때면 언제나 그랬지만, 떠돌이 생활을 하다 이제 막 사역장에 온 그들의 모습은 너무도 마음을 아프게 했다. 다 낡아빠진 걸레짝 같은 옷을 걸치고, 3, 40대의 청장년이라고 하기에는 몸집이 너무도 왜소했다. 세상의 온갖 시련과 고초를 다 겪어서인지 얼굴에는 주름살이 깊이 패이고, 얼굴색도 검게 변해 있었다. 그런데 더욱 나를 가슴 아프게 하는 것은, 마치 어느 쪽에서 사나운 맹수가 달려 나올지 몰라 늘 긴장하며 주위를 살피는 고양이 눈 같은 이들의 눈동자였다.

나는 맛있는 과자며 사탕을 잔뜩 사다가 잔디밭에 풀어놓았다. 그리고 조금이라도 이들을 편안하게 해주고 싶어 나도 과자를 우적우적 씹어 먹으며 이야기를 주고받았다. 하지만 이들은 간식을 먹는 동안에도, 나와 이야기하는 동안에도 계속 불안한 눈빛으로 주위를 살피고 있었다.

"아저씬 누기요?"

장철남 형제가 호주머니에서 담배를 꺼내 입에 물면서 나에게도 한 대 내밀었다. 간식을 실컷 먹고 이젠 배가 좀 부른지 나에게도 관심을 돌리기 시작한 것이다. 내 소개를 하기 전에 먼저 그의 손에 있던 담뱃갑과 입에 물려있는 담배를 빼내면서 말했다.

"담배 또 없어요?"

그러자 그의 눈이 갑자기 매섭게 치떠졌다.

"그거밖에 없슴다. 이런 염치두 다 있어! 한 대만 피우지 왜 남 거까지 다 가져감까?"

그의 말에는 개의치 않고 다른 형제들에게 물었다.

"다른 분들에게는 담배 더 없어요?"

김기철 형제와 몇 명의 형제가 의아해 하면서 호주머니에서 담배를 꺼내 나에게 주었다. 모두들 놀란 눈으로 나를 빤히 쳐다보았다.

"이제부터 담배는 피우지 못합니다. 여기는 담배 피우는 곳이 아닙니다."

그러자 철남 형제가 벌컥 화를 냈다.

"아저씬 누굼까? 왜 남의 담배까지 다 빼앗아가구 그럼까? 아 씨! 내 담배 주소!"

여차하면 공격할 기세였다. 모두의 이목이 나에게 집중되어 차라리 잘됐다고 생각했다.

"모두 들으세요. 나는 한국에서 온 최광 선교사라고 해요. 이 사역장을 책임지고 일하는 사람이에요."

그러자 철남 형제와 다른 형제들 모두 나를 아래위로 훑어보았다.

옷차림이 후줄근한 내가 한국 사람이라는 것이 아무래도 믿기지 않는지 철남 형제가 못마땅한 어조로 물었다.

"한국 사람… 정말… 맞슴까?"

그래서 다시 나에 대해 소개했다.

"예. 나는 한국 사람 맞고, 여러분들을 여기까지 데리고 온 최순교 선생의 선생입니다. 만나서 정말 반갑습니다. 나는 여러분들 같은 탈북자를 섬기는 사람인데, 북한 사람들을 진심으로 사랑합니다. 중국 사람보다 한국 사람보다 여러분들을 정말 많이 사랑합니다. 함께 하는 동안에 서로가 잘 생활해 보면 좋겠어요."

그리고 아직 사역장 생활에 대해 아무것도 모르는 이들에게 몇 가지를 얘기했다.

보통 북한 사람들이 같은 탈북자인 자기 선생보다 한국 사람인 나한테 잘 보이려고 넘겨짚는 게 있기 때문에, 같은 탈북자라도 자기 선생에게 철저하게 순종해야 한다고 강조했다. 그리고 통독에 대해, 처음에는 안 들리고 무슨 말인지 몰라도, 처음 몇 달만 잘 참으면 나중에는 편안하게 듣고 볼 수 있다고 간단히 설명해 주었다.

그리고 종이 한 장씩 나눠주면서 주기도문과 사도신경을 베껴 쓰고 외우게 했다. 영문도 모르고 못마땅해 하면서 몇몇 형제들은 간신히 베껴 썼다. 언제 숨겨뒀었는지 담배를 꺼내 물고 주기도문을 외운다고 하는 철남 형제를 보니 가관이었다.

순교 선생은 우리가 있던 흥경공원興慶公園 주변에 사역장을 구해놓고, 저녁도 한참 늦어서야 돌아왔다.

"아이구 숨차라. 아이구 힘들어. 선교사님, 이거 나 힘들어 죽겠습니다. 내 이제야 알겠습니다."

순교 선생은 뭔가 중대한 발견을 한 사람처럼 말했다.

"뭘요?"

뭘 말하려는지 알았지만 시치미를 뚝 떼며 물었다.

"그때 선교사님이 왜 우릴 파송시키면서 '행복 끝! 고생 시작!'을 외치게 했는지, 그것도 세 번씩이나 목이 터지게 꽥꽥 소리치게 했는지 인제야 알겠습니다."

나는 그의 어깨를 두드려 주며 말했다.

"순교 선생, 아직 멀었어요. 그 말의 의미를 알려면 말이에요. 아마 사역이 끝날 때쯤 되면 알게 될 거예요. 그러니 아직 긴장 풀지 마세요."

나의 말을 듣던 그의 얼굴이 순간 굳어졌다가 이내 활짝 펴졌다.

"에이, 그래도 일없슴다. 힘들면 힘들라지 뭐. 그래도 좋슴다. 해낼 수 있슴다. 할렐루야!"

나는 순교 선생과 함께 학생들을 데리고 사역장으로 들어갔다. 학생들에게 행장을 풀게 하고 순교 선생과 함께 거리로 나왔다. 그는 학생을 모집하면서 겪었던 일들을 신이 나서 늘어놓았다.

학생 모집을 위해 파송된 선생들이 겪는 고생은 이루 말할 수 없이 컸다. 우선은 연변延邊에 흩어져 있는 북한 사람을 찾는 것부터가 쉬운 일이 아니었다. 북한 사람들은 가능한 한 인적이 드문 곳에 숨어 지내기 때문이다. 선생들은 그들을 찾아 깊은 산 속 벌목장이나 탄광, 농장 등으로 찾아간다. 하지만 깊은 산골 여기저기 숨어 있는 북한 사람들을 찾았다고 해도 학생을 찾은 것은 아니다.

처음에는 선생들도 일하러 간 것처럼 하고 주위에서 함께 살면서 그 사람에 대해 탐색해야만 했다. 탈북자로 행세하는 북한 보위부 특무들이 많기 때문에, 보위부 특무인지 아닌지, 짧게는 일주일 길게는 한 달씩 함께 생활해 봐야만 알 수 있었다. 특무가 아니라는 확신이 들면, 다음에는 그 사람이 성경 공부를 할 가능성이 있는지 살펴야 한다. 그래서 어떤 때는 한 달을 실컷 일하고도 빈손으로 돌아오는 경우도 있었다.

이렇게 한 사람 한 사람 어렵게 학생 모집을 다 끝내고 권능 선생에게 보고하면, 권능 선생은 중국 내륙으로 들어갈 수 있는 차비와 사역 지점을 선정해준다. 이때서야 선생들은 사역할 도시를 알고 학생들을 데리고 온다. 중국에서는 철도 공안들이 기차 안에서 수시로 신분증 검사를 하기 때문에 이것도 북한 사람들에게는 또 하나의 큰 난관이었다. 거기서 적발되면 좁은 기차 안이라 어디 도망치지도 못하고 그대로 북한으로 끌려가기 때문이다. 그래서 고생고생하며 모집한 학생들과 자신이 단속에 걸려 체포되지 않기를 바라며 선생들은 목적지에 도착할 때까지 마음을 졸여야 했다.

이렇게 간신히 목적지까지 오면 위험한 구간은 다 통과한 셈이다. 그러면 온 몸에 신경을 곤두세우고 있던 선생은 긴장이 사라짐과 동시에 그 자리에 쓰러질 정도로 맥이 풀려버린다. 하지만 곧바로 사역장으로 사용할 집을 구하러 다녀야 한다.

집을 구할 때 중개소를 통해 소개비를 주고 구하면 쉽게 구할 수 있지만, 선생들은 소개비를 아끼려고 자기 발로 직접 뛰어 다니며 셋집들을 찾았다. 그러나 어떤 경우에는 일주일 내내 돌아다녀도 적당한 집을 구하지 못하기도 했다. 집을 구하면 이번에는 조선족 형제에게 부탁하여 계약서를 쓰고 학생들을 데리고 들어간다.

하지만 여기서 끝이 아니다. 계약한 집을 다시 사역장으로 꾸미려면, 책상, 걸상, 침대 등 여러 가재도구를 구입하는 일부터, 방음 장치를 설치하여 통독실을 꾸미는 일 등등 선생이 해야 할 일은 해도 해도 끝이 없었다.

우리의 제3기 사역은 이렇게 순교 선생으로부터 시작되었다. 순교 선생과 헤어져 집으로 돌아오면서 학생들이 나에 대해 하던 말에 웃음이 절로 났다. 학생들은 순교 선생이 집을 구하고 흥경공원興慶公園으로 오자 그에게 물었다.

"순교 샘, 저 사람 정말 한국 사람 맞어? 어디 농촌에서 온 촌뜨기 같아서 영 못 알아보겠다이… 그래두 핸드폰 가지구 다니는 걸 봐서는 그런 것 같기두 하구. 근데 저 사람 왜 우리 보구 이래라 저래라 하는 거여?"

새삼스레 나의 옷차림을 살펴보았다. 2년 전 중국으로 들어오면서 입었던 무릎나온 청바지에 사역장에 나뒹굴던 허름한 점퍼 하나를 아무렇게나 걸치고 나왔다. 신발도 다 떨어져 너덜거렸다. 하지만 나의 마음은 가볍기만 했다. 이제 3기 사역이 시작되지 않았는가!

계속 세워지는 3기 사역장

학생 한 사람 한 사람 모집하는 일이 힘들어지자, 권능 선생의 제자 선생들이 권능 선생에게 제안했다.

"권능 선생님, 편하게 조선족 교회에서 모집해 놓은 사람들 데리고 갑시다!"

권능 선생은 단호하게 말했다.

"그건 절대로 안 됨다."

"아니, 왜 안 됨까? 솔직히 교회에 있는 사람들 데려가면, 이미 성경 공부하던 사람들이라 초벌 힘도 안 들어 좋으면 좋았지, 나쁠 거 없지 않슴까? 왜 그럼까?"

선생들은 자기들이 모집해 온 학생들 중에 교회에서 공부하던 사람들은 권능 선생이 무조건 거절하자 이해가 되지 않았다.

당시 연변延邊에는 갈 데 없는 북한 사람을 먹여 주고 재워주면서 성경 공부를 시키는 조선족 교회들이 많았다. 그러나 가능하면 이들 교회에 있던 사람들은 우리 사역장에 받지 않는 것을 원칙으로 하였다. 북한 보위부에서 우리와 같은 사역장을 알아내기 위해 스파이를 파견할 때 주로 교회에 먼저 파견하기 때문에, 혹시 이들이 보위부 스파이는 아닌지 우선 믿을 수가 없었다. 그리고 교회에서 살아가던 사람들 대부분은 한국 선교사들과 여러 교회들에서 주는 돈에 맛을 들인 사람들이었다. 어려운 훈련을 요구하는 우리 사역장 같은 곳에는 절대로 있으려고 하지 않았고, 설령 데려왔다 해도 며칠 못 가서 돌아가겠다고 고집을 피우곤 했다.

결국 선생들은 한 사람 한 사람 힘들게 찾아다니며 학생을 모집해야만 했다. 감사한 것은 연길延吉 산골의 권능 선생 아버지 김 아바이 댁에 공부할 만한 북한 사람들이 많이 모여 있었고, 또 김 아바이는 북한 사람을 만나기만 하면 꼭 연락처를 남기게 해서 우리 선생들에게 연결해 주었다.

순교 선생이 온 다음, 장만식 아바이가 학생 모집을 끝내고 서안西安으로 출발했다고 권능 선생으로부터 연락이 왔다. 장 아바이가 모집한 학생들은 대부분 김 아바이 댁에서 기거하던 사람들이었다.

새벽에 마중 나갔을 때, 장 아바이는 학생들과 함께 역에서 막 나오고 있었다. 나를 본 그는 두 손을 번쩍 들어 나를 껴안으며 반갑게 인사했다.

"이구, 우리 선교사님 나오셨수? 이렇게 다시 만나니 정말 반갑다이."

그리고 학생들에게 내 소개를 했다.

"자, 자, 모두 주목! 이 분은 말이다, 한국에서 오신 최광 선교사님이오. 겉보기에는 우리처럼 거지 같두 우리 사역을 총 책임지구 일하시는 큰 사람이니까니 인사들 하오."

"잘들 오셨어요. 주님의 이름으로 환영합니다."

학생들은 이런 인사는 처음인지 의아한 눈길로 나를 쳐다보았다.

나는 아침 식사를 시키려고 장 아바이와 학생들을 데리고 역 주변 식당으로 갔다. 장 아바이는 오랜만에 나와 마주앉아 식사하면서, 흥분해서 순교 선생처럼 말씀을 많이 하셨다.

"선교사님, 아이구, 이거 사역이라는 게 이거 만만한 게 아닙데. 아 글쎄 그거, 학생 하나하나 모집한다는 게 얼마나 무섭기두 하고 힘들기두 하던지 글쎄, 하 참, 그리고 또 기차에서도 거, 중국 공안들 때문에 얼마나 긴장하고 무섭던지 글쎄, 3일 동안 꼬박 긴장해서 한잠두 못 자구 말았지 않았구만."

"예, 장 선생님이 오신다고 저와 가족들이 그리고 전체 사역장에서 많이들 기도했어요. 다들 무사히 와서 감사한 일이죠."

"글쎄, 그래야지. 나두 기도 열심히 했지만 근데 거, 하나님이 정말 묘합데이. 글쎄 거, 공안들이 차근차근 신분증을 검열하면서 오다가두 우리 학생들 앞에 와서는 눈이 딱 멀어버린 것처럼 싸악 지나가구 있는 거 아닙까? 야~ 그거 진짜 신기합데다."

"할렐루야! 아멘! 주님 감사합니다."

"선교사님, 나 정말 감사하우. 글쎄 내가 이제 나이가 몇이오? 60이 된 놈이 이제 죽어두 열 번은 더 죽어야 하는데, 거 글쎄 하나님이 날 살려주겠다

구 공부두 시켰지, 구원두 해주셨지, 거기에다 이렇게 나를 북한 선교사로
까지 만들어 주셨다 아닙니꺼? 나 정말 하나님 생각하면 감사해서 울기만
한다우. 선교사님, 내 이제 쟤들을 데리구 열심히 해보겠소. 난 이제 사역하
다 힘들어 죽어두 상관없다우. 죽으면 순교 아닙까? 할렐루야! 내가 이제 뭐
가 더 맺힌 게 있어서 몸 사리겠소? 아니오?"

장 아바이는 그렁그렁한 목소리로 말하면서 손으로는 연신 눈물을 훔치
고 있었다.

연세 많은 장 아바이는 멀리까지 걸어가기가 힘드셨는지 역 부근에 집을
임대해 놓고 사역장을 꾸렸다. 그가 데려온 형제들은 최노아, 유에녹, 정칼
빈 형제 등 모두 7명이었다.

이 중에 유에녹 형제는 1년 전 권능 선생 팀 학생으로 모집되어 제남濟南으
로 오다가 기차 안에서 다른 세 명의 형제들과 함께 체포, 북송되었던 형제
였다. 북한으로 끌려간 후, 중국에서 교회를 다녔느냐는 보위부원들의 물음
에 교회가 무엇이냐고 반문했다가 몽둥이로 머리와 온 몸을 구타당해 정신
까지 잃는 등 모진 고통을 당했다. 그러나 마음속에는 하나님께서 구원하신
다는 믿음이 굳게 자리 잡아, 철창 속에서도 매일 수십 번씩 속으로 기도하
고 찬송하였다. 그러다가 다른 감옥으로 호송되던 중 기차에서 탈출하여 중
국으로 재탈북하였고, 다시 권능 선생 아버지를 찾아갔다. 이번에 학생으로
오기까지 꽤 고생을 많이 한 형제였다.

장 아바이가 온 다음 성근 선생이 학생 모집을 끝내고 중국의 남방으로
출발했다는 소식을 듣고, 그는 제남으로 보냈다. 권능 선생 사역장 선생들
외 다른 선생들은 제남으로 보내기로 계획했기 때문이다. 내가 서안으로 오
는 선생들을 수습하는 동안, 제남 쪽은 박주안 선교사가 수습해 주기로 했
었다.

성근 선생은 친형제인 이광수, 이윤수 형제 그리고 유난히 키가 큰 박에녹
형제, 조복화 형제, 조선족 최빌립 선생까지 5명의 형제를 모집해 왔다. 이
중에서 빌립 선생은 권능 선생 사역장에서 1년간 공부했던 사람이었다. 권

능 선생은 그를 선생으로 세우지 않고 성근 선생의 보조 역할을 맡게 한 것 같았다. 그가 조선족이고 나이도 어리고 또 사역장에서 함께 할 조선족 구하는 일도 쉽지 않았던 것이다. 그 다음으로 내려온 선생은 정용철 선생이었다. 그는 학생들뿐 아니라 13세 된 딸 은혜와 11세 된 아들 봉구도 함께 데려 왔다. 그가 사역장에 있는 동안, 부인이 두 아이와 함께 연변에서 살다 생활고를 견디지 못해 그만 중국 사람에게 시집을 가버렸다. 내가 허락하지 않을 것을 잘 알면서도 아이들이 있을 곳이 없어져 데리고 온 것이다. 나는 할 수 없이 정 선생의 아이들을 우리 집으로 데려왔다.

정 선생은 서안시 북쪽 지역에 집을 임대하고 사역장을 잡았다. 그가 데려온 형제들은 인민군 상사 출신인 김예진 형제, 중국인 아내와 결혼 생활을 하고 있던 김주명 형제 등 모두 5명이었다.

김주명 형제도 우리 사역장에 들어오기 위해 애를 많이 쓴 사람이다. 그가 김 아바이 댁에 있을 때, 사역장에 들어오고 싶은데 연락할 방법이 없자, 김 아바이가 출타한 사이 몰래 방에 들어가 전화번호부에서 권능 선생 호출기 번호를 찾아 연락을 취했다. 그리고 몇 개월을 기다려 이번에 정 선생 팀 학생으로 같이 오게 된 것이다.

권능 선생 사역장 선생들이 학생 모집을 마치고 새로 사역을 시작하자 사역장이 많이 늘어났다. 서안에는 파송을 기다리는 익두 선생 사역장, 권능 선생 사역장에서 남은 김권위, 김누가, 강규홍 선생 사역장, 바울 선생이 떠난 후 남은 이용섭, 박다윗, 이빌립, 김영윤 선생 사역장 그리고 새로 세워진 최순교 선생, 장만식 선생, 정용철 선생 사역장까지 모두 6개나 되었다. 제남에는 이제 막 세워진 성근 선생 사역장이 있었다. 이제 곧 익두 선생, 권위 선생, 용섭 선생 사역장 선생들이 파송되면 사역장은 적어도 15개 이상으로 늘어날 것으로 예상되었다.

1차로 파송한 권능 선생 사역장 선생들이 다 돌아왔기에, 2차로 익두 선생과 용섭 선생 사역장 선생들을 파송하기로 마음먹었다. 아직 돌아오지 않은 강석환 선생은 심양沈陽 쪽에서 학생들을 모집하기에, 연변延邊에는 우리 선생이 한 사람도 없었다. 먼저 익두 선생 사역장으로 갔다.

"파송 준비들 하세요. 내일 파송할 겁니다."

말이 떨어지기가 바쁘게 우와 하는 탄성이 터졌다. 현수 선생이 비장한 각오로 씩씩하게 말했다.

"선교사님, 잘 하겠습다. 맡겨만 주십시오."

흥분되어 떠드는 선생들을 진정시키고, 권능 선생 사역장 파송 때처럼 파송지에 나가서의 활동 원칙들과 주의 사항들을 반복해서 알려주었다.

익두 선생 사역장에는 유칼빈 선생, 김예진 선생, 이현수 선생, 홍만식 선생, 홍충신 형제, 김사무엘 형제, 조선족 안 선생이 있었다. 이들 중 15세밖에 안 된 사무엘 형제는 나이가 너무 어려 사역을 감당할 수가 없을 것 같아 의논 끝에 집에 돌려보내기로 했다. 충신 형제도 18세라 사역을 하기에는 너무 어렸다. 그는 이번 기회에 심양으로 가서 자기를 돌봐주시던 분들을 만난 후에 다시 와서 공부를 계속하겠다고 하였다. 다음은 홍만식 선생이었다. 그는 나이도 많고 준비도 되었지만 아직 담배를 끊지 못하고 있었다.

"만식 선생, 아직 담배를 못 끊고 사역할 수 있겠어요?"

그는 부끄러운지 아무 말도 못하고 잠자코 앉아 있기만 했다.

"만식 선생, 이제부터 당장 담배를 끊을 자신 있어요?"

"선교사님, 솔직히 자신 없습다. 저는 좀더 준비해야 할 것 같습다."

내가 다시 묻자 겨우 대답했다. 그는 김권위, 김누가, 강규홍 선생들이 모여 있는 사역장으로 보내기로 했다.

사무엘, 충신, 만식 선생을 제외하니, 학생 모집을 할 수 있는 사람은 칼빈 선생, 예진 선생, 현수 선생 세 사람밖에 되지 않았다. 익두 선생에게 세 선생의 활동 자금을 지급하고 회의를 마치고, 함께 파송 예배를 드렸다.

파송 예배를 마친 후 짐을 챙기도록 세 선생을 방으로 돌려보냈는데, 칼빈 선생이 나를 찾아왔다. 그는 민망한 듯, 구부정한 자세로 서서 말했다.

"저… 선교사님 할 말이 있는데요…."

나는 편히 앉으라고 손짓하면서 말했다.

"뭐예요? 괜찮아요, 얘기하세요."

"선교사님, 저 솔직히 중국 들어올 때 저의 어머니가 많이 앓고 있었습니다. 집에 식량도 없구 약도 없어 제가 중국으로 나왔습니다. 그런데 이렇게 일 년 동안 공부하다보니 집에 계시는 어머니가 어떻게 되었는지 몹시 걱정스럽습니다. 이제 파송되면 학생 모집보다는 먼저 집에 갔다 와야 할 것 같습니다."

그는 몹시 미안해했다. 모두가 생명 바쳐서 북한 선교를 한다고 결심하고 있는데 자기만 집안 문제로 걱정하고 있으니 말이다.

"선교사님, 저두 알구 있습니다. 예수님이 쟁기를 잡고 뒤를 돌아보는 자는 내게 합당하지 않다구 하신 말씀을 알구 있습니다. 하지만 저는 정말 어머니 생각이 나서 못 견디겠습니다. 허락해 주십시오. 갔다가 곧장 되돌아오겠습니다. 되돌아 와서 학생들을 모집해서 다른 선생들 못지않게 잘해 보겠습니다."

어머니 생각을 해서인지 눈에는 눈물이 글썽했다.

"그렇게 하세요. 괜찮아요. 우리 잠깐 기도합시다."

국경을 넘어 북한에 무사히 갔다 올 수 있게 해달라고 주님께 간절히 기도했다.

익두 선생 사역장 선생들을 떠나보낸 후, 용섭 선생 사역장으로 가서 파송예배를 드리고 용섭 선생, 빌립 선생, 다윗 선생, 영윤 선생도 떠나보냈다. 이렇게 해서 익두 선생과 용섭 선생 사역장에서 다시 7명의 선생들이 학생을 모집하러 연변으로 향했다. 저들도 권능 선생 사역장 선생들처럼 학생 모집을 잘 마치고 무사히 돌아오길 간절히 주님께 기도했다. 특히 북한까지 갔다가 다시 돌아와야 하는 칼빈 선생이 걱정스러워 그를 위해 많이 기도했다.

술, 담배 그리고 난동

순교 선생이 사역을 시작한 지 이제 두 주일 가까이 되었다. 그동안 오늘까지 벌써 신약 성경 10독을 하였다. 사역 초기라 순교 선생은 학생들에게 여유를 주지 않고 될 수 있는 한 빈틈없이 일과를 진행해 갔다. 이렇게 3개월 정도 지나야만 학생들이 사역장의 일과에 잘 적응하게 될 것이다.

오전 통독 시간이 끝나고 순교 선생과 학생들은 부엌으로 나가 식사 당번이 차려 놓은 밥상 앞에 둘러앉았다. 식사 기도 당번이 식사 기도를 끝냈다. 그런데 다른 때 같으면 기도가 끝나기 무섭게 밥술을 뜨던 학생들이 오늘은 가만히 앉아 있기만 하였다. 순교 선생은 아무 생각 없이 혼자 밥을 먹다가 이상해서 물었다.

"어째서 밥들 안 먹소? 밥이 맛없습까?"

그의 말이 떨어지기를 기다렸다는 듯이 효선 형제가 소리를 꽥 질렀다.

"아 이거, X할! 순교 선생! 술 좀 마십시다! 사람이 이거 살겠습까?"

비로소 그는 분위기를 파악했다. 곧이어 효선 형제가 그의 멱살을 와락 움켜잡더니 악을 쓰기 시작했다.

"야 임마! 야! 술 내놔 술! 우린 술이 마시고 싶단 말이야. 이 개새끼야!"

너무 갑작스레 일어난 일이라 순교 선생은 자기 멱살을 잡고 있는 효선 형제를 벙벙한 눈빛으로 바라볼 뿐이었다. 그러나 다음 순간 와락 화가 치밀었다. 그도 싸움이라면 져본 적이 없던 군인 출신인지라 효선 형제의 멱살을 맞잡고 소리쳤다.

"안 돼! 안 돼! 술 마시면서 공부할 거면 다 걷어치워! 걷어치우란 말이야! 그래 임마, 나를 죽여라. 그리고 술 마셔라, 마셔!"

그의 얼굴은 뻘겋게 달아오르고, 이마에는 지렁이 같은 실핏줄이 꿈틀거렸다. 그러자 효선 형제의 눈이 사납게 돌아가는가 싶더니 후다닥 침실로 뛰어 들어가 짐을 싸 들고 나오면서 그에게 소리쳤다.

"그래, 임마. 나, 간다! 술두 못 먹게 하지, 담배두 못 피게 하지, 그리구 뭐 귀신 딱지 같은 소리만 맨날 외우라지. 하나님은 무슨 개뼈다귀 같은 하나님이야? 하나님이 있으면 어디 내 눈앞에 내놔봐. 나, 간다, 가! 야! 너들도 가자! 새끼들아! 뭐 말라빠진 형제구 나발이야?"

어떤 형제들은 사정하듯 말했다.

"순교 선생, 최광 선교사 몰래 한 번만 마시면 되는 걸 가지고, 뭘 그렇게까지 원칙을 지키려고 그러오?"

"순교 선생, 한 번만 사주오. 그러면 우리도 말 잘 듣고 공부할거요."

"안 되요. 지금 내가 가진 돈은 술이나 사먹으라는 돈이 아니란 말이오."

그러자 소광 형제가 못마땅한 듯 한마디 했다.

"돈이면 다 같은 돈이지, 술 사 먹는 돈은 따로 있슴까?"

다른 형제들도 짐을 싸들고 나오면서 그에게 고함을 질렀다.

"우리도 간다 가! 더는 못 살겠단 말이야! 사람이 이렇게 어떻게 살아! 참아도 유분수지 엉? 마! 니는 죽은 사람 살리는 구라 같은 이야기만 맨날 읽어대라. 우린 간다!"

갈피를 잡을 수가 없었다. 이 같은 상황에서 원칙과 사역 중에 어떤 것을 선택해야 할지 알 수가 없었다. 한참을 생각하다가 이를 악물고 소리쳤다.

"좋다. 다들 짐들 놔라! 그리구 술 사줄 테니 마셔라!"

이 말 한마디에 갑자기 분위기가 반전됐다.

"우~와! 순교 선생 만세!"

"드디어 술을 먹게 됐다. 만세! 우리가 이겼다~아!"

학생들은 다시 방 안으로 우르르 몰려 들어갔다. 그는 직접 술과 안주를 사가지고 와서 학생들에게 주었다.

"순교 선생두 한 잔 하시지 뭘? 순교 선생이 안 마신다구 달라질 거 뭐가 있겠소?"

거나해진 학생들이 이구동성으로 권했지만, 아무 대꾸도 않고 자기 방으로 들어가 버렸다. 그리고 쓰러지듯 바닥에 털썩 주저앉았다. 참고 참았던 울분이 눈물이 되어 후드득후드득 떨어지기 시작했다. 주님께 죄송한 마음과 학생들에게 당한 억울함 때문에 하염없이 눈물이 흘렀다. 앉은 자리에서 기도하다가 울고, 울다가 기도하며 넋 나간 사람처럼 그 자리에 바위처럼 굳어져 앉아 있었다.

학생들은 술을 다 마신 후 12시부터 3시까지 오후 취침 시간에 한숨 잘 자고 일어나, 아직도 가시지 않은 술기운에 비틀거리며 통독실로 나왔다. 그런데 오후 통독 시간이 다 되었는데도 순교 선생이 자기 방에서 나올 생각을 하지 않았다. 1분 1초도 어김없던 그가 나오지 않자, 학생들은 차라리 잘 됐다며 책상에 엎드려 자기 시작했다.

그러다 오후 내내 순교 선생이 통독실에 나오지 않자, 소광 형제가 순교 선생 방문을 살며시 열어보다가 흠칫 물러섰다. 돌처럼 굳어져 계속 울면서 기도하는 그의 모습을 보았던 것이다. 한 눈에 봐도 하루 종일 저렇게 기도 했음을 알 수 있었다. 소광 형제는 말할 수 없는 위압감과 죄책감을 느끼며 살며시 방문을 닫고 통독실에 돌아와 앉았다. 그리고 조용히 성경책을 펼쳐 들었다. 그런 소광 형제를 본 효선 형제가 무슨 일인가 싶어 순교 선생 방으로 들어가다가 그 역시 조용히 물러나와 시무룩해져 앉았다. 다른 형제들도 역시 한 명 두 명 그 방으로 갔다가 돌아와서는 아무 말 없이 자리에 앉았다. 그러나 이들은 아직도 자기들이 무슨 잘못을 저질렀는지 이해가 되지 않았다.

며칠 후, 뒤늦게 나는 순교 선생 사역장에서 술 파티를 했다는 것을 알고 급히 찾아갔다.

"순교 선생, 뭐 하는 거예요? 지금 사역하는 거예요, 장난하는 거예요?"

화가 나서 마구 몰아세웠지만 그는 잠자코 고개만 숙이고 있었다.

"전부 다 통독실로 모이라고 하세요."

전원 통독실에 모이자 나는 학생들에게 선포하듯 말했다.

"이 시간부터 순교 선생은 사역 팀장이 아니에요. 그리고 당신들 모두 연변延邊으로 돌아가세요."

효선 형제가 앉은 자리에서 벌떡 일어나며 말했다.

"아니, 선교사님, 왜 그럼까? 우리가 술 좀 마셨기로서니 이렇게까지 할 거야 없지 않습까? 술 마신 것이 그렇게까지 큰 죕니까?"

"나는 술 마시는 사람들하고 함께 일하지 않아요. 그리고 이 사역비는 하나님 공부를 하는 데 쓰라는 돈이지, 술 마시고 노는 데 쓰라는 돈이 아니에요. 다들 짐 싸서 돌아가세요."

내가 강경하게 나오자 학생들은 당황해했다.

"선교사님, 우리가 정말 잘못했슴다. 술이 너무 마시고 싶어 그랬지만 이렇게 큰 잘못인지는 몰랐슴다. 그렇지만 처벌하려면 우리만 해주십시오. 순교 선생님은 아무 잘못 없슴다. 우리가 하도 마시자구 해서 그랬지, 순교 선생님은 한 방울도 마시지 않았슴다. 그리구 우리는 갈 데두 없는 사람들인데 한 번만 용서해 주십시오. 다시는 안 마시겠슴다."

모두 웅성웅성 하면서 나에게 잘못을 빌었다. 나는 딱 한 번만 더 기회를 주기로 하고, 다시 술을 마시면 정말로 돌려보낸다고 오금을 박았다.

새롭게 시작한 다른 사역장들도 형편은 마찬가지였다. 학생들은 술, 담배를 끊지 못해 선생들 속을 엄청 썩였고, 사역장의 꽉 짜인 일과에 적응하는 것 때문에 몹시 힘들어했다.

이 무렵이면 내가 꼭 해야 할 일이 하나 생겼다. 사역장마다 다니며 형제들의 이름을 바꾸어 주는 일이다. 물론 형제들이 지금 쓰고 있는 이름도 본명은 아닐 테지만, 나는 성경 인물이나 신앙 위인의 이름을 따거나, 사역장의 필독서였던 '한국 순교자 전기시리즈'에 나오는 순교자의 이름을 빌려 이들의 이름을 바꿔 주었다.

주로 순교자 전기에서 많이 따왔는데, 이 책에 나오는 순교자들처럼 북한 복음화를 위해 순교의 피를 뿌리라는 뜻에서였다. 지금 이 글에 나오는 형제들의 이름은 대부분 내가 바꾼 것이다. 사역이 계속 확장되어 학생들이 많아지면서 내가 일일이 다 붙여주지 못하고, 각 사역장 선생들이 자기 제자들에게 직접 붙여주기도 하였다.

형제들의 이름을 바꾸어 준 이유는 이들이 혹시 북한으로 잡혀가도 본명을 가지고 활동하지 않으면 그만큼 위험 부담이 적어질 것이라는 생각에서였다. 훗날 북한 보위부에 끌려갔던 형제들의 말을 들어보면 이런 생각이 적중해서, 보위부 수사팀에서는 선생들의 이름 때문에 수사에 많은 혼선을 빚었다고 한다. 나 역시 이름이 같은 선생들 때문에 헷갈릴 때가 많았으니 그들의 수고를 짐작할 만도 하다. 내 이름도 거의 서너 달을 기준으로 바뀌었기 때문에, 북한 보위부에서 북한 선교사 제거 대상 리스트 제1순위로 나를 계속 미행, 추적했지만, 때로는 나의 존재를 여러 명으로 착각하기도 했다고 한다.

형제들 이름 중 바울, 요한, 모세, 다윗, 누가, 사무엘, 빌립, 에녹, 노아, 시몬, 게바, 스데반, 야고보 등은 성경에서 땄다. 무디, 칼빈, 기풍, 선주, 익두, 권능, 기철, 양원, 만식, 예진, 원초, 용철, 성근, 영윤, 용섭, 병조, 홍준 등은 신앙 위인들과 순교자들의 이름을 붙여준 것이다. 그리고 봉희, 효선, 석환, 재록 같은 이름은 소록도 북성교회 장로님과 집사님의 이름인데, 이분들은 살아있는 순교자나 다름없다고 생각되어 그 이름을 붙여주었다.

나는 아직도 이들의 본명을 잘 모른다. 때때로 이들이 본명을 가지고 있기나 한지 의문스럽다. 김일성의 위대성과 주체사상밖에 가르치지 않는 낙원에서(형제들은 종종 북한을 그렇게 불렀다), 자기를 하늘 같은 존재로 숭배해야 한다고 가르쳐 왔던 그 위대한 김일성이 자신을 하늘같이 믿고 따르는 자기 백성들을 굶겨 죽였다. 이들이 그 낙원을 버리고 두만강을 건널 때, 이미 자기들이 살던 고향이며 단란했던 가정과 내일에 대한 꿈도 희망도, 심지어 그나마 자기 것이라고 생각했던 이름까지 깡그리 다 잃어버렸다.

이들은 더 이상 잃을 것이 없는 사람들이었다. 나 역시 아무것도 가진 것 없는 '거지 같은 한국 선교사'였다. 아무것도 가진 것이 없었지만, 유일하게 한 가지 나에게 새로운 생명을 주신 주님을 소유하고 있었다. 그러나 이들은 이것을 원하지 않았다.

어떻게 하면 저들의 눈을 뜨게 하여 주님을, 그 영원한 생명을 보게 할 수 있을까? 소경이 눈을 떠서 본다는 것은 주님이 이 땅에 오시기 전까지는 불가능했던 기적이었다. 그러나 주님이 오셔서 그 기적을 보여주었다. 내가 주님에 의해 눈이 뜨여졌듯이 주님께서 친히 저들의 눈을 열어 주실 것이다.

이것은 내가 할 수 있는 일이 아니라 오직 주님만이 하실 수 있는 일이다. 내가 할 수 있는 일은, 주님께서 이들의 눈을 열어주시는 그 시간까지 이들을 붙들어 두며 최선을 다해 기다려 주는 것뿐이다. 그것마저도 주님께서 하시지 않으면 내 힘으로는 할 수 없다.

그렇지만 주님께서 반드시 이들의 눈을 여셔서 이들을 당신의 영원한 아들로 만드실 것에 대해서는 조금도 의심하지 않았다. 그래서 어차피 잃어버린 옛 이름 대신 새로운 이름을 붙여주며 주님께서 그 이름대로 이들의 삶을 이루시기를 간절히 바랐다.

그런 주님의 카이로스의 때를 기다리며 처음에는 강압적으로 공부를 시켰다. 그러나 말씀을 통해 점차 하나님께서 자신들을 얼마나 사랑하시고, 또 얼마나 간절히 원하시는지 깨달아갔다.

며칠 전에는 온 지 몇 주밖에 되지 않은 김예진 형제가 시시각각 몰려오는 담배의 유혹을 주님께 맡겨버리기 위해 놀랍게도 10일 금식 기도에 들어갔다. 어려운 사역 속에서 이러한 새싹들을 발견할 때면, 나는 언제나 새로운 힘과 용기가 났다. 또다시 3기 사역의 열매들이 맺어지고 있었다.

갑자기 들이닥친 공안들

성근 선생이 모집한 학생들 속에는 친형제 간인 광수, 윤수 형제가 있었다. 그런데 이 두 형제가 아주 작정을 한듯이 선생 말을 듣지 않았다. 그리고 조선족 빌립 선생도 계속해서 성근 선생의 화를 돋구었다. 원래 조선족은 팀장의 보조 역할만 수행하도록 되어 있었지만, 자기도 선생이라며 성근 선생이 하는 일에 사사건건 참견했다.

사역을 시작한 지 한 달쯤 지나 성근 선생은 그만 참지 못하고 빌립 선생을 심하게 때리고 말았다. 화가 난 빌립 선생은 사역비까지 다 들고 아무 말없이 사역장을 나가 연변延邊으로 돌아가버렸다.

문을 쾅쾅 두드리는 소리가 들리고, 문 밖이 웅성웅성 소란스러웠다.

"有人吗? 有人吗?(사람 있어요? 사람 있어요?)"

방 안에 있던 형제들이 새파랗게 질려 문 밖을 예의 주시했다. 공안이 아니고는 찾아올 사람이 없는 곳이다. 윤수 형제가 살금살금 문으로 가서 구멍으로 내다보더니, 기겁해서 숨소리도 제대로 못내고 방안으로 달려 들어왔다. 그리고는 잔뜩 겁을 먹고 꺽꺽 목 메이는 소리만 간신히 내뱉었다.

"겨, 겨, 경찰이 쫙 깔렸어!"

"쾅! 쾅!"

"开门儿! 开门儿!(문 열어! 문 열어!)"

문 두드리는 강도가 점점 더 높아졌다. 베란다로 이불을 늘어뜨려 형제들을 내보내려는 생각이 번득 들어 성근 선생은 황급히 베란다로 나갔다. 하지만 6층에서 떨어지면 아무리 봐도 살아서 바닥에 닿긴 힘들 것 같았다.

공안들은 안에 사람이 있다고 확신했는지 문을 부숴버릴 듯이 계속 두드려댔다. 그러자 에녹 형제가 분을 참지 못하고 씩씩거리기 시작했다.

"X할, 쪼고만 새끼가 잡기만 해봐라."

신고해 버린 빌립 선생에 대한 원망이었다. 그런데 그 소리가 너무 컸다. 다들 숨죽이고 있는데 혼자 흥분해서 떠들고 있었다. 밖에서는 계속해서 공안들이 쾅쾅 문을 두드리며 안에 사람이 있느냐고 외쳐댔다.

"조용히 해! 이 친구가 지금 우리를 다 잡으려는 거야 뭐야?"

모두의 눈길이 쏘듯이 에녹 형제에게 명령했지만, 그는 아랑곳하지 않고 계속 떠들어댔다. 참다 못한 윤수 형제가 악에 받친 꽉 눌린 소리를 씹듯이 뱉었다.

"형, 좀 조용히 해! 아 씨, 왜 이러오?"

"쾅! 쾅!"

"开门儿! 开门儿!(문 열어! 문 열어!)"

"콰당! 콰당!"

공안들은 주먹에 이어 이번에는 발까지 동원해 두드려댔다. 쾅쾅 소리가 울릴 때마다 심장이 쿵쿵 울리고 숨이 콱콱 막혀왔다.

'아! 이젠 다 잡혔구나. 이젠 죽는구나.'

성근 선생은 눈앞이 캄캄해지면서 이렇게 허무하게 모든 게 끝장나는가 싶어 눈물까지 핑 돌았다.

숨소리도 나지 않았으면 하는 마당에 윤수 형제의 말이 거슬리는지 에녹 형제가 또 지껄였다.

"쬐그만 새끼가 뭔 참견질이야?"

이번에는 목소리가 아까보다 좀더 컸다. 에녹 형제는 갑자기 닥친 위기 상황에 극도로 긴장해 상황 판단이 흐려진 것 같았다. 평소에도 정신적으로 약간 이상이 있었던 그였다. 하지만 이걸 이해할 길 없는 광수 형제는 벌컥 화를 냈다.

"이 개새끼가 우릴 다 죽이지 못해 그래? 아가리 닥쳐라 쌍!"

성근 선생은 그런 그들을 보노라니 미쳐버릴 것만 같았다. 이젠 에녹 형제 목소리보다 성난 광수 형제, 윤수 형제의 목소리가 더 컸다.

"이 간나 새끼, 너 오늘 좀 죽어봐라."

광수 형제가 와락 에녹 형제 멱살을 틀어쥐었다. 성근 선생은 애원하듯 달려들었다.

"야, 정신 차려! 좀만 참아, 좀만! 공안들 간 다음에 싸워도 싸우란 말이야!"

"쾅! 콰당! 콰당!"

계속해서 문 두드리는 소리가 요란하더니 다음 순간 그 소리는 우르르 몰려 내려가는 발소리로 변했다.

'돌아들 가는 건가?'

모두들 눈을 반짝거리며 말없이 성근 선생을 보았다.

그러나 이내 손전등 불빛이 집 안으로 마구 쏟아져 들어왔다. 공안들은 아래에서 베란다를 올려다보며 성근 선생 사역장 아파트를 관찰하고 있었다.

이어 우르르 몰려 올라와 다시 문을 두드려댔다.

'이럴 때 기도 안 하면 언제 기도하는가?'

성근 선생은 문득 기도해야겠다는 생각이 들었다.

"우리 기도합시다."

말을 뱉어놓고 머리를 땅에 처박고 기도하기 시작했다.

"주님, 주님, 주~우~니~임! 뭐 하심까? 우릴 좀 살려주세요."

그러자 갑자기 눈물이 펑펑 쏟아졌다. 눈물을 닦으며 머리를 들어보니, 모두들 똑같이 자기처럼 머리를 틀어박고 기도하고 있었다. 진지하게 기도하고 있는 그들을 보니 그 와중에도 은근히 기뻤다.

그러자 근 4시간을 난리 피우던 공안들이 갑자기 썰물 빠지듯 싹 사라져 버리고 아파트 문 밖이 조용해졌다. 성근 선생이 살그머니 거울 조각을 내밀어 창 밖 여기저기를 살펴보니 아무도 없었다.

"이때다! 튀자! 모두 성경책만 들고 나가자!"

성근 선생의 말이 떨어지기가 무섭게 모두 성경책만 들고 출입문 쪽으로 우르르 나갔지만 문이 휘어져 열리지 않았다. 조그만 화장실 창문으로 한 명씩 한 명씩 비집고 나왔다. 모두들 집으로부터 15분 거리까지 헉헉거리며 뛰어 오니 일단 마음이 놓였다.

다음날 성근 선생은 박주안 선교사를 만났다. 사역장으로 사용하던 집은 박 선교사의 명의로 임대했던 집인지라 박 선교사는 이미 공안국에 불려갔다 온 후였다.

"어떻게 된 일이에요?"

박 선교사가 그에게 조용히 물었다.

"제가 빌립이를 때렸슴다. 그래서… 빌립이가 도망을 가면서 고발한 모양임다."

"엄청 때렸지?"

그러나 성근 선생은 아무 말도 못하고 고개를 떨구었다. 박 선교사가 공안국에서 알게 된 사실을 그에게 알려주었다.

"빌립이가 기차를 타고 가는데, 옷에 피가 하도 많이 묻어서 철도 공안들에게 단속이 됐어요. 그래서 공안들에게 사연을 설명하면서 사역장 위치를 가르쳐 준 거예요."

그는 가까스로 박 선교사께 말했다.

"저… 선교사님… 빌립이가 사역비 500元도 가져가 버렸습니다."

성근 선생은 사역을 시작한 지 한 달 만에 다시 새 집을 임대해야만 했다. 그는 한 번의 혈기가 이렇게 큰 사고로 이어질 줄은 꿈에도 생각지 못했다. 영적인 싸움은 혈과 육으로 하는 것이 아니라 믿음과 기도로 해야 한다는 것을 새삼 깨달으며, 사역비를 받아 풀이 죽어 집 구하러 떠났다.

그 즈음, 유칼빈, 김예진, 이현수 선생을 데리고 파송되어 나갔던 익두 선생에게서 전화가 왔다.

"선교사님…"

그는 처음부터 침울한 목소리로 말을 잘 이어가지 못했다.

"익두 선생, 왜 그러세요? 무슨 일이 생긴 건 아니죠?"

'제발 또 어느 선생이 체포되었다는 얘기는 아니었으면….'

"… 김예진 선생과 이현수 선생 소식이 갑자기 끊어졌습니다."

"아니 왜? 어떻게 된 일인데요?"

"저도 모르겠습니다. 두 선생이 함께 학생을 모집하러 왕청汪淸 쪽으로 떠난 후 다시 소식이 없습니다."

"소식이 끊긴 지 얼마나 됐어요?"

"한 주일 정도 됐습니다."

한 주일 동안이나 소식이 없었다면 십중팔구 체포된 것이 분명했다. 눈앞이 캄캄해졌다.

"북한으로 들어간 칼빈 선생은 어떻게 되었어요?"

"칼빈 선생두 이젠 다시 되돌아 올 시간이 넘었는데 소식이 없습니다."

전화기 저쪽에서 익두 선생은 나지막이 울고 있었다. 1년간 동고동락하며 키운 학생 3명을 동시에 잃어버린 그 마음이 어떨지 짐작이 갔다.

익두 선생은 그래도 혹시나 모를 일이니 계속 칼빈 선생을 기다려 보겠다고 하고 전화를 끊었다. 하지만 칼빈 선생은 지금까지도 소식이 없다.

보위부 특무와의 조우遭遇

1차로 파송된 선생들의 뒷수습을 마치고 권능 선생도 서안西安으로 돌아왔다. 그는 서안역에 마중 나온 나를 보면서 전혀 흥분하는 기색 없이 그저 빙긋이 웃기만 했다.

권능 선생처럼 북한 형제들을 잘 알고 있으며, 중국 현장 사역에 경험이 풍부한 북한 출신 북한 선교사는 없었다. 그는 항상 말없이 모든 일들을 해나가면서 아무리 다급한 상황에서도 당황하지 않았다. 사태를 이성적으로 잘 분석하면서도 영적인 시각으로 보며 올바른 판단을 내릴 줄 알았다.

나는 이런 그가 한없이 미더워 그에게 서안에 있는 사역장 전체를 맡겼다. 서안 사역장 팀장들은 모두가 그의 제자 선생들이었고, 그는 또한 그럴 만한 충분한 능력을 가지고 있는 준비된 사람이었다.

2차로 파송되었던 선생들도 학생들을 모집해서 돌아오기 시작했다. 먼저 다윗 선생에게서 중국의 남방으로 오겠다는 소식이 왔다. 나는 그 팀을 제남濟南으로 가게 하고, 박 선교사께 이 소식을 알렸다.

다윗 선생 팀이 제남에 도착한 날은 토요일이었다. 다윗 선생은 사역장을 구하는 동안 학생들이 기다릴 곳을 찾다가 산동山東대학으로 들어왔다. 그때 마침 성근 선생 사역장 형제들이 운동장에서 축구를 하고 있었다. 두 사역장 형제들이 서로 만나자 갑자기 광수 형제가 눈을 사납게 치뜨며 고함을 질렀다.

"이 종간나 새끼, 너 여기까지 쫓아왔나? 너 잘됐다. 내가 오늘 너 안 죽이면 자살한다. 야! 이 새끼야! 이기 온나!"

그러자 영성 형제는 미쳐 날뛰는 광수 형제를 피해 도망을 갔다.

"왜 그럼까?"

다른 형제들과 함께 광수 형제를 말리면서 성근 선생이 물었다.

"이 새끼, 너 이 새끼 김영성 맞지? 어떻게 여기까지 왔어? 엉! 선생님, 이 새끼, 이거 보위부 간첩입다."

그리고 광수 형제는 영성 형제에게 대고 소리를 질렀다.

"야, 이 개새끼야, 우리가 뭐 너 새끼들 노예야? 먹을 것이 없어서 도망쳐 온 사람들인데, 왜 이렇게 쫓아다니면서 잡지 못해 지랄이야? 그래 너 이 새 끼, 너 오늘 내 손에 죽어라."

광수 형제가 이렇게 나오자 모두의 싸늘한 눈길이 영성 형제에게 꽂혔다. 조금만 더 지나면 옆에 있는 형제들도 합세해 그에게 달려들 분위기였다. 다윗 선생은 일단 두 형제를 뜯어 말리고, 급히 학생들을 데리고 사역장을 구하러 떠났다.

탈북자들은 악독한 짓을 많이 하는 북한 보위부를 김정일 정권보다 더 미 워했다. 보위부는 북한 내에서는 공포의 대상이요, 중국에 있는 탈북자들에 게는 증오의 대상이었다. 그런 보위부 특무가 오늘 신분을 숨기고 사역장에 몰래 들어왔다가 우연히 광수 형제에게 발각된 것이다.

"저 사람이 어떻게 보위부 사람인지 알았슴까?"

성근 선생이 묻자 광수 형제는 이런 이야기를 들려주었다. 연길延吉에서 광수, 윤수 형제가 어디 갈 데가 없어 조선족 교회의 도움으로 교회 옆에 있 는 조그마한 집에서 북한 사람 몇 사람과 같이 살 때였다. 지금 보위부 특무 라는 영성 형제도 그때 그 집에서 함께 살던 사람이었다. 그런데 그가 누구 에게도 보여주지 않는 작은 수첩에 뭔가를 몰래 기록하는 것이었다. 하루는 광수, 윤수 형제가 가만히 그 수첩을 훔쳐보니 거기에는 알 수 없는 사람들 의 이름이 가득 적혀 있었다.

두 형제는 그가 보위부 특무 활동을 하고 있다고 짐작하고 함께 살고 있 는 다른 탈북자들과 함께 그를 죽도록 두들겨 팼다. 그에게 그 수첩이 무슨 수첩인가를 다그쳐 묻자, 그는 사실대로 털어놓았다. 자기는 북한 보위부에서 파견된 사람으로, 자기의 임무는 중국 전역에 형성된 성경 공부 팀들의 위치와 리더들의 이름을 파악해서 보고하는 것이며, 그러면 북한 보위부가 중국 공안과 협조해서 체포해 간다는 것이다.

여기에다 복화 형제도 이 형제가 북한 보위부원이 틀림없다고 하며 광수, 윤수 형제의 증언을 두둔하고 나섰다. 자기도 연변延邊의 깊은 산 속에 숨어 살 때, 그가 보위부 특무라는 걸 알고 다른 탈북자들과 함께 죽도록 패서 쫓아 보낸 적이 있었다는 것이다.

광수 형제와 복화 형제의 말이 사실이라면, 지금 보위부 특무 한 사람이 학생 신분으로 위장하여 사역장까지 들어왔다는 얘기가 된다. 이렇게 되면 제남濟南 지역도 더 이상 안전지대가 아니었다.

일이 이렇게 되자 다윗 선생 팀 학생들 중 두 사람이 기겁해서 어디론가 도망가 버렸다. 다윗 선생이 학생을 모집한 경위를 알아보니 짐작했던 대로 버스에서 만난 사람들을 잘 알아보지도 않고 그냥 데려온 것이다. 그러나 영성 형제가 설령 보위부 특무라 해도 당장 돌려보낼 수는 없었다. 벌써 제남에 있는 사역장에 대한 정보가 다 노출되었으니, 이 사역장들을 다른 지역으로 옮기자면 비용이 만만치 않았다. 다윗 선생에게 그를 감시하면서 일단은 사역을 계속 하도록 했다.

시작부터 큰 짐을 안게 된 다윗 선생은 사역 시작과 동시에 40일 금식에 들어갔다. 그러나 감시를 한다지만 24시간 내내 할 수는 없는데다 영성 형제가 부엌칼을 휘두르며 행패를 부려대자, 다윗 선생은 금식 17일째 되던 날 나에게 도움을 요청해 왔다.

내가 서안西安에서 다윗 선생 사역장으로 아무런 예고도 없이 가자 형제들은 당황하여 아무 말도 못했다. 어떤 위험이 닥쳐도 사역장 전체의 안전을 위해 나는 살아야 한다고 못 오게 극구 말렸기 때문이다.

함께 예배를 드린 후, 영성 형제와 간단히 대화를 나누었다. 특별한 다른 얘기는 없었다. 다만 그동안 성경을 몇 독 읽었고, 말씀 암송도 몇 십 절 했던 터라 성경에 대해 궁금한 것이 있는지 그는 나에게 몇 가지 물어보았다.

성경의 다른 얘기들은 다 이해가 되는데, 왼뺨을 때리면 오른뺨을 돌려대라는 것과 원수를 사랑하라는 것은 도저히 이해되지 않는다고 하였다. 그래서 나는 이해 안 되는 게 당연하다. 그러나 하나님의 은혜를 입고 그 사랑 안에 들어오면 세상 사람에게는 불가능한 일이 가능하게 될 수 있으니 좀더 열심히 해보라고 했다.

그리고 바로 사역장 해체 작업에 들어갔다. 형제들의 안전에 주의하면서 영성 형제를 따돌리기 위해, 다른 형제들은 다윗 선생을 따라 잠깐 물건 사러 간다고 하며 전부 나가게 했다. 그리고 영성 형제만 집 안에 남겨둔 채 바깥에서 자물쇠로 잠가버렸다. 그는 3일 동안 혼자 갇혀 있다가 창문을 타고 나와 박주안 선교사에게 차비를 얻어 다른 곳으로 갔다.

그러나 보위부 요원들과의 조우는 이것으로 그치지 않았다. 몇 달 후 3기생 사역장 중 가장 먼저 순교 선생 사역장을 연변延邊으로 파송하면서 나도 뒤따라갔다. 더 이상 파송 단계에서 선생들이 체포되지 않도록, 새로운 학생 모집 방안을 마련하기 위해서였다. 그리고 이번에 올라가면 이선장 형제가 성근 선생을 통해 여러 차례 간곡히 부탁해 왔던 그의 어머니와 여동생을 도와줄 방법이 없는지도 알아보려고 했다.

연길延吉에 도착하여 용섭 선생 집에 들렀다가 이선장 형제 어머니가 소개해 주는 한 북한 자매를 만나게 되었다. 이 자매는 북한의 국경 수비대 군인을 끼고 중국과의 국경을 오가며, 돈을 받고 사람들이 탈북하도록 도와주는 일을 하던 자매였다. 이 자매가 중국으로 넘어오기 위해 두만강 강변에서 기다리던 이선장 형제의 동생을 중국 쪽으로 데려 오기로 되어 있었다.

자매가 북한에서 넘어온 지 얼마 되지 않음을 알고 습관적으로 물었다.

"자매님, 교회 나가 본 적 있습니까?"

"없슴다."

"그럼, 예수님에 대해 들어본 적 있습니까?"

갑자기 자매의 눈이 커다래졌다.

"예수라는 건 뭡까?"

자매에게 예수님에 대해 소개해 주고, 그곳에 같이 있던 여러 선생들과 함께 자매를 위해 다같이 축복 기도를 하고 또 축복송을 불러 주었다. 그때 거기에는 내가 연길延吉에 왔다는 소식을 듣고, 권위 선생과 익두 선생, 막 파송되어 올라와 있던 순교 선생이 와 있었다.

축복송이 끝나고 내가 자매와 악수를 하며 "예수님의 이름으로 사랑합니다. 축복합니다."라고 하자 자매가 왈칵 눈물을 쏟기 시작하더니 10여 분간 땅을 치며 통곡을 하였다. 예수님에 대해 전혀 알지 못했던 자매는 울면서 나에게 연신 고맙다고 인사를 했다.

그날 오후, 이선장 형제 어머니와 여동생을 돌봐주기로 약속된 분들을 만나기로 하였다. 약속 장소인 연길延吉 북대시장北大市場 입구 공중전화기 옆에서 기다리고 있을 때였다. 오전에 만났던 자매가 내 옆으로 조용히 다가오는 것이었다. 나는 깜짝 놀랐지만 반갑게 인사하며 말했다.

"안녕하세요? 북한엔 언제 돌아가요?"

아침에 만났을 때 북한으로 다시 들어간다고 말한 것이 생각났던 것이다.

"아 예, 내일 감다."

자매의 대답을 들으며, 주머니에서 중국 돈 100元 짜리를 꺼냈다.

"자매님, 이거 차비에 보태세요. 더 못 드려서 죄송해요."

"고맙슴다."

자매는 이 말을 하며 내 귀에 대고 속삭였다.

"지금 선생님을 붙잡으려구 보위부 사람이 옆에 와 있슴다."

순간, 머리카락이 쭈뼛 올라가는 것을 느꼈다. 눈빛으로 어디냐고 물으니 자매는 자기 옆에 서너 걸음 떨어져 있는 쪽을 눈짓으로 가리켰다.

자매가 가리킨 쪽으로 곁눈질 해보니, 키가 크고 덩치가 좋은 남자가 담배를 피우며 내 쪽을 힐긋힐긋 쳐다보고 있었다. 순간 숨이 콱 막혀 왔다. 그와 동시에 앞에 서 있는 택시에 후다닥 올라탔다. 택시를 타고 달리다 내려서 다른 택시로 갈아탔다. 다시 버스로 갈아탔다. 그러길 1시간 내내 하고 나서도 마음이 진정되지 않았다. 만나기로 약속했던 분에게는 전화로 상황을 설명 드리고, 그 길로 도망치듯 연길延吉을 빠져나와 제남濟南으로 왔다.

내려오는 기차 속에서, 하나님께서 왜 아침에 그 자매에게 예수님을 전하고 축복하게 하셨는지 깨닫게 되었다. 그 자매가 군인을 끼고 일하기 때문에 보위부와도 연결이 되었던 것 같고, 오후에 만났을 때도 나를 잡으려고 일부러 보위부 요원을 불렀던 것이 아닌가 싶었다. 하지만 하나님께서 순간 자매의 마음을 감동시키셔서 나에게 슬며시 알려주게 하신 것 같았다.

이후에 연길에서 우리 사역장 형제의 형을 개인적으로 만날 일이 있었다. 그때 그는 얼핏 보면 한국 사람처럼 보이는 세련미를 갖춘 키 큰 사람과 함께 나를 만나러 나왔다. 그 키 큰 사람은 시종일관 아무 말 없이 우리 옆에 서 있다가, 우리 이야기가 다 끝나자 그제야 자기소개를 했다. 자신은 전직 남파 간첩으로 한국에도 7번이나 갔다 왔다고 하였다. 그래서인지 옷차림이 아주 세련되고, 한국에 대해서도 한국 사람인 나보다 더 많은 것을 알고 있었다.

"선생, 북한 보위부 너무 쉽게 생각하지 마세요. 우리가 만약 선생을 잡아야 한다면 하루 이상 걸리지 않습니다. 조심하세요."

이 말을 남기고 곧 그들은 떠났다. 그 소리를 듣는 순간 머리칼이 쭈뼛 서고 온 몸에 소름이 쫙 끼쳤다. 헤어지고 나서 한참 후에도 다시 온 몸에 소름이 돋았다.

나는 이런 일들을 겪으며 우리 사역장에 대해 보위부에서 많은 것을 알고 있고, 우리를 체포하기 위해 각고의 노력을 기울이고 있다는 것을 깨닫게 되었다. 지난 번 성도成都에서 보위부 사람들이 우리를 미행했던 사건이나 다윗 선생 사역장에 학생으로 위장해 들어온 영성 형제 사건이 우연이 아니었다. 당시 중국에 우리처럼 큰 탈북자 단체가 없었으니 북한 보위부에서 비상한 관심을 가지는 것은 당연했다. 게다가 최근 선생들이 연변에서 학생들을 대거 모집해 갔으니 이들이 촉각을 곤두세울 수밖에 없었다. 이제부터는 안전을 위해서 털끝만한 불안 요소도 철저하게 제거해 나가며 사역을 하리라 생각했다.

며칠 뒤, 제남에서 사역하던 강석환 선생이 서안西安으로 옮겨왔다. 석환 선생은 박예진 형제 등 5명의 형제들을 데리고 사역을 시작했다. 이로써 권능 선생이 책임지고 돌봐야 할 사역장은 모두 5개로 늘어났다.

권위 선생 사역장을 제외하고는 모두가 이제 막 새로 시작되어 선생들도 힘들고 학생들도 많이 힘들어 하는 시기라 혼자 감당할 수 있을지 염려되었다. 그러나 힘은 들고 때론 실수하더라도 하나님께서 함께 하시니 잘 해나가리라 믿었다.

여호와 이레

2차로 파송되었던 김영윤 선생이 학생들을 모집해 제남濟南으로 왔다. 하지만 영윤 선생 사역장은 오래 가지 못했다. 사역을 시작해서 한 달 정도 되었을 때 공안들이 들이닥쳤고, 서둘러 이사를 한 지 한 달 만에 또다시 공안들이 호구 조사를 나왔다. 이에 학생들이 겁에 질려 연변延邊으로 가 버리자, 영윤 선생도 사역에 대해 자신감을 잃고 연변으로 돌아가 버렸다.

영윤 선생에 이어 이용섭 선생이 학생들을 모집하여 서안으로 왔다. 용섭 선생은 함흥화학공업대학을 졸업한 신수재 형제, 싹싹한 성격의 임경철 아바이, 조선족 김광철 형제 등 5명의 북한 형제들과 2명의 조선족 형제들을 데리고 왔다.

용섭 선생에 이어 빌립 선생도 며칠 후 학생 모집을 끝내고 왔다. 그는 김주선 형제 등 5명의 형제들을 이끌고 서안西安 북문北門 옆에 사역장을 잡고 패기 넘치게 사역을 시작했다.

이들까지 오자 사역장의 인원은 100명 가까이로 불어났는데, 사역비는 바닥이 났다. 나는 권능 선생에게 말했다.

"권능 선생, 돈이 떨어졌어요. 3일 후부터 전체 사역장이 금식에 들어갈 준비 기도를 해야 되겠어요."

오늘도 여러 사역장에서 발생하는 크고 작은 일들을 처리하느라 하루 종일 뛰어다녔던 그는 아무 말도 하지 않았지만, 얼굴에는 힘들어하는 기색이 역력했다. 잠시 말없이 앉아 있던 그가 어렵사리 입을 열었다.

"선교사님, 저랑 선생들은 금식하라면 할 수 있슴다. 하지만 학생들은 아직 금식이 무슨 말인지두 모름다. 그런 사람들에게 금식하라는 말을 저는 도저히 못하겠슴다."

그의 마음이 충분히 이해가 갔지만, 돈이 없으니 어쩔 도리가 없었다.

"선교사님, 전 더 이상 이렇게 사역하기 힘듬다. 정기적인 후원 단체도 없는데 사람은 자꾸만 불어나구, 그렇다구 대책이 있는 것두 아니구. 전 이렇게는 더 이상 못하겠슴다. 이러다가 다 흩어지지 않겠는지 모르겠슴다."

학생들이 많아지자 여러 사역장을 유지하는 데 이전보다 훨씬 많은 돈이 들었다. 거기에다 2차 파송된 다른 선생들도 학생을 모집해 내려오게 되면 필요한 돈의 액수는 훨씬 커질 것이었다.

그는 답답한 듯 한숨만 내쉬었다. 그렇지만 나에게는 확신이 있었다. 살아 계신 하나님께서 지금까지 물질 문제를 직접 해결해 주셨던 기억이 생생했다. 그를 설득하며 조용조용 말했다.

"권능 선생, 한번 생각해 봐요. 이때까지 하나님이 우리 사역장을 어떻게 인도해 주셨는지 잘 알잖아요. 2기 때도 1기에 비해서 사람들이 많아 걱정했지만, 언제 한 번이라도 돈이 없어서 사역장이 흩어진 적이 있었어요? 그때도 사역이 보장될 만큼 안정적인 지원이 있었던 것은 아니잖아요?"

내 말을 듣던 그가 마지못해 대꾸했다.

"선교사님! 저두 그건 알아요. 하지만 정작 오늘 같은 이런 현실을 맞닥뜨리고 보니 너무 힘듬다. 정말 도저히 감당하기 힘듬다."

"권능 선생, 내가 하나님 앞에 바로 서 있고 권능 선생이 하나님 앞에 바로 서 있다면, 또 우리 선생들이 주님 앞에 바로 서 있다면, 하나님이 우리에게 돈을 주시지 않을 이유가 없지 않아요? 백 명이 아니라 천 명이라 해도 걱정

할 것 없다고 생각해요. 하나님은 이스라엘 광야에서 몇 백만 명을 키우셨던 분인데 지금 여기는 최소한 광야는 아니잖아요. 하다못해 마실 물 걱정은 안 해도 되잖아요. 만약 우리 사역이 돈이 없어서 실패한다면, 이 세상 그 어떤 선교 사역도 이루어질 수 없을 거예요. 오직 의인은 믿음으로 말미암아 살리라는 말씀을 붙잡읍시다. 권능 선생!"

내가 아무리 설명해도 그의 어두운 표정은 좀처럼 바뀌지 않았다.

그와 헤어진 다음날부터 나는 금식에 들어갔다. 주님이 반드시 사역비를 해결해 주실 것을 의심하지 않고 기다리면서 기도했다.

그 다음날, 한국에 계시는 김의환 목사님께로부터 전화가 왔다. 내일 중으로 700만 원을 가지고 우리 사역장에 오신다는 것이었다. 할렐루야! 하나님은 정말로 정확하신 분이셨다. 정확히 내일이면 우리 전 사역장의 사역비가 완전히 떨어지는 날이었다.

제남濟南에 있던 성근 선생 사역장은 영성 형제 사건 이후 급히 서안西安으로 이사를 했다. 새롭게 사역장을 꾸리고 성근 선생이 잠깐 나간 사이 광수 형제가 에녹 형제 얼굴을 발로 사정없이 짓뭉개버리는 사건이 터졌다. 에녹 형제의 얼굴은 삽시간에 피투성이가 되었다. 옆에서 복화 형제가 뜯어 말리지 않았다면, 숨이 끊어질 때까지 때리고도 남을 상황이었다.

성근 선생이 사역장에 왔을 때, 싸움은 이미 끝나고 복화 형제가 에녹 형제의 상처를 이리저리 닦아 주고 있었다. 에녹 형제의 상태는 매우 심각했다. 온통 피투성이가 되어 여기저기 찢어진 것은 피를 닦아내고 깁고 붙이면 된다지만, 발에 사정없이 짓밟힌 코는 완전히 뭉개져 형체를 알아볼 수 없었다. 성근 선생이 급히 병원으로 데리고 가 응급처치는 했지만, 의사 선생님 말이 산산조각 난 코뼈를 치료하려면 빨리 수술을 해야지 그렇지 않으면 한센병 환자처럼 코가 민둥해진다는 것이다. 그렇지만 신분증이 없어 돈이 있어도 입원할 수가 없으니 수술은 불가능한 일이었다. 성근 선생은 힘없이 쓰러져 있는 에녹 형제를 택시에 싣고 사역장으로 돌아와 나에게 이런 사실을 알렸다.

북한 사람들은 생각하는 방식이 우리와 너무 달랐다. 이번 사건 같은 경우에도, 이 싸움이 일어난 원인이 에녹 형제에게 있기 때문에 광수 형제를 욕하면 안 된다고 생각하였다. 광수 형제는 에녹 형제가 사역장 청소를 하지 않아 자기가 정의의 주먹을 든 것뿐인데, 성근 선생과 내가 자기만 욕한다고 못마땅하게 생각했다.

"선교사님, 전 연변延邊으로 가겠슴다. 더 이상 여기서 공부하구 싶지 않슴다."

그는 얼굴에 억울해 하는 빛이 가득한 채 내게 말했다.

"아니, 광수 형제, 연변에 가면 누가 있어요? 집이 있어요, 고향이 있어요? 연변에 가서 어디서 뭘 하며 살 건데요?"

"없슴다. 그래두 가겠슴다. 여기서는 살기 싫슴다. 보내주시오."

"광수 형제, 정 이 사역장이 마음에 안 들면 다른 사역장에라도 보내줄 테니 연변으로는 가지 마세요."

보내더라도 여기 있으면서 예수님에 대한 믿음이 생긴 후에 보내고 싶었다.

"아니, 선교사님, 여기가 뭐 감옥임까? 마음대로 가지두 못함까? 북조선에서도 썩어지게 얽매이며 살았슴다. 여기까지 와서도 자유롭지 못하게 이렇게 살구 싶지 않슴다. 날 보내주시오!"

그를 보내지 않을 수가 없었다. 그가 간다고 나서자 동생 윤수 형제도 따라 나섰다. 말릴 수가 없는 사람들이었다. 평생 속아만 살아서인지 남의 말을 듣거나 믿지 않기로 소문난 사람들이었다. 이들은 아무리 옳은 말도 감정이 상하면 절대로 받아들이지 않았다.

광수, 윤수 형제는 내가 만난 여느 북한 사람들과 마찬가지로 매우 감정적이었다. 그리고 이들은 독재 체제 속에서 어릴 때부터 김일성과 김정일을 우상화하는 세뇌 교육만 받다보니 어떤 일에 대해 스스로 생각할 줄을 몰랐다.

두 형제를 보내고 난 후, 에녹 형제의 코가 걱정되어 다시 성근 선생 사역

장으로 갔다. 피를 많이 흘린 에녹 형제는 기진해서 누워 있었다. 그를 위로
해 주고 싶어 부드럽게 말을 건넸다.

"괜찮아요? 에녹 형제, 많이 아프지요?"

그는 코가 막혀 웅웅거리는 소리로 대꾸했다.

"일없슴다, 선교사님. 이까짓 거 가지구 뭘 그럼까?"

그는 피식 웃기까지 했다.

이후에도 여러 차례 느낀 것이지만 북한 사람들은 자기 몸을 전혀 귀중하
게 여기지 않았다. 아마 모든 인민들은 당과 수령을 위한, 체제 유지를 위한
소모품에 지나지 않는다고 세뇌당하며 살아서 그런지 사람의 생명을 귀히
여길 줄 몰랐다. 남의 생명을 귀하게 여기지 않을 뿐 아니라 자기 생명도 대
수롭지 않게 생각했다. 그래서 싸울 때면 정말 사납게 죽기 살기로 싸웠다.

한번은 용섭 선생 사역장에서도 두 형제가 크게 싸워 그 중 한 형제의 이
빨 두 개가 부러지는 일이 있었다. 그리고 정 선생 사역장에서도 게바 형제
와 철민 형제가 싸워 게바 형제의 앞니 네 개가 완전히 부러져 나가는 일도
있었다. 그때 내가 가서 게바 형제에게 어떠냐고 물으니 그 역시 에녹 형제
처럼 대꾸하는 것이었다.

"일없슴다. 선교사님 뭘 이까짓 거 가지구."

병원에 데리고 가려는 나를 도리어 이상한 사람 취급했다.

"선교사님, 왜 그럼까? 이까짓 이빨 나가면 나간 거지, 뭘 그렇게 요란하
게 병원까지 가구 그럼까? 이러다가 피도 멎고 저절루 낫슴다. 일없슴다. 일
없슴다. 걱정 마십쇼."

나는 그의 말을 듣고 할 말을 잃었다. 다만 가슴이 아플 뿐이었다. 하지만
이 형제들도 일단 1년간 성경을 읽으며 다듬어지면, 서로를 존중하며 사랑
하고 그와 동시에 자기 자신도 소중하게 여기게 되었다.

현재 많은 탈북자들이 한국 사회에 정착하지 못해 사회적인 난제가 되고
있다. 이들이 한국에 제대로 정착하지 못한다면, 설령 물리적 장벽인 3·8선
이 허물어지고 통일이 된다 해도 진정한 의미의 통일은 이뤄지지 않을 것이

다. 그래서 나는 민족 통일의 관건이 바로 이 북한 복음화에 있다고 생각한다. 북한의 복음화만이 저 황폐한 북한 땅을 소생시키고, 잃어버린 하나님의 형상과 모양을 회복시킬 수 있다. 하나님을 사랑하고 자기를 사랑하며 남을 사랑하고 배려할 줄 아는 사람으로 바꿀 수 있다. 그때야 우리 민족이 진정으로 하나 되며, 북한 사람들도 우리 민족 번영의 동반자가 될 것이다. 이것은 사역을 하면서 얻은 귀중한 깨달음이다.

성근 선생은 광수 형제와 에녹 형제의 한바탕 싸움 때문에 집 주인이 집을 비워달라고 해 새 집을 구해 사역장을 옮겼다. 광수, 윤수 형제가 떠나자 사역장에는 에녹 형제와 복화 형제밖에 남지 않았다. 광수, 윤수 형제를 사역장에서 떼어내는 데 성공한 악한 영들은 나머지 두 형제를 부추겨 계속 문제를 일으켰다.

사역은 영적인 싸움이다. 세상 기준으로 본다면 선생은 쫓겨 다니는 자신들의 의식주를 해결해 주고 안전하게 살아갈 수 있게 해주니 생명의 은인이다. 그런데 성경을 가르치기 시작하면, 그때부터 사납게 선생을 공격하고 자기들끼리도 경계하며 미워하기 시작했다. 그러므로 선생은 이러한 모든 문제를 철저히 영적인 시각으로 보고 대처해 나가야 한다.

성근 선생은 이제 막 선생으로 세워져 이러한 영적 시각이 많이 부족했다. 모든 문제를 인간적으로 생각하며 자신의 혈과 육으로 싸우려다보니 결국 중심을 잃고 넘어지고 말았다. 신약 20독 통독이 끝나는 날, 그는 사역을 포기하고 어디론가 조용히 사라져버렸다.

친구를 위하여 목숨을 버린 사랑

권능 선생으로부터 갑자기 연락이 왔다. 장만식 아바이 사역장 전원이 공안에 체포되었다는 것이다. 이웃 주민의 신고로 공안이 달려 왔을 때, 장 아바이 사역장은 열심히 통독하는 시간이었다. 공안들은 이들이 신분증도 없고 중국말도 하지 못하자 수상히 여겨 전원 공안국으로 연행해갔다.

그 당시는 중국으로 탈북한 사람들에 대해 북한 정부에서 엄중히 처벌하던 때였다. 우선, 한국 사람을 만난 사람들은 그 동기와 이유, 상황을 불문하고 무조건 정치범으로 분류하여 정치범 수용소로 보냈다. 그 다음으로, 교회에 가서 성경 공부한 사람들에게는 하나님을 믿지 않는다고 자백할지라도 최소한 5년 이상의 중형이 선고되었다.

그런데 장 아바이와 그 학생들은 북한 정부의 관점에서 제일 엄중한 두 가지 죄를 다 범한 사람들이었다. 한국인을 만났을 뿐 아니라 성경 공부까지 했으니, 이들에게 가해질 형의 무게가 어떨지 생각조차 끔찍했다.

다음날 권능 선생으로부터 또 연락이 왔다. 장 아바이를 제외한 학생들 전원이 무사히 공안국을 빠져 나왔다는 것이다. 나는 부랴부랴 그들을 찾아가 자초지종을 들었다.

공안국으로 연행된 장 아바이 일행은 조선족 여자 공안이 통역하는 가운데 심문을 받았다. 심문을 통해 공안들은 이들이 북한에서 넘어와 성경 공부를 하는 사람들임을 알고, 사역장을 후원하는 나에 대해 캐내려고 그 부분을 집중적으로 심문했다. 학생들이 모른다고 아무리 말해도 믿지 않고, 공안들은 계속 몽둥이로 모질게 때렸다. 하지만 학생들은 정말 나에 대해 전혀 몰랐고, 서안西安에 다른 사역장이 있는지도 몰랐다.

공안들은 학생들에게서 책임자가 장만식 아바이라는 것을 알아내자, 장 아바이만 심하게 때리면서 심문을 계속했다. 60세 노인이 얼마나 아팠으랴. 하지만 그는 모질게 얻어 맞으면

▶ 수감중인 정치범들이 언 배춧잎으로 배고픔을 달래고 있다

서도 나와 우리 사역장에 대해 끝내 한마디도 하지 않았다.

저녁 시간이 되자 공안들은 이들을 공안국 앞마당 담장에 한 줄로 나란히 세워 놓고, 공안 2명을 보초로 남겨 놓고 모두 저녁을 먹으러 밖으로 나갔다. 그때, 몹시 얻어맞아 운신도 제대로 못하는 장 아바이가 형제들에게 제안했다.

"내가 저쪽 담장 쪽으로 도망치면서 여기 있는 공안 애들을 유인할 테니, 너희들은 그 사이에 저쪽 낮은 담장 쪽으로 해서 도망들 가야 한다. 알았지?"

잠시 후, 감시가 조금 소홀해진 틈을 타 장 아바이는 높은 담장 쪽으로 냅다 달려가 담을 기어오르기 시작했다. 보초를 서던 공안들이 장 아바이 쪽으로 달려갔다. 그 사이에 다른 형제들은 일시에 낮은 담장 쪽으로 달려가 담을 넘어 도망을 갔다.

결국 다시 잡힌 것은 장 아바이뿐이었고, 다른 형제들은 모두 무사히 공안국 담장을 넘어 도망칠 수 있었다. 제일 마지막으로 담장을 넘은 학생이 목격한 것은, 두 공안이 장 아바이를 붙잡아 총탁^{개머리판}으로 사정없이 내리치는 모습이었다고 한다. 이 소식을 듣고 나와 모든 선생들은 울었다.

권능 선생 사역장에서 장 아바이와 함께 공부한 선생들 모두 그를 좋아했다. 그는 아침 일찍 일어나 형제들에게 밥도 해주고, 무슨 일이 있으면 조용조용 타이르며 손잡고 기도해 주었다. 또한 겸손하기 이를 데 없어 아들뻘 되는 권능 선생에게 깍듯이 선생님이라고 존칭을 썼고, 1기 다른 선생들에게도 스승을 대하는 학생의 태도로 공손하게 대했다. 모든 사람에게 인정 많은 할아버지였으며, 힘들거나 어려운 일이 있으면 아무나 쉽게 다가가 투정부릴 수 있는 아버지 같은 분이었다.

장 아바이는 이미 북한에서 사형 선고를 받은 사람이었다. 그는 원래 북한의 한 농촌에서 당 비서를 하던 사람으로, 당 비서로 있으면서 체제의 문제점을 다른 사람보다 더 많이 알게 되었다. 많은 사람이 체제의 모순에 대해 알고 있어도 후환이 두려워 감히 입 밖에 내지 않는데, 천성적으로 남을 잘 믿는 그는 술자리에서 자기의 불편한 심기를 다 털어놓고 말았다. 그리고 고발당해 그 날로 그 직위에서 강직되었고, 생활고에 허덕이다 못해 결국 중국으로 나오게 되었다.

이렇게 중국으로 나오게 된 장 아바이는 식량도 구하지 못한 채 나오던 그 날로 중국 공안에 붙잡혀 북한으로 끌려갔다. 다행히 보위부에서는, 그가 중국으로 넘어간 지 며칠도 못되어 잡혀 온 점을 고려해 몇 달 동안 강제 노동을 시킨 후 고향으로 돌려보냈다.

하지만 그 후부터 그의 주변에는 감시원이 따라붙게 되었다. 하루는 배고 파 굶고 있는 그에게 그 감시원이 빵 몇 개를 주며, 짐짓 정부에 대해 비판 하며 그의 속내를 떠보았다. 그러자 순진한 장 아바이는 그 사람에게 중국 에서 느낀 것들을 다 말해 버렸고, 결국에는 재판도 없이 정치범으로 낙인 찍혀 정치범 수용소로 호송되었다.

악명 높은 북한 정치범 수용소는 건장한 청장년들도 3년 이상 버텨내기 어 려운, 한 번 들어가면 살아서 나오기 힘든 곳이었다. 그런 곳에 60세 노인 이 종신형을 받고 들어간다는 것은 사형 선고나 마찬가지였다. 그래서 어 차피 죽을 바에야 수용소에서 죽느니 차라리 이것이 더 낫겠다 생각하고 수용소로 끌려가는 길에 대못을 삼켜버렸다.

그는 곧 병원으로 옮겨져 수술을 받았다. 그의 옆에는 그를 호송해 가던 보 위부원들이 그의 수족을 침대에 묶은 채 24시간 감시하고 있었다. 하루는 보위부원들이 술을 먹고 취해서 곯아 떨어지자 주운 머리핀으로 가만히 수 갑을 풀었다. 그리고 보위부원들의 옷을 벗겨 바꿔 입고 권총까지 훔쳐서, 아물지도 않은 배를 끌어 쥐고 다시 중국으로 도망쳐 왔다. 이런 그가 북한 으로 잡혀 나가면 사형은 불 보듯 뻔한 일이었다. 그래서 어차피 죽을 목 숨, 자기가 맡았던 학생들을 살리고 싶었던 것이다.

장만식 아바이는 선생으로 세워진 후 두 번이나 울면서 나에게 말했다.
"어떤 때는 가만히 앉아서 생각해 보문 하나님이 너무 고맙수다. 나 같은 놈도 살려주려구 이렇게 먼 중국에까지 고생고생 오게 했으니 말이우. 그래서 나는 맨날 혼자 있을 때면 하나님 생각하면서 운다우. 아, 글쎄, 내 같은 놈이 뭐이라구 글쎄, 자기 아들을 그 고생시키고도 마지막에는 그렇게 끔찍하게 죽여 버린다우? 난 아무리 생각해 봐도 하나님이 고맙수다. 선교사님, 나 이제 더 바라는 거 없수다. 내가 이만큼 산 것도 감사한데, 이렇게 구원까지 해주셨으니, 나 이젠 죽을 때까지 북한 선교만 할 거외다."

▶ 순교자 장만식 선생의 세례

"사람이 친구를 위하여 자기 목숨을 버리면 이에서 더 큰 사랑이 없나니"요 15:13. 그는 자기 목숨을 내어놓고 학생들을 살렸다. 그리고 곧장 북한으로 호송되었다. 고향으로 가지도 못하고 금식하면서 온성 보위부 집결소에서 죽었다고 한다. 주님은 이 죽음을 '순교'로 이름하시며, 그가 흘린 피로 인해 북한 땅에 주의 날이 속히 이르게 하시리라.

이 무렵, 나는 또 하나의 아픈 소식을 들어야만 했다. 1기 사역 초기에 많은 도움을 주었던 주광호 선생의 체포 소식이었다. 그가 청도靑島 옆 일조日照에서 사역하다가 중국 공안에 체포되었을 때, 특별 호송 요원들이 북한에서 파견되어 그를 압송해 갔다고 한다. 탈북자 호송에 유례가 없던 일이었다.

광호 선생보다 앞서 광호 선생의 부인 서 자매가 북경 천안문 기도회 때 천안문 광장에서 철야 기도를 하다가 새벽녘에 중국 공안에 체포되었는데, 그녀는 북한 감옥에 들어가서도 믿음을 잃지 않았다고 한다. 감옥에서도 하루 종일 기도하는 그녀를 향해 보위부 사람들이, "당신 예수 안 믿겠다는 말만 해라. 그러면 당신 가족들의 위치와 체면을 봐서 풀어주겠다"고 했으나 그녀는 단호히 거부했다.

오히려 "나는 그럴 수 없습니다. 주님이 지금까지 나를 한 번도 부인하지 않으셨는데, 내가 어떻게 주님을 부인할 수 있습니까? 나는 주님을 사랑합니다. 선생님도 예수님을 믿어보세요. 얼마나 좋은지 믿어 보면 알 수 있어요."라고 목숨을 내걸고 보위부 사람들을 전도하며, 사형을 앞두고도 조금도 태도가 달라지지 않았다고 한다. 이 소식은 상해上海 북한 자매 사역장에서 공부하던 최 자매가, 온성 보위부 집결소에서 서 자매와 같은 방을 쓰다가 재탈북하여 나에게 알려 주었다.

또 2002년에는 우리 사역장의 3기생 출신인 이양원 선생의 아내 나○○이모현재 전남 목포에 거주함가 온성 보위부 집결소에서 서 자매와 한 달 동안 같은 방을 쓰게 되었는데, 그때 그녀가 보위부 사람들에게까지 담대히 복음 전하는 모습을 보며 '사람이라면 다 자기 목숨이 아깝고 죽는 것이 두려울 텐데, 어찌 저렇게 죽음 앞에서도 담대할 수 있을까? 하나님이 어떤 분이기에 저럴 수 있을까? 나도 석방되어 중국에 가면 믿어야겠다고 결심했었다.' 는 이야기를 울면서 들려주었다.

광호 선생과 그 부인 서 자매도 순교했을 것이라 생각된다. 두 사람이 순교하는 것을 목격한 사람이 있는 것은 아니지만 이들을 그냥 살려둘 북한 정부가 아니었다. 정확한 사실인지는 모르지만 이런 부류의 사람들을 어떤 비밀 기지에 데리고 가 생체실험용으로 사용한다는 말을 북한 사람들에게서 심심치 않게 들었다. 제발 그렇게 되지만은 않았기를 주님께 간절히 기도했다. 광호 선생과 함께 했던 시간들이 그리웠다.

떠나버린 권능 선생, 돌아온 성근 선생

"선교사님, 저 연변延邊으로 가렵니다."
하루 종일 말이 없던 권능 선생 입에서 나온 말이었다.
"뭔 소리에요?"
사역장의 수가 많아지다보니 관리하기 힘들어 푸념하는 소린 줄만 알았다. 하지만 평소의 온화하던 모습과는 달리 그는 아주 강경하게 나왔다.

"저 이제 더 이상 이 사역 못하겠슴다. 그만 돌아갈까 봄다."

순간 망치로 머리를 얻어맞은 것처럼 멍해졌다. 그는 유일하게 남은 1기생 선생으로 나의 오른팔 역할을 하며 전체 사역을 이끌어 왔다.

"권능 선생, 왜 그러세요? 갑자기 왜 그러는 거예요? 지금보다 더 힘든 상황도 함께 참아냈잖아요. 한창 사역이 커지고 있는데 왜 간다는 거예요?"

"저는 선생님이 하시는 이런 사역 방식이 납득이 안 되요! 왜 자꾸 사람을 돌려보내요? 그 사람들이 연변으로 가면 집이 있슴까? 친척이 있슴까? 어디 가라는 검까?"

그동안 광수, 윤수 형제를 비롯해 글을 읽을 줄 모르는 학생을 몇 차례 돌려보냈고, 연변延邊 쪽에서 보내주는 학생 중에서도 글을 모르면 처음부터 받지 않았던 것이다.

▶ 최광 선교사와 권능 선생

학생 모집을 나갔던 선생들이 간혹 대상 파악을 잘 못하고 글 모르는 학생을 데리고 오면, 선생들에게 가능하면 기역 니은부터 가르쳐서라도 사역장에 계속 남아 있게 하라고 했다. 그러나 믿음은 들음에서 난다고 정 안 되면 듣기라도 해서 예수님을 믿게 되면 좋지만, 정작 당사자들이 견뎌내지 못했다. 글을 잘 읽는 사람들도 하루에도 몇 번씩 뛰쳐나가고 싶어하는 사역장인데, 글 모르는 이들로서는 오죽 답답하겠는가. 내가 일부러 등 떠밀어 보내는 것이 아니라, 나도 안타깝지만 어쩔 수 없어 돌려보내는 것이다.

나는 몇 시간째 이런 사정들을 설명했다. 하지만 같은 탈북자 입장에서 못마땅하게만 생각하던 그는, 다음날 간단한 인사만 남기고 떠나버렸다.

일률적 통제 사회에서만 살아서 그런지, 북한 사람들은 자기 생각과 조금만 다르면 바로 배척해 버리는 것 같았다.

권능 선생이 떠난 후, 정말 말 그대로 팔 하나가 떨어져 나가버려 너무 힘이 들었다. 그는 이 사역에 많은 비중을 차지했었다. 여태껏 많은 선교사들이 북한 선교를 해왔지만, 그처럼 성경을 많이 공부하고 깨닫고 있을 뿐 아니라 또 풍부한 사역 경험을 쌓은 북한 선교 일꾼은 아직 나온 적이 없었다.

그는 또한 8명의 1기생들 가운데 유일하게 남은 하나의 열매였다. 내게는 너무나 소중한 한 사람이었다. 그 한 사람이 이제 더 자라고 자라 앞으로 얼마나 놀랍게 하나님 나라 확장에 쓰임 받게 될지 나도 다 모를 일이었다. 아픈 마음으로 그를 보내면서, 너무도 귀하게 준비된 권능 선생이 어디를 가든 꼭 붙드셔서 지금보다 더 크고 귀한 하나님의 사역자로 키워주시길 간절히 기도했다.

권능 선생을 잃은 상실감은 모든 것을 접고 한국으로 돌아가 버리고 싶은 마음까지도 들게 했다. 그러나 지금 여러 사역장에서 훈련 받고 있는 형제들 속에서도 그와 같은 큰 열매가 반드시 나온다고 스스로를 위로하며 가까스로 마음을 다잡았다.

권능 선생이 떠나간 후, 권위 선생 사역장을 3차로 파송시키기로 작정하고 권위 선생 사역장으로 갔다.

"매번 파송되어 갈 때마다 공안에 체포되는 선생들이 많습니다. 이번에 가는 선생들은 철저하게 조심하고 또 조심해서 체포되지 마세요. 제발 체포되지 마세요."

파송 예배를 드린 후, 주의 사항을 전달하고 1, 2차 파송 때와 마찬가지로 선생들에게 간곡하게 당부했다.

"선교사님, 일없습다. 그렇지 않아두 우린 그 문제 때문에 기도도 많이 하구 금식도 많이 했습다. 저희는 한 사람도 체포되지 않구 꼭 돌아올 수 있을 겁다. 맘 놓으십쇼."

권위 선생이 말했다. 다른 선생들도 나를 안심시키려고 한마디씩 했다.

"선교사님, 일없습다. 맘 놓으쇼. 한국 사람들은 이럴 때 이렇게 하지 않습까? 파이팅! 파이팅! 선교사님, 파이팅! 그리고 우리도 파이팅!"

익두 선생 사역장에서 온 홍만식 선생도 한마디 거들었다.

"선교사님, 주님이 있지 않습까? 주님한테 기도만 하면 다 됩. 맘 놓으쇼. 우리가 지금 하는 일이 어떤 일인데 주님이 도와주시지 않겠습까? 우린 꼭 돌아옵니다 선교사님."

권위 선생 사역장 선생들도 긴장과 흥분을 안고 파송되었다. 홍만식, 김누가, 강규홍 세 선생을 권위 선생에게 책임지워 떠나보냈다.

권위 선생을 연변延邊으로 보내면서, 익두 선생을 만나 서안西安으로 보내라고 부탁했다. 익두 선생이 내려오면 그에게도 몇 개의 사역장을 맡겨 그도 권능 선생 못지않은 큰 사역자로 키우고 싶었다. 하지만 그는 서안으로 오지도 않았고 나에게 연락도 하지 않았다.

한 사람 한 사람, 곁에서 사라지는 선생들로 인해 가슴이 아팠다. 그 고통은 천천히, 그렇지만 계속 마음속 깊이 파고 들어 나를 아프게 했다.

권위 선생 사역장 선생들을 파송하고 며칠이 지났을 때였다. 사역장의 여러 일을 처리하고 밤늦게 집에 돌아와 화장실에서 일을 보는데, 갑자기 무언가 불에 타는 냄새가 났다. 깜짝 놀라 휴지통을 들여다보았으나 아무 이상이 없었다. 불을 사용하지 않는 화장실에서 타는 냄새가 날 일이 없다는 것을 깨닫는 순간, 내 시선은 변기 속에 고정되었다. 지금 막 내 몸 속에서 나온 대변이 불에 탄 것처럼 새카맣고, 코를 틀어막아야 할 정도로 탄 냄새가 심했다. '스승이 싼 똥은 개도 안 먹는다.' 는 속담은 익히 알고 있었지만, 정말로 까만 숯덩이처럼 타서 나온 대변을 보기는 처음이었다.

권능 선생이 떠나고 사역장을 돌보는 많은 일들을 혼자 감당하자니 24시간도 부족할 지경이었다. 사역장마다 열에 여덟아홉은 병자여서 그들을 데리고 병원에 가거나 약을 사주거나 같이 기도해 주는 일만으로도 하루가 지나갔다. 그리고 여러 사역장을 다니며 사역비와 옷가지들을 공급하는 일, 술 담배로 인해 생기는 문제들이나 학생들끼리의 싸움, 학생들이 사역장을 뛰쳐나가거나 공안이 덮치거나 하는 여러 사건들 뒷수습, 사역장을 떠나는 학생을 잘 다독거려 보내는 일, 학생들을 보충하는 일, 새로 온 학생들을 역에서 맞아 사역장에 들어갈 때까지 안전하게 데리고 있는 일, 성경책을 비롯해 필요한 여러 서적과 부서지고 고장난 여러 물품을 공급하는 일 등등 해도 해도 일은 산더미처럼 쌓여만 갔다.

내 몸은 이때 누적된 스트레스로 인해 등과 목, 머리에 심각한 마비가 왔다. 손톱과 발톱은 푹푹 꺼지면서 가운데가 갈라져 웅덩이가 생기고, 어떤 땐 입을 다물고 있어도 침이 주르르 흘러 내리기도 했다.

사역비 때문에 간간이 한국에 들어올 때마다, 한의원에 들러 진찰을 받으면 의사 선생님이 내 뒷목에 침을 수백 개는 놓았다. 그러나 그 많은 침이 어깨에 깊숙이 들어가도 아무런 통증이 느껴지지 않았다. 침을 맞은 후 부항을 뜨고 10~15분쯤 피를 뽑아내면, 약 5ml 정도의 피가 두부처럼 엉겨서 나왔다. 의사 선생님은 엉긴 피를 뜯어내면서 "절대적으로 휴식이 필요합니다", "침몰 직전입니다", "숨은 쉬고 있지만 죽은 사람이나 마찬가지입니다."라는 말을 했다. 내 몸은 망가졌다. 하지만 나는 그러한 몸 상태로도 사역을 계속 진행할 수밖에 없었다.

사도 바울이 수많은 고난을 당한 후에 "이 외의 일은 고사하고 오히려 날마다 내 속에 눌리는 일이 있으니 곧 모든 교회를 위하여 염려하는 것이라"고후 11:28고 한 말씀과 "내가 이제 너희를 위하여 받는 괴로움을 기뻐하고 그리스도의 남은 고난을 그의 몸 된 교회를 위하여 내 육체에 채우노라"골 1:24는 말씀을 새겨보았다. 내가 이렇게 힘들고 지치고 아파도, 구원의 하나님께서 내가 겪는 이 고통을 통해 북한 사람들을 지금 구원의 자리로 인도해 가신다.

그리고 그때마다 하나님께서 길거리에서 중풍병자를 보게 하심으로 '내가 지금 그래도 저 사람보다는 낫지 않은가?' 생각하며 다시 일어설 수 있게 해주셨다. 설령 회복시켜 주시지 않는다 해도 좋았다. 빨리 천국에 갈 수 있다면 그것은 오히려 더 할렐루야 하며 감사할 일이니까….

이런 중에 말없이 어디론가 떠났던 성근 선생이 돌아왔다. 힘들던 나날 속에, 돌아온 성근 선생 때문인지 조금이나마 마음이 개운해졌다. 결국 선교사는 사람 때문에 울고, 또 사람 때문에 웃는다. 성근 선생은 나를 만나자마자 웃으면서 말했다.

"선교사님, 그냥 공부만 하게 해주십쇼. 저 같은 놈은 사역 같은 거 못함다."

완전히 각설이 행색이었다. 그를 정 선생 사역장에 학생으로 보내며 은혜를 회복하고 마음을 새롭게 할 수 있기를 바랐다.

하나님, 술 좀 마시게 해주세요

오랜만에 순교 선생 사역장에 들렀다. 형제들도 오랜만에 찾아온 나를 매우 반갑게 맞아주었다.

"우와! 선교사님 오셨다. 선교사님, 안녕하십니까? 보고 싶었슴다. 근데 왜 이렇게 몸이 졸아들었슴까?"

"선교사님, 선교사님 잘 오셨슴다. 오신 김에 맛있는 것 좀 사주시오. 깍쟁이 순교 선생은 사역비가 아깝다구 잘 안 사줌다! 근데 왜 몸이 이케 말린 시래기처럼 됐슴까?"

학생들은 밝은 모습으로 떠들어대며 나를 반겼다. 사람들마다 인사하는 방식은 달라도 하나같이 몸이 많이 축이 난 나를 걱정해 주었다.

"선교사님, 거 선교사님 속 태우는 새끼들 우리한테 좀 알려 주쇼. 우리가 가서 몽땅 허리때기를 끊어놓겠슴다. 누굼까? 어떤 개 같은 새끼들이 선교사님을 이렇게 힘들게 함까? 말만 하쇼. 우리가 당장 가서 그저…"

소광 형제가 주먹을 쳐들며 떠들어대는 것을 다른 형제들이 이어받았다.

"예! 옳소! 소광 형제 말이 옳소! 선교사님, 말만 하시오."

'주님 감사합니다. 잔인하기 이를 데 없던 이 사람들이 이제는 사랑을 알게 해 주시니 감사합니다.'

"선교사님, 식사합시다. 별루 좋은 건 못했지만 그래도 같이 합시다."

조용히 앉아 주님께 기도하는 나를 학생들이 식당으로 이끌었다. 식당에 가보니 상에 차려진 건 밥과 국뿐이다. 그런데 국이 우린 지 일주일도 더 되었는지 뿌연 색은 없고 냄새만 간신히 나는 소뼈 국물이었다. 순교 선생은 역시 권능 선생 제자라는 생각이 들었다. 권능 선생은 사역장에 돈이 떨어지면 소뼈를 며칠씩 우려서 밥과 함께 먹곤 했었는데, 순교 선생이 그것을 그대로 배워 다시 써먹고 있었다.

학생이 늘어나자 사역장마다 매달 공급할 수 있는 생활비는 언제나 최저 생계비 정도였다. 조금이라도 사역비 관리를 잘못하거나 다른 일이 생기면 다음 사역비가 공급되기 전까지 이렇게 소뼈 우린 물만 먹어야 했다. 그래도 형제들은 조금도 원망하지 않고, 어려운 환경 속에서 감사하는 법을 배워가고 있었다.

식사 기도 당번인 철남 형제가 대표 기도를 하였다. 그 사람의 기도 내용에 그의 영적 상태가 표현되기에, 사역장을 돌아볼 때 나는 학생들의 기도 내용에 관심이 많았다.

"하나님, 사역장의 일과가 너무 힘듭니다. 어떻게 좀 쉽게쉽게 하면 안 됨까? 제일 힘든 건 술도 못 마시게 하고, 담배도 못 피게 하는 겁다. 하나님, 하나님은 왜 글케 우리가 좋아하는 건 몽땅 나빠하심까? 우리한테 술 좀 먹게 하문 하나님이 죽어 뿌립니까? 공부 잘하고 선생님 말 잘 들을 테니 술 좀 먹게 해주십쇼. 그리구 담배도 조금씩만 피우게 해주십쇼. 하나님, 제발 부탁임다."

사역장에 온 지 두 달 된 그의 기도였다. 그 기도에 오랜만에 배꼽을 잡고 웃어보았다.

"철남 형제, 아직도 술이 마시고 싶어요?"

철남 형제에게 물었지만 대답은 다른 형제들이 했다.

"선교사님, 저거 철남 형제 주기도문임다."

"그럼 아직도 이 사역장에서는 술을 마셔요?"

나는 일부러 정색을 하며 다시 물었다.

"선교사님, 무슨 말을 그렇게 함까? 우리가 그렇게 보임까? 우리 인젠 술 안 마심다. 정말임다 선교사님. 우리 이제 술 마시면 사람 아이구마!"

봉희 형제가 펄펄 뛰며 내 말에 대꾸했다. 그 말을 들으며 오랜만에 전체 사역장에 특식을 줘야겠다고 생각했다.

"한 사역장에 개 한 마리씩 나눠줄게요. 모두 개고기 좋아하세요?"

순간 우와 하는 함성이 터졌다. 그 중에서도 순교 선생이 제일 기뻐하며 펄쩍펄쩍 뛰었다. 학생들을 잘 먹이고 싶은 마음은 선생이 누구보다 컸다.

"우와! 선교사님, 진짭니까? 그럼 잘됐슴다. 우리 저 철남 형제가 바로 개 잡는 선수 아님까? 철남 형젠 여기 오기 전에 심양沈陽 조선족 식당에서 개 만 잡다가 왔지 않고 뭠까? 우리 철남 형제한테만 맡기십쇼!"

그날 중으로 순교 선생 사역장 형제들을 시켜 개 10마리를 사오게 했다. 개 10마리에 중국 돈 3,000元, 우리 돈으로 하면 50만 원 가량이었다.

순교 선생 말대로 철남 형제는 정말 개를 잘 잡았다. 개 10마리를 잡아서 털을 뽑고 내장을 가려내고 사람이 먹을 수 있게 정리하는 데 한나절이 조금 더 걸렸을 뿐이다. 순교 선생 사역장을 떠나며 철남 형제에게 물었다.

"철남 형제, 이거면 술 안 마셔도 되죠?"

"아, 예! 선교사님. 이 개고기면 술 안 마셔도 됨다. 잘 먹겠슴다!"

그는 신이 나서 대답했다. 나는 이런 북한 사람들이 좋다.

두 주가 지나자 3차로 파송시킨 권위 선생 사역장 선생들이 돌아오기 시작했다. 권위 선생은 돌아오면서, 2차로 파송되었던 김예진 선생과 함께 왔다. 북한에 체포되어 갔던 예진 선생이 다시 돌아온다고 하니 날아갈 것만 같았다.

이때에야 비로소 "너희 생각에는 어떻겠느뇨 만일 어떤 사람이 양 일백 마리가 있는데 그 중에 하나가 길을 잃었으면 그 아흔아홉 마리를 산에 두고 가서 길 잃은 양을 찾지 않겠느냐 진실로 너희에게 이르노니 만일 찾으면 길을 잃지 아니한 아흔아홉 마리보다 이것을 더 기뻐하리라"마 18:12-13고 하셨던 주님의 마음을 진정으로 알 수 있었다.

권위 선생 팀은 올라갈 때의 장담처럼 한 선생도 체포되지 않고 무사히 돌아왔다. 예진 선생이 돌아온 것도 말할 수 없이 기뻤지만, 권위 선생 팀이 학생들을 모집해 무사히 돌아오니 너무너무 기뻤다. 파송해서 이번처럼 한 사람도 체포되지 않은 경우는 처음이었다.

홍만식 선생은 김철수 형제, 이선장 형제 등 7명의 형제들을 모집해 서안西安에 사역장을 세우고 사역에 들어갔다. 강규홍 선생과 김누가 선생도 각각 김광오 형제 등 8명, 박광일, 조선족 김순종 형제 등 10명의 형제들을 모집해서 서안에 사역장을 세웠다. 그리고 권위 선생이 모집해온 장용국 형제, 조선족 최대중 아바이 등 7명은 예진 선생에게 인계해 주어 사역을 시작하게 했다.

이 중에서 최대중 아바이는 권능 선생 밑에서 훈련 받은 빌립 선생의 아버지이자, 1, 2기에 많은 북한 형제들을 우리 사역장으로 안내한 삼도구三道溝 아주마이의 조카였다. 그는 아들 빌립 선생이 학생으로 갔다가 공부를 마치고 돌아왔을 때, 그의 해박한 성경 지식과 늠름해진 모습을 보고 너무 기뻐서 말했다.

"야, 야, 나두 거기 가서 공부하문 안 되겠니?"

"아? 아부지 같은 알코올 중독자는 안 받아 줍다. 생각 마쇼."

빌립 선생이 대꾸하자 최 아바이가 발끈했다.

"야 임마야, 누가 니하구 술 먹자니? 마! 난 술 먹어두 니 선생하구 먹지, 니까 안 먹는다! 니 선생하구 가끔 한 잔씩 하는 그것두 못 먹게 하겠니?"

최 아바이는 권위 선생에게 졸라 가까스로 따라왔다.

권위 선생이 돌아온 후, 나는 전체 사역장의 관리 구도를 다시 잡아나갔다. 권능 선생이 떠난 후 내가 관리해오던 순교 선생, 정 선생, 석환 선생, 용섭 선생, 빌립 선생 사역장은 계속 내가 관리하고, 나머지 새롭게 세워지는 만식 선생, 규홍 선생, 누가 선생, 예진 선생 사역장은 권위 선생이 맡아 관리하게 했다. 전체 사역장의 인원이 가정 사역장까지 포함하여 이제는 130명 가량 되는 어마어마한 식솔이었다.

2년 전 사역을 시작하면서 "1기생이 8명만 북한 선교사로 세워 주신다면 나를 천국으로 오라 하셔도 좋습니다."라고 고백하던 때가 엊그제 같은데, 지금은 2기생이 선생으로 세워져 다시 3기생 130명이라니… 이들 중 절반 이상이 중도에 포기한다 하더라도 최소한 50명은 선생으로 세워질 것이고, 한 선생 당 10명씩 학생들을 모집할 경우 다음 기수에는 500명의 학생이 모집될 것이다. 이대로 3, 4년만 계속 간다면, 북한 땅이 열렸을 때 세워질 수많은 교회에서 사역할 수 있는 일꾼들을 5,000명은 양육해 낼 수 있으리라는 생각이 들었다. 나는 다시 하나님 앞에 "하나님, 이들을 북한 선교사들로 세우는 일에 다시 제 생명을 쏟아 붓겠습니다."라고 고백하며, 하나님께서 하신다면 가능하다고 확신하며 북한 출신 북한 선교사 5,000명을 양육한다는 비전을 가지고 새롭게 기도하기 시작했다.

고된 훈련들

사역장의 훈련은 참으로 고되었다. 하루 8시간을 시시각각 몰려드는 졸음과 싸워가며 한 자리에 꼼짝 않고 앉아 성경을 읽기란 여간 힘들지 않았다. 통독을 해본 사람들은 하나같이 이것이 중노동 중의 중노동이라고 한다. 처음에는 녹음기에서 나오는 소리에 맞춰 글줄을 놓치지 않고 따라가기도 힘이 들지만, 차츰 습관이 되면 그 빠른 속도에도 구절들의 의미를 충분히 새겨보며 읽을 수 있게 된다. 이러한 통독 속에는 내가 생각지 못했던 놀라운 힘이 있었다. 이 통독의 힘을 발견한 것은 1기생들을 공부시키고 나서였다.

처음 1기생 북한 형제들을 맡았을 때, 성경과 하나님에 대해 아무런 기초

지식도 없는 그들을 어떻게 단기간에 예수를 믿게 할 뿐 아니라, 하나님의 말씀을 증거하는 제자로 양육시킬 수 있을지 많은 고민을 했다.

여러 방법이 있었다. 창세기부터 요한계시록까지 차근차근 설명해 주는 방법, 성경의 중요 부분부터 설명해 가며 기독교의 기본 교리들을 가르치는 방법, 이해하기 힘든 성경 말씀보다 성경을 쉽게 풀어놓은 서적들을 집중적으로 공부시키는 방법 등등.

하지만 이런 방법들로는 성경 전체 내용을 파악시키기에는 한계가 있었고, 또 시간도 너무 많이 걸렸다. 이들은 또 다른 북한 사람에게 말씀을 전할 사역자가 될 사람들이므로 반드시 말씀에 대한 깊은 이해가 있어야만 했다. 그래서 선택한 방법이 성경 통독이었다.

처음에는 많은 분들이 이 방법에 대해 의문을 제기하였다. 나도 처음에는 이것이 최고라는 확신이 없었고, 언제든 더 좋은 방법이 있다면 그것을 택하리라 생각했었다. 하지만 기도하며 이들과 함께 성경을 통독해 나가는 가운데, 이 방법이 가장 효과적이며 북한 사람에게는 이 방법밖에 없다는 확신을 갖게 되었다.

고집스럽게 100독까지 이끌어보니, 이들을 사로잡았던 주체사상이 빠져나가며 하나님이 참 신이신 것을 깨닫는 것이었다. 그리고 하나님의 말씀인 성경에서 말하는 모든 것이 진리임을 확고하게 믿어갔다.

성경 100독, 말씀 200~500 구절까지 암송한 북한 형제들의 모습은, 비록 신앙 연수가 짧아 신앙을 생활에 구체적으로 적용하는 면은 미숙했지만, 성경 지식 면에서는 한국의 어느 신학대학 학생들과 비교해도 떨어지지 않았다. 이들은 주석서 없이도 관주를 찾아가며 성경으로 성경을 해석하여 설교하였고, 또 복음의 정수精髓인 십자가의 도를 제대로 전할 줄 알았다. 이 모든 것을 이루기까지 대략 1년의 시간이 걸렸다.

기적이었다. 하나님의 말씀의 기적이었고, 성령께서 살아 역사하신다는 분명한 증거였다.

하지만 이 모든 것이 이뤄지기 위해서는 선생과 학생의 피나는 노력이 있어야 했다. 아침 6시에 일어나 쉴 틈도 없이 하루 8시간 통독과 아침, 오후 또는 아침, 저녁 두 번의 기도, 그리고 말씀 암송과 과제 수행을 1년간 꼬박 해야만 했다.

용섭 선생 사역장에 갔을 때였다. 마침 점심 시간이라 용섭 선생과 학생들은 점심을 먹고 있었다. 윤철 형제가 나를 보자마자 대뜸 말했다.

"선교사님, 선교사님, 저 큰일 났습니다!"

"왜 그러세요?"

"어제부터 오줌을 싸는데 오줌 색이 빨갛지 않습까? 그래서 내가 오줌 싸다 졸아서 잘못 봤다구 생각했습니다. 근데 그 다음날도 또 오줌 색깔이 새빨개서 찬찬히 보니까 피가 섞여 나오는 거 있지 않습까?"

그의 말을 듣던 용섭 선생과 나는 껄껄 웃었다. 학생 때 누구나 한두 번씩 겪는 일이었다.

"이제 한두 달 정도 더 피오줌 싸면 윤철 형제 훌륭한 선교사 될 거예요."

이렇게 말하자 용섭 선생도 한마디 보탰다.

"그거 다 선교사가 돼가는 과정이니까 걱정마라."

윤철 형제는 우리가 하는 말이 무슨 뜻인지 몰라 놀란 눈으로 용섭 선생과 나를 번갈아 쳐다보았다. 내가 다시 설명해 주었다.

"윤철 형제, 요즘 많이 힘들죠?"

"아이쿠 선교사님, 그거 말이라고 함까? 이거 진짜 말이 나왔으니 말이지, 우릴 데려다 놓구 살리자구 하는 건지, 피를 짜서 죽이자구 하는 짓인지 어떤 때는 진짜 삭갈려 죽겠습다."

"좀 힘들어서 그러는 거니까 걱정 마세요. 선생님들 보고 물어 보세요. 여기 있는 선생님들도 학생 때 다 한두 번씩 피오줌을 싸보고 선생이 된 거니까 너무 걱정 마세요."

그러자 옆에서 내가 하는 말을 듣고 있던 신수재 형제가 말했다.

"나는 아직 피오줌이 안 나오는데 그것두 걱정이네. 내 몸이 튼튼한 건지,

공부를 잘 안 해서 그런 건지 잘 모르겠다야."

또한 형제들 대부분 처음 사역장에 와서 훈련을 받기 시작하면 이상한 행동을 많이 했다. 홍만식 선생 사역장에서 이런 일 때문에 대소동이 일어나, 하마터면 사역장 전원이 체포될 뻔했다.

오전 통독 시간이었다. 심양沈陽에서 온 이상수 형제가 슬그머니 일어나 통독실을 나갔다. 만식 선생은 그가 화장실에 가거니 생각하고 신경을 쓰지 않았지만, 한참이 지나도 들어오지 않자 이상해서 화장실에 가보았다. 하지만 화장실에는 아무도 없었다. 현관문은 자물쇠로 항상 잠가 놓고 열쇠는 선생인 자신이 가지고 있었기 때문에 집 밖으로는 나갈 수 없었다. 침실로 가 봐도 역시 없고, 사역장 구석구석 돌아보아도 상수 형제는 어디에도 보이지 않았다. 이상한 생각이 든 만식 선생은 놀라서 소리를 질렀다.

"상수 형제! 어디 있소?"

이때였다. 갑자기 부엌 베란다 쪽에서 사람들이 뭐라고 외쳐대는 소리가 들려왔다. 웬일인가 싶어 부엌으로 가서 베란다 아래를 내려다보다가 그는 기절하는 줄 알았다. 베란다 밖으로 가느다란 빨랫줄이 늘어져 있고, 그 빨랫줄에 상수 형제가 대롱대롱 매달려 있는 것이 아닌가? 그리고 4층쯤에 매달려 있는 상수 형제를 가리키며 사람들이 꽥꽥 고함을 지르고 있었다.

아래에 서서 올려다 보는 중국 사람들은 상수 형제를 물건을 훔쳐서 내려오는 도둑으로 본 것이다. 누가 봐도 도둑놈이 도망치는 걸로 보이는 상황이었다. 그 상황에서 만식 선생 얼굴이 베란다에 나타나자, 그도 같은 도둑놈으로 생각하고 "도둑놈 잡아라! 도둑놈 잡아라!" 하고 고함치기 시작했다.

밑에 있는 사람들이 "경찰! 경찰!" 하고 소리지르며 공안을 찾자, 형제들은 놀라서 상수 형제를 끌어 올리려 빨랫줄을 잡아당기기 시작했다. 그러나 가느다란 빨랫줄을 무리하게 잡아당겼다가는 상수 형제의 몸무게를 이기지 못하고 끊어질 것이 뻔했다.

사태는 급박해지기 시작했다. 만식 선생은 다급히 소리쳤다.

"모두 바깥으로 나가 도망쳐라. 빨리!"

모두 와르르 뛰어나가 뒤쪽으로 나 있는 현관문으로 뿔뿔이 흩어졌다. 공중에 매달려 있던 상수 형제는 올라갈 수도 없고, 힘이 다 빠져 더 이상 매달려 있을 수도 없었다. 그래서 비장한 각오를 하고 빨랫줄을 주르르 타고 내려가 바닥에 쿵하고 떨어져버렸다. 그는 자기를 에워싸고 마구 때리는 사람들 틈을 비집고 나와 걸음아 나 살려라 하고 도망을 쳤다.

결국 만식 선생과 학생들은 이 사건을 겪고 그 사역장으로 다시 들어가지 못했다. 공안들이 와서 사역장을 수색하고는 사역장 안에 있던 성경책들 때문에 이들을 찾아 나섰기 때문이다. 만식 선생 사역장은 상수 형제 문제로 5개월치 집세를 날리고, 각자의 소지품과 살림 도구들을 몽땅 잃어버리고 졸지에 거리로 나 앉게 되었다. 이 소식을 듣고 내가 급히 찾아가자 상수 형제는 미안해 어쩔 줄을 몰라 했다.

"선교사님, 선교사님 죽을 죄를 지었슴다. 이거 어떡하면 좋습까? 나 때문에 사역장이 글쎄, 몽땅 잃어버리구 쫓겨나구, 정말 죽을 죄를 지었슴다."

"아니, 무슨 생각에 빨랫줄을 탔어요?"

그러자 옆에 있던 다른 형제들이 성난 목소리로 말했다.

"담배 피우구 싶어서 그랬지 아임까? 밖에 나가 담배꽁초는 주워와야겠는데 문은 잠겼으니 그런 겁다 선교사님. 에이, 저거 나이나 어리면 콱 두들겨 패기라도 하지. 에잉 씨!"

"선교사님, 저거 콱 돌려보내쇼!"

그러나 나는 그를 돌려보내지 않았다. 그리고 만식 선생에게는 사역비를 주어 다시 집을 잡아 사역을 이끌어 나가게 했다.

만식 선생은 상수 형제 일 이후에도 학생들이 끊임없이 일으키는 크고 작은 문제들에 지쳐 중도에 포기했다.

"선교사님, 저는 아무래두 안 될 것 같습다. 아무리 해도 사역장에 맨날 일만 터지구, 학생들은 변화될 기미가 조금두 보이지 않습다. 저, 자신 없습다."

나는 그를 예진 선생 사역장으로 보내 다시 훈련하면서 준비하게 했다.

하나님! 우리 하나님!

가끔 우리 사역장에 한국에서 목사님들이 오셔서 형제들과 한 달 혹은 몇 달씩 함께 지내며 성경을 통독하다 돌아가는 일이 있다. 그런데 그때마다 한결같이 놀라워하는 점이 있는데, 사역장을 책임지고 이끌어 가는 선생들에 대해서였다.

선생들의 학력은 몇몇 전문대를 나온 선생과 대학을 졸업한 선생을 제외하고는, 우리나라의 고등학교 졸업에 해당하는 고등중학교 졸업이 대부분이었다. 그런데 이 선생들이 성경을 공부한 지 1년쯤 되면, 성경 말씀을 살아 있는 하나님의 말씀으로 너무나 잘 전했다. 비록 이들의 설교가 정식 신학대학을 졸업하고 훈련받은 사람들처럼 세련되지는 못했지만, 그 속에는 살아 꿈틀거리는 말씀의 생명력이 있었다.

성근 선생 사역장에서 있었던 일이다. 성근 선생은 홍만식 선생이 포기한 사역장을 맡아 사역하고 있었다.

그가 수요일 저녁 예배 설교 준비를 막 끝내고 기도하고 있을 때였다. 갑자기 학생들의 방에서 무엇이 부서지는 요란한 소리와 함께 고함 소리가 터져 나왔다. 놀란 그가 급히 학생들 방으로 가니, 학생들이 두 패로 갈라져 마구 주먹질을 해대며 싸우고 있었다.

"뭣들 하는 거예요!"

소리는 질렀지만 워낙 격렬해진 싸움이라 웬만해선 멈추기 힘들 것 같았다. 그가 들어오자 학생들은 약속이나 한듯 와르르 쏟아져 나갔다. 이제 30분 후면 수요 저녁 예배 시간인데 성근 선생은 속이 타들어갔다.

'주님, 당장 예배 시간입니다. 그런데 저들은 지금 밖에서 싸우고 있습니다. 도와주세요. 예배를 드릴 수 있게 제발 도와주세요 주님.'

그날따라 그가 준비한 설교 본문은 마태복음 8장 23절부터 27절까지의 말씀이었다. 제자들이 배를 타고 가다가 풍랑을 만나 고생하다 곤히 주무시고 계시는 예수님을 깨우니, 예수님께서 "어찌하여 무서워하느냐 믿음이 적은 자들아" 하고 꾸짖는 그는 이것을 생각하며 다시 기도했다.

'주님, 파도가 일고 있습니다. 하지만 전 아무 것두 할 수 없습니다. 일어나 저들을 달래주십시오. 당장 예배를 드려야 함다. 주님 제발 도와주십시오.'

그러자 뛰쳐나갔던 학생들이 예배 시작 5분을 앞두고 우르르 사역장으로 몰려 들어왔다. 하나같이 표정들이 엉망진창이었다. 얻어맞은 사람들은 말할 것도 없고, 때린 사람들도 아직 분이 풀리지 않았는지 표정이 험악하기 그지없었다. 한동안 말이 없던 성근 선생이 조용조용 얘기를 시작했다.

"여기 있는 북한 사람들 중에 상처 없는 사람이 없습다. 하나같이 북한에서 늙으신 어머니를 굶겨 죽이구, 자식을 굶겨 죽이구, 아내를 잃구, 먹을 것을 찾아 중국 땅으로 도망쳐들 왔습다. 나라를 잘못 만난 탓에 억울하게 말임다. 하지만 중국 땅에 와서 우리 북한 사람들은 다시 배고픔과 함께 체포돼 가야 할 위험 속에서 쫓기고 얻어맞고 팔려 다니고 하면서 살았습다. 사람이 아니라 짐승처럼 살았습다."

학생들은 잠자코 듣기만 했다.

"그러다가 우리 북한 사람들은 도망을 치다가 여기 중국의 깊은 곳까지 내려 왔습다. 여기 있는 사람들은 모두가 자기들이 세상에서 제일 상처가 많고 슬픔이 많다고만 생각함. 하지만 우리의 이 상처와 아픔들과는 비교도 되지 않게 큰 아픔과 슬픔을 가진 사람이 있습다. 나는 아직두 그 사람이 얼마나 아팠는지, 그리구 또 얼마나 슬펐는지 상상이 안 감다."

갑자기 눈물이 났다. 왜 눈물이 나는지 그 자신도 알 수가 없었지만 눈물을 흘리면서 말을 계속했다.

"성경에서는 그 사람의 이름을 예수라고 함다. 그 사람은 우리처럼 늘 배가 고팠고, 늘 잘 곳이 없고, 거처할 곳이 없어 고생하던 사람이었슴다. 그리구 당시의 종교 지도자들인 대제사장들과 바리새인들에게 늘 쫓겨 다녔슴다. 그러다가 끝내는 그 사람들에게 잡혀 발가벗겨지구, 십자가에 짐승처럼 못 박혀졌구 매달려졌슴다. 그리구 평소에 그렇게 사랑하던 사람들로부터 비난을 받았고, 저주를 받았고, 침 뱉음을 당했슴다."

학생들이 숙연해지기 시작했다.

"나는 처음 중국에 왔을 때, 세상에서 내가 가장 슬프고 억울한 사람이라구 생각했슴다. 하지만 예수라는 사람이 왜 그렇게 처참하게 죽어갔는지를 알고 나서부터 생각이 달라졌슴다. 그 사람은 충분히 이 모든 것에서 피해 갈 수 있었던 사람이었슴다. 하지만 오직 우리를 사랑해서 우리한테 생명을 주고 싶어서 자진해서 그렇게 고통을 당했다고 함다."

그는 감정이 북받쳐 올라와 잠시 말을 끊고 마음을 가다듬었다.

"우리가 지금 배우는 게 누굼까? 바로 이 예수라는 사람 아님까? 지금 우리가 솔직히 연변延邊 땅에서 헤매고 다닐 때보다 더 편함까? 아님다. 얼마나 고통스럽슴까? 모두가 자기 몸처럼 좋아하던 술도 담배도 갑자기 끊어야 하구, 훈련은 고되구, 솔직히 연변 땅에서 머슴으로 살아갈 때가 더 편하면 편했지, 여기가 더 편함까? 근데 우리가 왜서 이 고생하면서 공부하고 훈련받고 하는 검까? 생각들 좀 해 보시오! 근데 서로 좀 화가 났다고 치고 박고 미워하구, 차라리 이럴 거면 공부해서 뭐 함까? 다들 집에 돌아가든지, 아니면 돈 많은 집들을 찾아가서 머슴질이나 하든지 할 거지 왜 이 고생들을 함까? 여기가 연변보다 더 안전함까? 여기가 연변보다 더 편안함까?"

모두들 침울한 얼굴로 자기 앞만 뚫어져라 쳐다보고 있었다. 성근 선생도 입을 꾹 다물고 말았다. 한동안 무거운 침묵만이 사역장을 무겁게 짓눌렀다. 이윽고 그는 다시 입을 열었다.

"우리 용서해 봅시다. 용서하구 싶어서가 아니라, 우리가 지금 배우고 있는 그분을 위해서 용서해 봅시다. 우리가 맨날 눈만 뜨면 배우는 게 그분인데, 이런 용서 하나 못하면 우리가 이런 공부해서 뭐 함까? 용서하기 힘들면 그분한테 한번 기도해 봅시다. 용서할 수 있게 해달라구 말임다. 서로 미워하는 이 악한 영에게서 놓임 받게 해달라구 말임다. 이거이 분명 그분의 뜻이라면 힘을 주실 검다."

그리고 그는 아무 말 없이 양 옆에 있는 형제들의 손을 꼭 잡았다. 손을 잡힌 사람도 다시 자기 옆에 있는 형제의 손을 잡았다. 이렇게 모두가 서로의 손을 잡고 큰 원을 이루어 나지막한 소리로 다같이 기도를 시작했다.
"주님… 주님… 하나님… 하나님…."
성근 선생이 찬송 185장을 부르기 시작했다.

"내 너를 위하여 몸 버려 피 흘려
네 죄를 속하여 살 길을 주었다
너 위해 몸을 주건만 날 무엇 주느냐
너 위해 몸을 주건만 날 무엇 주느냐."

성근 선생부터 부르기 시작한 찬송은 이어 형제들의 합창이 되어갔다. 찬송을 부르던 그는 학생들을 둘러보다가 깜짝 놀라고 말았다. 방금 전까지 서로 미워하며 때려 죽이고 싶어했던 형제들이 너나 없이 눈물을 흘리며 용서를 구하는 기도를 하는 것이 아닌가! 찬송이 끝나고 기도가 끝나자 서로서로 악수를 청하며 용서를 구했다.
"어이, 소명 형제 미안하오. 내가 잘못했소."

"아니, 됐소! 내가 더 미안하오. 내가 잘못했소. 이욱 형제!"

"바울 형제, 잘못했소."

"용권 형제, 내가 미안하오. 잘못했소!"

서로 용서를 구하고 서로 용서해 주고 있었다. 이런 상황이 펼쳐질 줄은 상상도 못했다.

그 순간 그는 또 하나의 이상한 것을 발견했다. 그것은 눈에 보이지는 않지만 그 존재가 분명히 느껴지는 너무나 강력한 하나의 기운이었다. 방금 전까지 사역장에 가득했던 서로 미워하던 악한 기운은 온 데 간 데 없이 사라지고, 대신 온화하고 부드러운 기운이 사역장 안에 가득 흐르고 있었다. 그 기운은 이 사람 저 사람 사이로 돌아다니며 마음을 감동시켜 서로 용서할 수 있게 해주고 있었다.

'아! 주님이시다. 그분이시다. 바로 그분이시다. 성경에서 이야기해 주는 바로 십자가에 매달렸다던 그분이시다. 주님… 주님….'

성경은 그분을 영이시라고, 그래서 우리 같은 형체가 없다고 말씀하고 있지만, 그분은 우리가 분명히 의식할 수 있는 분이다. 또 성경은 말한다.

"나의 계명을 가지고 지키는 자라야 나를 사랑하는 자니 나를 사랑하는 자는 내 아버지께 사랑을 받을 것이요 나도 그를 사랑하여 그에게 나를 나타내리라" 요 14:21.

그분을 사랑하여 그 말씀대로 행하는 사람에게는 그분도 그를 사랑하여 그분 자신을 보여주시겠다고 그분이 오셨다. 주님이 지금 우리 사역장에 오셨다. 할렐루야! 하나님! 우리 하나님!

성근 선생은 서로 용서하고 화해하고 웃으면서 방으로 돌아가는 형제들을 그저 멍하니 바라보았다. 그분이 계시는 이 사역장 공간이 바로 그분의 나라 천국이라는 것을 느끼면서, 마음속에 말로 형용할 수 없는 기쁨이 솟아 올랐다.

북한 선교 앞이 훤히 보입다!

예수님은 하나님의 위대하고 큰 비밀이었던 천국의 복음을 전달할 첫 사람들로서 교육을 많이 받지 못한 어부들을 택하셨다. 하나님의 복음은 사람의 지혜와 능력과는 상관이 없다. 제자들은 예수님과 3년간 같이 생활하면서도 예수님이 하신 말씀을 깨닫지 못했다. 그들이 하나님의 모든 말씀을 완전히 깨닫게 된 것은 성령님이 오셨을 때였다. 예수님께서 "보혜사 곧 아버지께서 내 이름으로 보내실 성령 그가 너희에게 모든 것을 가르치고 내가 너희에게 말한 모든 것을 생각나게 하시리라"요 14:26고 말씀하셨던 것처럼 예수님은 말씀을 전해 주셨고, 그 말씀에 대한 깨달음은 성령님께서 주셨다.

우리는 듣는 자가 깨닫든 깨닫지 못하든 전해야 한다. 말씀을 전해 들은 자가 깨닫고 깨닫지 못하고 하는 것은 성령님의 일이지 우리가 책임질 일이 아니다. 우리는 다만 전하는 일에만 충실하면 된다. 그리고 우리가 할 수 있고 또 해야 할 일은 그들이 깨달을 수 있게 해달라고 성령님께 간절히 기도하는 것이다.

그래서 나는 북한 사람들을 사역장에 모집해 와서는 성경을 많이 읽히는 데만 전력했다. 참된 깨달음은 오직 성령님께로 말미암는 것을 알았기에 사역장의 주된 일과를 기도와 성경 통독으로 하였다.

성경에 나오는 바리새인과 서기관과 율법사들은 오늘날의 신학자 이상으로 성경에 정통한 사람들이었지만, 그들의 성경 지식이 길이요 진리요 생명이신 예수님을 믿게 하지는 못했다. 그저 지식이었을 뿐이고, 도리어 자신들의 의가 되어 다른 이들을 판단하고 정죄하는 무기가 되었다. 사도 바울도 하나님을 만나기 전 놀라울 정도로 많은 성경 지식이 있었지만, 그에게 생명의 깨달음을 준 것은 그 지식이 아니라 성령 하나님이셨다.

우리 사역장 형제들에게 깊고 체계적인 신학 지식은 없었지만, 대신 사역장 생활을 통해 깨닫게 된 체험적인 말씀이 있었다.

전에 장만식 아바이 사역장에 갔을 때였다. 내가 도착했을 때 수요 예배가 막 끝나고 있었다. 한 학생이 그에게 물었다.

"장 선생님, 하나님은 왜 우리가 오른뺨을 얻어맞으면 왼뺨마저도 들이대라구 하십까? 그렇게 해야 할 이유가 도대체 뭡까? 난 이해가 안 됩다."

장 아바이가 뭐라고 대답할지 몹시 궁금했다. 그는 조금 생각해 보더니 이내 대답을 해주었다.

"그게… 음… 그게… 나두 잘 모르오."

그리고 한동안 뜸을 들이더니 다시 입을 열었다.

"나두 잘 모르긴 하지만 그렇게 해야만 한다는 거이다. 자꾸 꼬치꼬치 따지지 말구, 글쎄 한번 그렇게 해봐라. 그러면 예수님이 왜 그렇게 말씀하시는지 알게 된다. 그렇게 한번 해보면, 너는 그 사람을 속이 후련하게 때렸을 때보다 더 큰 기쁨을 느낄 수가 있을 거이다. 그리고 그 사람두 너를 절대로 해치지 못할 거구. 왜 그런가 하면, 네가 하나님 말씀 때문에 얻어맞구두 참고 왼뺨마저 들이댄다면, 하나님이 그때부터 니 편을 들기 시작하는 거이야. 하나님이 니 편이 되면 김정일이 그 새끼가 와도 하나두 안 무서워 알았는가? 제꺽 아멘 안 할래?"

"아, 아멘."

장 아바이는 왜 그래야 하는지 그 이유를 논리적으로 설명하지는 못했지만, 그 결과가 가지는 의미는 충분히 알고 있었다. 자신의 깨달음을 뒷받침해 주는 논리가 전혀 없음에도 불구하고, 이성적이고 합리적이고 논리적인 사람들보다도 더 정확하게 말씀을 깨닫고 있었다. 재미있는 것은 대부분의 북한 사람들이 이런 방식으로 말씀을 깨달아간다는 것이다.

나는 북한 선생들의 설교를 들을 기회가 자주 있었다. 선생들에게 설교할 기회를 될 수 있는 한 많이 주려고, 우리 가정에서 드리는 주일 오후 예배, 수요 예배, 금요일 저녁예배에도 이들을 초청해서 말씀을 전하게 하였다. 그때마다 들어보면 이들의 설교는 대부분 세련된 논리 전개는 없고, 다만 북한에서 외치던 구호 형식의 전달이었다.

"예수님이 우리를 보고 오라구 했습다. 그러니 그분한테로 가야 함다."

"예수님이 이럴 땐 이렇게 하라고 말씀하셨습다. 그러니 우리는 반드시 예수님 말씀대로 이렇게 해야만 하겠습다."

"지금 때가 이렇게 이렇게 돌아가니 성경에 맞추어 본다면, 이럴 땐 이렇게 해야 할 것 같습다."

그런데 이럴 때마다 놀라운 현상이 일어나곤 하였다. 북한에서 날마다 지긋지긋하게 구호를 들으며 살아왔기 때문에 더 이상 어떤 구호나 외침 따위에는 귀도 기울이지 않던 사람들이, 하나님의 말씀을 구호처럼 외칠 때는 그 말씀을 믿고 따라 한다는 것이다. 오히려 한국에서 오신 목사나 선교사의 논리 정연한 설교를 듣기 힘들어 하며, 그분들의 설교에서 아무런 깨달음도 감동도 느끼지 못했다. 이런 그들을 보며 북한 사람 복음화에는 북한 사람이 적임자라고 다시 한 번 확신하였다.

"선교사님, 우리 축구 경기 한번 좀 해 봅시다."

"전체 사역장이 모여서 어느 사역장의 축구 실력이 제일 센가 함 봅시다."

나는 한 달에 한 번씩, 사역 팀장들을 모아 놓고 사역비를 지급하며 같이 식사하고 간단한 회의를 하였다. 회의가 끝나면 선생들은 각자 자기 사역장의 축구 실력을 자랑하곤 했다. 모두들 자기 사역장이 제일이라고 서로 자랑하다가 이런 제안이 나오게 된 것이다.

"한번 상품도 큼직한 걸 걸어놓구 해 봅시다여 선교사님."

용섭 선생이 이렇게 제안하자, 다른 선생들도 이구동성으로 찬성을 했다.

"맞소! 맞소! 선교사님, 우리 한번 전 사역장이 모여 축구회를 해가지구, 일등 이등 삼등까지 갈라서, 일등은 미가엘 찬양 반주기, 이등은 기타, 삼등은 응, 뭐 하면 좋을까?"

아직 허락하지도 않았는데 마치 결정된 것처럼 모두들 들뜨기 시작했다. 전 사역장이 모여서 축구 대회를 하는 것도 별로 나쁘지 않을 것 같았다.

3기생 거의 모든 사역장에서 힘들어서 포기하고 돌아갈 사람은 이미 다 돌아간 뒤였고, 성경도 7, 80독 가까이 읽은 상태였다. 이런 때 전 사역장이 모이면 우리의 규모를 알게 되면서 형제들의 사기도 높아질 것 같아 나는 흔쾌히 승낙했다.

"좋아요. 그럼 3등을 한 팀에는 뭘 주면 좋겠어요?"

"선교사님, 3등 한 팀은 개 한 마리로 하면 어떻겠습니까?"

누가 선생이 말했다. 그의 말대로 3등 상품을 개 한 마리로 하고, 다음 주 토요일로 날짜를 잡은 후 각자 자기 사역장으로 돌아갔다.

토요일이 되어 전 사역장 형제들이 서안西安시 교통대학 운동장에 모였다. 모두 모이니 80명 가량 되었다. 우리 가족도 맛있는 음식을 듬뿍 장만해 학생들과 함께 어울렸다.

"아이쿠, 안녕하심까 권사님? 은혜야, 안녕?"

"선교사님, 우리 사람들이 이렇게도 많습까? 힘이 납니다. 선교사님."

모두들 자신과 처지가 같은 사람이 이렇게 많았다는 것을 알고는 신이 나 어쩔 줄 몰라 했다. 은혜와 봉구도 이날은 아빠인 정 선생을 만나 하루 종일 함께 놀게 되어 너무나 좋아했다. 곧이어 대회가 시작되었다.

순교, 용철, 용섭, 빌립 선생 사역장과 누가, 규홍, 성근, 예진 선생 사역장을 각각 한 그룹으로 묶어 각 그룹에서 일등을 한 팀끼리 최종 결승을 하게 했다. 주심은 내가 보기로 했다.

이 날 따라 비가 부슬부슬 내려 운동장이 질척거렸는데도 형제들은 개의치 않고 모두들 열심히 뛰었다. 한 경기를 마치고 벤치로 나오는 형제들을 보니 다들 온 몸이 진흙투성이었다. 사역장의 명예가 걸려서인지, 상품에 욕심이 나서인지 모두들 혼신의 힘을 다해 경기에 임했다.

모두들 최선의 실력 발휘를 했지만, 북한에서 축구 선수로 활약했던 효선 형제 덕에 순교 선생 사역장이 1등을 했다. 그리고 성근 선생 사역장이 2등, 정 선생 사역장이 3등을 했다. 1등을 한 순교 선생 사역장 형제들은 마지막 결승전까지 치르느라 젖 먹던 힘까지 다 써버려, 경기가 다 끝나자 모두 그 자리에 철퍼덕 쓰러져버렸다. 그래도 모두가 즐거워했다. 축구 경기 자체도 즐거웠지만 우리 사역장의 규모에 더 즐거워했다.

"선교사님, 이제 이들이 모두 북한 선교를 위해 뛰고 또 뛴다면 북한 선교 문제없을 것 같습니다. 선교사님, 북한 선교 앞이 훤히 보임다."

경기를 하면서 모든 형제들이 하나같이 하는 말이었다. 그 말을 들으며 앞으로도 이런 경기를 자주 열어야겠다고 생각했다. 학생들도 큰 힘을 얻었지만, 가정 사역장을 포함하면 근 100명 가까이 되는 학생들이 한 곳에 모여 주님을 찬양하고 기도하며 즐겁게 노는 것을 보고 아내와 어머니도 커다란 보람을 느꼈다.

하지만 이렇게 모이는 것에는 위험도 적지 않게 따랐다. 만약 우리가 한 곳에 모여 축구 대회를 한다는 것이 공안의 귀에 들어가게 되면, 우리를 잡는 데 이보다 더 좋은 기회는 없을 것이다. 그래서 철저한 보안 속에서 이런 대회를 몇 차례 더 진행했다.

축구 대회가 끝난 며칠 후, 권위 선생이 나에게 조용히 말을 꺼냈다.

"선교사님, 저 연변延邊으로 올라가겠습다."

"아니 왜요?"

"이젠 저도 혼자서 해 보겠습다. 저도 독립적으로 사역장을 꾸리고 북한 선교의 한 흐름을 만들어 보겠습다."

그가 이렇게 나오니 인간적으로는 많이 서운했다. 그와 계속 함께 하고 싶었지만, 나처럼 당당하게 사역장을 꾸려 멋있게 북한 선교를 해보고 싶어하는 그의 고집을 꺾을 수가 없었다. 학생을 모집하고 사역을 시작할 수 있는 자금을 마련해 주고, 훌륭한 선교사가 되길 간절히 바라며 그를 떠나 보냈다.

권위 선생이 떠난 후, 권위 선생이 해오던 일은 성근 선생과 규홍 선생을 세워 다시 이끌어가게 했다.

위로하시는 하나님

"爸爸! 爸爸!(아빠! 아빠!)"
집에 들어오는 나를 막내가 반갑게 부르는 소리였다.
"어이쿠, 우리 명현이구나!"
나는 딸 아이를 품에 안아 올렸다.
"爸爸! 你为什么回家这么晚呢?(아빠! 왜 이렇게 늦게 왔어요?)"
내 품에 안겨 쉴 새 없이 종알거렸지만, 내가 도무지 알아들을 수 없는 중국어였다. 그 중국어를 들을 때 속으로 눈물이 맺혔다. 우리말도 미처 다 배우기 전에 중국에 와서 중국 아이들 속에서 자라다보니, 명현이는 우리말을 점점 잊어가고 있었다. 우리 부부는 큰 애와 둘째 애가 옆에서 통역을 해야만 알아들을 수 있었다.

명현이는 우리가 하는 한국말을 알아듣지 못하고, 우리는 중국어를 알아듣지 못하자 아이는 점점 우리를 멀리하며 외로워했다. 아침 8시에 유치원에 갔다가 저녁 6시에 집으로 돌아오면, 중국 아이들과 밝게 놀던 모습 대신 말이 없어지며 시무룩해졌다.

그래도 요즈음 다소나마 마음이 놓이는 것은 정 선생의 아이들인 은혜와 봉구가 우리 집에서 같이 살고부터 아이의 말동무가 생긴 것이다. 이들은 연변에서 몇 년 살아서 중국어를 조금 할 줄 알았다. 유치원에서 돌아오면 명현이는 봉구와 함께 놀며 우리말도 조금씩 익혀갔다.

하지만 나의 기쁨은 잠시였다. 우리 집에 올 때부터 봉구의 몸에 올라있던 옴이 따뜻한 집에서 사니 더 왕성하게 번지기 시작했다. 온 몸에 빨간 뾰루지가 돋아나고 진물이 줄줄 흘렀다. 특히 손등에는 거의 성한 곳을 찾기 힘들 정도로 조그만 뾰루지들이 돋아 있었다. 봉구는 온 몸이 너무 가려워 긁어대느라 밤에 잠을 이루지 못했다.

옴은 다른 사람의 살에 살짝 스치기만 해도 전염되는 병이다. 그런데 철없는 명현이는 그런 것은 생각지도 않고, 매일 봉구와 손을 잡고 함께 뒹굴며

놀았다. 아이들이 함께 노는 것을 말릴 수도 없고, 참고 바라보며 기도하는 내 속은 타 들어갔다. 매일 저녁 이것 때문에 울며 기도하는 아내와, 진물이 줄줄 흐르는 봉구의 몸에 손을 대고 기도하며 약을 발라주시는 어머니를 말 없이 지켜봐야만 했다.

옴이라는 병이 얼마나 지독한지 아무 약도 듣지 않았다. 한국에서 한센병 환자들이 먹는 약까지 갖다 먹여도 도무지 나을 기색이 없었다. 이것 때문에 고민하자 장 아바이가 북한에서 사용한다는 민간요법을 알려 주었다.

"선교사님, 거, 우리 북조선에서는 옴이 돋우면, 그냥 돼지기름에다 유황을 섞어서 발라줘요. 약이 없는 북조선에서두 그렇게만 하면 잘도 낫던데, 왜 비싸다는 약들이 그래요? 에이, 약이라는 거, 거, 다 돈 벌기 위한 수작들이라우. 약 쓰지 마우 선교사님. 선교사님도 한번 그렇게 해보라우. 자꾸 약만 쓰지 마시구."

다른 방법이 없어 장 아바이가 일러준 대로 해보니, 신기하게도 며칠 가지 않아 옴이 싹 사라지고 피부가 깨끗해졌다. 북한 사람에게는 역시 북한식의 치료법이 통하는 모양이다.

안도의 숨을 내쉰 나는 그때부터

▶ 서안시 박물관 앞에서 최광 선교사 가족

은혜와 봉구에게 한글을 가르쳤다. 북한에서 인민학교 3학년과 1학년을 다니다 왔지만 가, 갸, 거, 겨부터 다시 시작해야 했다. 한창 한글 공부를 하고 있는데 큰 딸 영니가 방금 학교에서 돌아와 쪼르르 나에게 달려왔다.

"아빠! 아빠! 나 오늘, 길에서 한국 사람들 만났어요. 내 옆에서 한국말을 하며 지나갔어요. 얼마나 반갑던지 나도 모르게 가서 말을 걸려고 했는데 아빠 말이 생각나서 그냥 돌아섰어요."

"그래? 잘했다. 만나지 마라. 만날 필요 없다. 앞으로도 절대 만나지 마라."

"나도 알아요, 만나면 안 된다는 거. 근데 아빠, 우린 죄 지은 사람들도 아닌데 왜 이렇게 숨어 살아야 돼요? 나 1시간만이라도 한국말 하는 사람하고 얘기해 보고 싶단 말이에요."

그리고 서럽게 울기 시작했다.

혹시 아이들을 통해 우리 사역이 다른 사람들에게 알려질까봐 한국 사람이나 조선족, 북한 사람을 보면 절대 가까이 가지 말라고 여러 번 주의를 주었던 것이다. 아내나 어머니나 나는 믿음과 사명감으로 모든 어려움을 극복해 나갈 수 있었지만, 아이들은 그런 것을 다 이해하기는 아직 너무 어렸다. 아이들은 정말 힘들어 했고, 그것을 매일 지켜보며 감당해 내야 하는 아내도 어지간히 지쳐했다.

그 즈음에 한국에서 장모님이 돌아가셨다는 연락이 왔다. 전화를 끊자마자 문 이모를 통해 서안西安공항에 알아보았지만, 장례식 마지막 날 오후에나 겨우 한국에 도착할 수 있는 표밖에 없었다.

결국 아내는 친정어머니의 장례식에 가지 못했다. 홀어머니의 8남매 중 막내로 어머니의 사랑을 많이 받으며 자란 아내는 형제들 중 누구보다 더 장모님을 좋아했었다. 머나먼 중국 땅에서 어머니를 보내면서 아내는 한없이 울었다. 울고 있는 아내를 무슨 말로도 위로해 줄 수가 없었다.

며칠 후 김의환 목사님께서 사모님과 몇몇 목사님과 함께 오셔서 사역장을 둘러보시고 순교 선생 사역장 형제들에게 세례를 주셨다. 사모님도 미국에 계실 때 친정어머님이 소천하셔서 장례식에 가지 못했다고 하시면서 우리 부부를 많이 위로해 주셨다.

만 3년간 이 사역을 해오며 많은 아픔 속에서도 변함없이 나를 격려해 주고 말없이 수고해 주는 가족들이 내게는 언제나 큰 힘이었다. 아내는 한국을 떠나 낯선 곳에서 집안 살림하랴, 네 명의 자녀들을 키우랴, 거기다 함께 사는 북한 자매들과 아이들 성경 통독까지 이끌면서 묵묵히 잘 따라와 주었다. 권사님이신 연로하신 어머니는 관절염으로 고생하시면서도 각 사역장에 보낼 김치와 된장 담그는 일을 너무 기쁘게 하셨고, 그 외에도 온갖 허드렛일을 마다 하지 않으셨다. 형제들을 볼 때마다 친아들처럼 기뻐하시며 항상 그들을 위해 눈물 흘리며 기도해 주셨다. 지금도 가끔씩 중국의 사역장에서 순교하지 못한 것이 아쉽다고 하시며 그 때가 가장 행복했다는 말씀을 하신다.

▶ 김기순 권사－최광 선교사의 모친

2000년 중반쯤에는 막내 제수씨가 조카들을 데리고 중국으로 들어와 이 사역을 도우며 많은 수고를 하였다. 나 하나 고생하는 것은 괜찮지만 가족들까지 심히 고생시키니, 인간적으로 참 미안했다. 하지만 이 모든 것이 주께서 허락하신 주를 위한 고난이니 주께서 기뻐 받으시고 보상해 주실 줄 믿고 나아갔다.

하루는 북한 선생들이 우리 가족들에게 편지를 보내왔다.

힘든 중에 북한 선생들의 편지는 아내와 어머니에게 큰 위로가 되어 주었다. 어머니는 즐거워하시며 말씀하셨다.

"우리 걱정은 마라. 그저 주님 일에나 애 마이 써라. 우리 일은 우리가 알아서 한다."

그러는 어머니가 한없이 고마웠고 아내가 사랑스러웠다.

권사님께 올립니다

안녕하십니까?

지금도 우리 북한 사역과 가정 사역장을 이끌고 나아가시며 또 낯설고 물설은 이 땅에 와서 언어마저도 통하지 않는 상황에서도, 오직 하나님만 의지하며 북한 선교를 도와 나서고 계시는 권사님을 생각하며, 또 권사님 같으신 분을 우리 북한 선교를 도와 나서게 해주신 하나님께 감사하는 마음으로 이렇게 몇 자 적으려고 펜을 들었습니다.

두 가정 사역장을 돌보시느라 바쁘신 속에서도 우리 모든 사역장들의 김치를 담가 주시고, 따뜻한 친부모의 심정으로 우리 사역장의 구석구석까지 살펴주시는 권사님의 마음을 생각할 때 북한에 두고 온 부모님과 따뜻한 할머님의 손길을 자주 생각하게 됩니다.

권사님 같으신 분이 있으므로 우리 사역장은 더욱 흥성해지고 있습니다. 권사님이 담가 주신 김치를 먹으면서 고향의 향취를 느끼고 있습니다.

권사님, 지금 가정 사역장을 돌보실래 우리 사역장들을 위해 김치를 담그실래 많은 수고를 하십니다. 권사님의 사랑을 느낄 때, 하나님이 주시는 은혜인 줄로 저희들은 느끼며 생활하고 있습니다.

권사님, 몸조심 하시고 불편하시면 몸을 관리하시면서, 날씨가 추워지고 있으니 감기에 걸리지 않게 각별히 주의하시길 바랍니다. 그저 마음뿐, 권사님의 일을 돌보아 드리지 못하고 권사님의 사랑만 받고 있으니 얼마나 미안한지 모르겠습니다.

권사님, 정말 제가 맡은 사역장에 폐결핵으로 각혈하던 박광일 형제의 병이 차도가 생겨 각혈도 멎고 차츰 나아져 가고 있습니다. 권사님께서 염려하시며 속 태우신 것 같습니다. 너무 마음 쓰지 마십시오. 하나님께서 그의 병을 완전히 그 근원까지도 낫게 만드실 줄 믿습니다.

계속 기도를 하여 주시면 감사하겠습니다. 기도의 제목에 넣어 전문적으로 기도해 주신 모든 형제님들과 또 권사님의 기도도 하나님께서 받아 주신 줄로 믿습니다.

권사님, 권사님도 아시다시피 제일 나이 어린 제가 이 사역을 하자니 정말 힘들 때도 있고 낙심될 때도 있습니다. 저를 위해서도 많은 기도를 하여 주시고 저의 사역장을 위해서도 많은 기도를 하여 주십시오.

그럼 권사님의 건강과 가정 사역장의 행복과 평안을 주의 이름으로 간구하며 이만 펜을 놓겠습니다. 몸 건강하시고 건강에 각별히 주의하시길 바랍니다.

안녕히 계십시오.

2000년 10월 1일
김누가 올림

북 한 선 생 들 이 우 리 가 족 들 에 게 보 낸 편 지

사모님께

사모님 안녕하십니까?

사모님은 명현이와 기현이의 어머님이시자 나의 어머님도 되십니다. 또 나 선생님은 기현이의 아버지이시자 저의 아버지도 되십니다. 나 선생님은 북에 있는 나를 낳아준 아버지보다 나를 더 사랑하십니다. 그리고 사모님이나 권사님도 저를 그렇게 사랑하는 줄 믿습니다.

저는 장 선생님 사진첩에서 명현이와 기현이를 보았습니다. 그들은 귀여운 나의 형제자매입니다.

하나님은 사모님이나 나 선생님의 아버지도 되시며 나의 아버지도 되십니다. 저는 나 선생님을 통하여 하나님 아버지의 사랑을 잘 알 수 있었고 성경을 배우면서 똑똑히 알았습니다.

사모님, 저를 기현이처럼 사랑해 주셔서 하나님 아버지께 감사드립니다.

사모님과 권사님의 귀한 몸 건강을 축원하며 명현이와 기현이 행복을 원합니다.

정칼빈 올림

북 한 선 생 들 이 우 리 가 족 들 에 게 보 낸 편 지

할렐루야!

"여호와를 경외하며 그 계명을 크게 즐거워하는 자는 복이 있도다. 그 후손이 땅에서 강성함이여 정직자의 후대가 복이 있으리로다" 시 112:1-2.

존경하는 라 선생님과 가족 일동에게 삼가 이 글을 드립니다.

존경하는 라 선생님과 사모님, 권사님과 어린 친구들, 이렇게 또다시 서신으로 만날 수 있고 은혜의 말을 나눌 수 있게 하여 주신 우리 하나님 아버지께 감사의 기도를 먼저 드리는 바입니다. 모든 가족 일동에게 우리 사역장의 학생들을 대표하여 삼가 정중한 인사를 드립니다.

정말 돌이켜 보면 타국에 망명하여 떠돌아 다니면서 숨어 지내며, 마음속

에 괴로움과 슬픔을 가득 품고 외롭게 쓸쓸히 살아가던 우리를, 하늘에 계신 우리 하나님의 자녀로 되게 하기 위하여 한 사람 한 사람 이곳에 불러 모아주시고, 주님의 사랑으로 진정으로 위해 주며 말없이 우리를 위해 헌신해 주신 라 선생님을 생각할 때마다 고향의 다정한 학교 스승 같았고, 사모님과 권사님을 만났을 때엔 고향의 어머님과 누님을 생각하며 우리들은 얼마나 가슴이 뜨거웠는지 모릅니다.

그리고 그 어린 꼬마 친구를 만났을 땐, 두고 온 자식 생각과 동생들 생각에 모두들 가슴이 뭉클해지면서, 진심으로 우리를 위해 주시는 온 가정의 성의를 한껏 느끼며, 정말 우리 하나님의 사랑을 깊이깊이 생각하게 되었습니다. 특히, 가정의 슬픈 사연이 있음에도 우리 사역을 위해 떠나시지 못하시고 일정을 늦추시고 우리와 웃으며 만나주신 사모님을 생각할 땐, 우리 모든 학생들은 그날 저녁 정말 주님께 간절히 기도하면서 우리의 마음도 굳게 다짐했습니다.

정말 온 가정의 모든 분들은 하나님께서 사랑하시고 아끼시는 주님의 귀한 종, 충신된 가정임을 확신합니다. 이제 그러한 주님의 귀한 종들에게 하늘의 기름진 것과 땅의 소산으로 하나님의 큰 축복이 있을 것입니다.

우리들은 라 선생님 가정의 그 믿음과 기대를 잊지 않고 말씀 통독과 말씀 암송, 신앙생활과 기도에서 더 훌륭히 단련되고 정금같이 되어 빠른 시일 내로 주님의 귀한 일꾼으로 자라나겠습니다. 항상 말씀을 붙잡고 생활하며 기도에 열심하며 이제 남은 기간을 귀중한 시간으로 보내겠습니다. 우리를 믿어주십시오. 꼭 해내겠습니다.

그럼 가족의 모든 분들이 귀한 몸 건강하시기를 바라며 우리 주님께서 가정에 큰 은혜를 내려 주시기를 충심으로 기원합니다.

2000년 10월 2일
최순교 선생 사역장 학생 일동

기다려라 동방의 예루살렘이여!

일정 기간 이상 성경 통독을 한 학생들의 더 깊은 성경 이해를 돕기 위해, 최휘석 목사가 성막 강의를 하러 왔다. 작년까지는 사역장이 몇 개 안 돼 직접 각 사역장을 다니며 강의를 하였으나, 이제 8개나 되는 사역장을 일일이 찾아다니기는 시간도 부족하고 힘에 부칠 것도 같았다. 그래서 이번에는 전체 사역장을 20~30명씩 세 개의 그룹으로 나누어 어머니와 동생 가족이 사는 가정 사역장에 5일씩 합숙하며 차례로 강의를 듣게 하였다.

성막 강의는 성경 통독을 통해 이미 회개와 죄 사함의 감격을 체험하고 신앙 고백이 나오는 선생들만을 대상으로 하였다. 그래서 성경 100회 이상 통독한 선생들에게만 이번 강의에 참석할 수 있는 자격이 주어졌다.

최 목사는 강의를 통해, 구약의 다양한 사건과 예수님을 예표적으로 설명하는 여러 성경 말씀을 성막과 연결시키며, 예수님이 구약에서는 오실 예수 그리스도이시고, 신약에서는 오시고, 사시고, 죽으시고, 부활 승천하시고 그리고 다시 오실 예수 그리스도이신 것을 자세히 설명해 주었다.

"옛적에 선지자들로 여러 부분과 여러 모양으로 우리 조상들에게 말씀하신 하나님이 이 모든 날 마지막에 아들로 우리에게 말씀하셨으니" 히 1:1-2상.

"염소와 송아지의 피로 아니하고 오직 자기 피로 영원한 속죄를 이루사 단번에 성소에 들어가셨느니라" 히 9:12.

"구약 성경 전체에는 양의 피가 흐르고, 신약 성경 전체에는 예수의 피가 흐르고 있습니다. 성경은 예수의 피에 관한 책이며, 구약 시대의 성막과 5가지 제사는 모두 예수님의 초림의 그림자며 예표입니다. 구약은 1년짜리 구원이지만, 예수님은 십자가에서 자기의 피로 영원한 속죄를 이루셨습니다."

이렇게 구약의 성막을 예수 그리스도의 십자가의 보혈과 연결시켜 설명하고, 출애굽기와 레위기를 히브리서와 연결시켜 강의하였다. 강의는 선생들에게 성경의 전체적인 맥을 잡게 해 주었다. 그동안 통독과 암송을 통해 깨닫고 있던 많은 말씀이 구슬로 꿰어져 목걸이가 되는 것 같은 시간이었다. 그리고 예수님을 전인격적으로 영접하고, 다시금 예수님의 십자가에 대해 깊이 묵상하며 감사하는 시간이 되었다.

최 목사는 하나님의 성령께서 예수님의 보혈을 통해 일하신다고 하며 예수님의 보혈의 어마어마한 능력에 대해 매우 강조하였다. 그리고 앞으로 지도자가 되어 말씀을 선포하여 예수님을 모르는 탈북자들을 예수님께로 인도할 그들에게, 항상 예수와 예수의 피와 그 능력을 중심으로 말씀을 선포하라고, 그렇게 했을 때에 영혼을 변화시킬 수 있다고 강조하였다.

강의에 대한 선생들의 반응은 매우 뜨거웠다. 하루에 12시간 이상씩 강의를 해도 부족해서, 자신들은 잠을 안 자도 좋으니 더 말씀을 전해달라고 졸라댔다.

강의가 끝나고 어떤 선생들은 기쁨을 주체하지 못해 좁은 우리 집에서 춤을 덩실덩실 추며 돌아다니기도 했다.

"우와! 목사님 이거 맨날 성경을 읽지만서두 이렇게 대단한 책인 줄 진짜 진짜 몰랐슴다. 히야~ 이거 뭐라고 말로 다하지 못하겠슴다. 왜 이렇게 좋슴까? 목사님! 목사님! 나 정말 이 공부하기 잘했슴다. 이젠 쪼끔 알 것 같슴다. 목사님, 이제부터 성경 공부 더 열심히 해야겠슴다."

각 그룹별로 성막 강의가 끝나면 기쁨에 넘쳐 이렇게 외쳐대는 선생들을 여럿 볼 수 있었다.

마지막 그룹의 강의가 다 끝나고 마치는 예배를 드리기 전이었다. 여러 선생들이 김철수 선생이 시를 잘 쓴다고 해서 한 번 써서 낭독해 줄 수 있겠냐고 부탁했더니 쾌히 승낙했다. 그리고 30분 만에 '기다려라 동방의 예루살렘이여!'라는 시를 완성하여, 평양중앙방송에서나 들어봄직한 목소리로 예배 시간에 낭독했다.

기다려라 동방의 예루살렘이여!

태초에
하나님 일떠 세우셨으리
만방에 높이 솟은 평양
십자가로 빛나는 동방의 예루살렘을

토마스 선교사 순교한
대동강은 요단강이런가
주기철 목사 고이 잠자는
대성산은 감람산이런가

구름 타고 대박산에 내렸다는 환웅도
평양에 터를 닦고 조선을 세웠다는 단군도
동방의 예루살렘 평양의 예비 위해
하나님 보내신 천사일 수 있으리

유구한 력사의 평양 하늘을 뚫고 솟으며
천국을 떠받드는 거룩한 성전들을 일떠 세워
평양이여 너는 얼마나
성령으로 부흥하였고
하나님 내리시는 축복으로 행복하고 행복했더냐

그리도 신성하고
그리도 영광 넘쳤건만
이방의 신들이 더럽힐 때

너는 얼마나 부끄러움과 치욕으로 몸부림쳤더냐
다시 무신론과 무식이
너의 성전 위에서 칼부림할 때 피바다에 잠긴 너는
어떻게 순교로 항거하고 항거했더냐

신앙의 자유는 빼앗기고 성전들은 허물어졌어도
왼뺨을 내밀면서도 굴하지도 꺾이지도 않으며
바라는 것들의 실상
보이지 않는 것들의 증거는
암흑의 동토에서도 아름다운 꽃을 피워왔나니

광란하는 추방의 빗자루에 쓸리워
그토록 사랑하는 너의 품을 떠날 때도
핍박에 쫓겨 탈북의 두만강 건너
작별의 인사드릴 때도 눈물 젖은 옷자락 흔들어 주며
다시 오라 승리하고 돌아오라
바래워 주던 평양이여
동방의 예루살렘이여!

수고하고 무거운 짐 진 자들아 다 내게로 오라
내가 너희를 쉬게 하리라
추하고 초라한 얼굴들
가난하고 앙상한 몰골들
하나님은 한 사람의 탈북자도 빠짐없이 다 품어 주어

탈북은 하나님께로 달려가는 북한의 모습
십자가 대군을 이루는 힘찬 강행군
동방의 예루살렘에서 거행될 십자가 군병들의
승리의 열병식장으로 돌아가는 장엄한 진군

말씀으로 눈을 뜨고
진리로 영생을 얻고
사랑으로 눈물과 마음의 상처 깨끗이 씻은 우리
복음으로 전신갑주를 입고
믿음으로 방패를 들었다
구원의 투구를 쓰고 성령의 검 틀어쥐었다
기어이 찾아가야 할 평양을 향하여
하나님 앞에
어엿한 십자가 대군으로 정렬하였나니

이제 앞으로 갓!
하나님 명령 하늘땅을 진감하리
예수님 모시고 예루살렘으로 입성하던 사람들처럼
호산나, 찬송가 목청껏 부르며
평양! 동방의 예루살렘으로 입성하리라

그날에 하나님
평양의 천만대죄 사하여 주시리
쌓이고 쌓인 오명과 수치 씻어 주시며
사랑과 구원과 진리의 복을 안겨 주시며
동방의 예루살렘이라 불러 주시리

그날에 우리
토마스 선교사 샤만호에 싣고 간 그 성경
아름다운 대동강변에
떨기떨기 내리는 흰 눈처럼 뿌려 놓으리라

하나님이 우리를 인도하시는 곳
순교자들의 숨결이 어서 오라
폭풍 쳐 부르는 평양!
잃을 수도 버릴 수도 없는
주님이 재림하실 성스러운
동방의 예루살렘 평양이여!
하나님이 보내시는 선물
사랑의 복음 안고 달려가리라
죽어서도 달려가 천국처럼 포옹하는
네 품에 안기어 영생하리라

아! 예수님 재림하실 때
십자가로 무지개 비끼고 성전들로 꽃바다 이룬
평양에서 기어이 기어이 만나 뵈오리
멀고 먼 타국의 광야에서 오늘도 모세의 뒤를 따라
출애굽 훈련을 받고 있어도
마음은 언제나 평양에 있나니
평양이여! 기다려다오 기다려다오
동방의 예루살렘이여!!

낭독하는 중에 한두 사람이 훌쩍거리더니 중간 부분부터는 30여 명 모두 울음바다를 이루었다. 철수 선생은 북한 김일성종합대학에서 핵물리학을 전공한 엘리트로, 처음 사역장에 들어올 때 정말 예수의 '예'자도 몰랐던 사람이었다. 사역장에서는 밤마다 소형 라디오를 틀어놓고 미국 방송을 깨알 같은 글씨로 받아 적으며 늘 미국 소식에만 관심을 기울이던 사람이었다. 그런 그가 7개월 정도 성경 공부를 하고 또 성막 공부를 마치자, 이렇듯 신앙 고백을 할 수 있는 귀한 하나님의 사람으로 변화된 것이다.

이럴 때면, 나는 그동안의 많은 어려움으로 마음속에 응어리진 것들이 한순간에 다 녹아내리는 것 같았다. 또한 하나님께서 북한을 바라보며 안타까워하시고, 북한의 영혼들을 사랑하시므로 이들을 이렇듯 귀하게 세워 가신다는 것을 다시금 깨달을 수 있었다.

선생들이 우리 집에서 합숙할 동안 이들의 식사는 아내와 어머니와 제수씨 그리고 차 이모가 맡았다. 보름 동안 매끼 2, 30인 분의 음식을 준비하느라 새벽부터 밤늦게까지 이루 말할 수 없는 큰 수고를 하였다. 선생들이 어찌나 밥을 많이 먹는지 대형 밥솥 두 개로도 밥이 모자라기도 했다. 무엇을 해도 잘 먹어주는 선생들을 보면 흐뭇하기도 하고 보람도 느꼈지만, 한 그룹 한 그룹 강의가 끝나면 네 사람은 파김치가 되곤 했다.

아내는 두 번째 그룹의 강의가 끝나자 완전히 탈진하여 혼자서라도 한국으로 돌아가겠다고 하였다. 친정어머님이 돌아가신 슬픔도 미처 가다듬지 못한 채 갑자기 많은 일을 맡게 되었던 것이다. 그런데 철수 선생의 시 낭독을 통해 큰 위로를 얻게 되었다. 그동안 아내는 가정에서 자매들 통독 사역을 이끄느라 형제들 사역장에 많이 가보지 못해, 이 사역을 통한 형제들의 변화를 가까이서 볼 수 있는 기회가 없었다. 그러다가 이번 강의 기간 동안 자신의 눈으로 직접 보며 이런 하나님의 음성을 듣게 되었다.

'애야, 봐라. 저 생명들이 너의 어려움과 아픔 위에서 저렇게 아름답게 자라고 있단다.'

강의가 다 끝나고도 아내는 하염없이 울었다. 울고 있는 아내를 보며 나도 함께 울었다. 그러나 그 눈물은 힘든 생활에 지친 설움에 겨운 눈물이 아니라, 하나님께 감사하며 기쁨과 감격으로 흘리는 눈물이었다. 많은 북한 형제들이 성막 강의를 통해 다시금 구원의 기쁨과 감격을 맛보게 된 것이 감사해서 울었고, 아내를 위로해 주신 하나님의 은혜에 감사해서 울었다. 하나님, 감사합니다. 사랑하는 아내를 위로해 주셔서 감사합니다.

교회사 강의와 선생 임명 예배

성막 강의가 끝나고, 이어서 구창안 목사께서 두 달간 각 사역장을 다니며 교회사와 조직신학 강의를 해주셨다. 구 목사는 작년과 올 8월에 이어 12월 중순에 세 번째로 우리 사역장을 방문하였는데, 지난 번에는 더위로 이번에는 추위로 고생을 많이 하셨다. 중국은 우리 같은 온돌 난방을 하지 않기 때문에, 각 사역장마다 바닥에 골판지나 스티로폼을 깔고 그 위에 담요를 덮어 겨울을 나곤 했다. 추운 날씨에 집 안에 온기라고는 전혀 없으니 옷을 있는 대로 껴입어도 체온이 다 빠져나가 몸이 저절로 오그라들었다. 하루 종일 그렇게 등받이도 없는 의자에 앉아 며칠간 계속 강의를 하니 나중에는 혈액 순환이 안 되어 다리에 마비가 오기도 하였다.

그 가운데서도 혼신의 힘을 다해 신학교 한 학기 분량에 해당하는 방대한 양의 교회사와 조직신학을 가르쳐 주었다. 8개 사역장을 일일이 다 다니며 한 사역장에서 일주일씩 강의하였다. 사역장마다 선생들도 이런 좋은 강의를 들을 기회가 잘 없으니 어찌나 열중하여 듣는지, 목사님이 피곤한 것이나 본인들 힘든 것은 전혀 아랑곳하지 않았다. 잠도 주무시지 못할 정도로 계속 강의를 요청하며 별의별 질문들을 다 쏟아놓았다.

구 목사는 작년에 처음 와서 북한 형제들을 난생 처음 만나며, 사람에게 잘못된 지식이 들어가면 그 지식이 사람을 망친다는 것을 절감하였다. 형제들이 북한에서 받은 제한된 교육 때문에, 바른 마인드로 세상에 접근하지 못하는 것이 너무 안타까웠다.

한번은 세계 교회사를 마치고 한국 교회사를 가르칠 때였다. 아무 생각 없이 '북한이 일으킨 6·25 전쟁'이 한국 교회에 미친 영향에 대해 설명하고 있었다. 그러자 갑자기 선생들이 흥분해서 떠들기 시작했다.

"목사님! 목사님! 아무리 입이 삐뚤어졌어두 말은 바르게 하라구 했습다! 아니 어떻게 조국 해방 전쟁이 우리 북조선에서 일으킨 전쟁임까? 남조선 괴뢰도당이 미국 놈들의 사주를 받구서 일으킨 전쟁이 아임까?"

"목사님! 우리가 못 배운 사람들이라구 해서 함부로 그렇게 거짓말 하문 됨까?"

6·25 전쟁을 누가 일으켰는가 하는 문제에서 목사님과 북한 선생들 사이에 첨예한 대립이 생기며, 어떤 선생들은 냉랭한 경계심까지 나타냈다. 목사님은 무슨 말로 이들에게 역사의 진실을 설명해 주어야 할지 난감했다.

반세기의 세뇌는 무서운 것이었다. 김일성에게 무섭게 속아왔다는 것을 알면서도, 어려서부터 주입된 생각을 바꾸기는 정말 어려운 모양이었다. 흥분해서 떠들어대는 선생들에게 목사님은 차분한 어조로 설명을 시작했다.

"형제들이 알다시피 전쟁이 일어날 무렵, 북한군에는 수백 대의 탱크가 있었어요. 잘 훈련된 기계화 부대가 있었고, 잘 훈련된 정규군이 50만 명이나 있었고 소련제 비행기까지 있었어요. 완벽한 전쟁 수행 능력이 준비되어 있었던 거죠. 반면 남한군은 그때 군대를 창설한 지 2년밖에 안 됐고, 탱크는 고사하고 전 군이 총도 제대로 갖추지 못한 상황이었어요. 남한군에서 무엇을 믿고 전쟁을 일으킨단 말이에요? 그리고 남한군이 치밀하게 준비해서 전쟁을 일으켰다고 한다면, 어떻게 전쟁 시작 3일 만에 서울을 빼앗기는 일이 가능하다고 생각해요?"

북한의 전쟁 도발 사실을 뒷받침할 만한 객관적 근거들을 거론하며 열심히 설명하였지만, 근거가 명백한 설명임에도 선생들은 끝끝내 전쟁은 남한이 일으켰다고 고집했다. 자기들이 알고 있는 것을 절대로 지우고 싶어하지 않았다. 북한 선생들은 예수가 하나님의 아들이라는 것은 그렇게도 잘 믿었지만, 전쟁을 북한이 일으켰다는 것은 절대로 믿지 못했다.

그때까지 성경을 많이 읽은 사람은 70독까지 읽고 예수님을 영접하여 영적으로는 새로워졌지만, 지적인 면에서는 이렇듯 아직 옛 모습 그대로였다. 이들은 주입식 세뇌 교육만 받아왔기에 모든 사고 체계가 피동적이며, 자발적으로 자기 생각을 열어갈 능력이 전혀 없는 듯했다. 그러다보니 이들의 제한된 사고 체계를 넓혀 주며, 이들에게 뿌리 박힌 유물론적 세계관을 성경적 세계관으로 바꾸어주는 데 강의의 초점이 맞춰졌다.

목사님의 열강에 부응하듯, 선생들은 성경 통독을 통해 이미 예수님을 영접하고 하나님과의 관계가 회복된 상태에서 지적으로 엉클어져 있는 것들이 풀리는 경험을 하며 정말 기뻐했다. 처음에는 그저 호기심 가득하던 눈빛이었는데 강의를 듣고 난 후에는 새로운 세계를 알게 된 기쁨의 눈빛으로 바뀌었다. 목사님은 그 모습들에서 그동안 제대로 쉬지도 주무시지도 못한 고생들이 일순간 사라지고, 정말 돈으로 살 수 없는 기쁨과 보람을 느꼈다.

또 목사님은 기독교는 말씀의 종교이며 역사적인 종교이기에, 하나님의 말씀이 역사를 어떻게 변화시켜 왔는지 잘 알아야 한다고 강조하셨다. 선생들은 교회를 통한 하나님의 구속 역사 속에서 자신들의 정체성과 사명을 발견하고, 지금 자신들이 하는 일이 얼마나 의미있는 일인지 더욱 깊이 깨닫게 되었다.

이 때가 각 사역장마다 3기생 학생들이 선생으로 세워지는 때였다. 나는 화산華山에 올라가 새로 세워진 순교 선생 팀 선생들을 북한 선교사로 임명하는 예배를 드리기로 했다. 서안西安에서 북쪽으로 130km 정도 떨어진 곳에 위치한 화산은 중국에서도 5대 명산에 들 정도로 그 경치가 아름답고 봉우리가 높은 산이었다.

구 목사와 함께 산에 올랐을 때는 눈이 펑펑 내리는 겨울이었다. 우리는 땀을 뻘뻘 흘리며 산벼랑을 따라 아슬아슬하게 파놓은 돌계단을 밟고 산 정상까지 올랐다. 장장 5시간에 걸친 산행이었다. 고도 2,160m인 낙애봉落崖峰

에 올라 사방을 둘러보니, 구름이 바다처럼 아득히 펼쳐진 사이로 산봉우리들이 섬처럼 듬성듬성 솟아 있었다.

마침 저녁 해가 떨어지는 때라, 발아래 구름바다는 장밋빛 저녁노을로 부드럽게 물들어 있었다. 발 밑 먼 곳에서 저녁노을에 물든 눈꽃송이가 우리를 향해 날아 올랐다. 눈꽃송이들은 우리 봉우리를 에워싸며 빨려가듯 하늘로 오르다가 높은 허공에서 갑자기 방향을 바꿔 땅으로 빨려갔다. 기가 막힌 광경이었다. 그 아름다움에 모두 넋을 잃어 아무 말도 하지 못했다.

▶ 화산 정상에서 하나님을 찬양하는 순교 선생과 제자들

서산으로 떨어지는 저녁 해를 바라보며, '주 하나님 지으신 모든 세계'를 부르고 또 부르며 하늘을 향해 두 팔 벌리고 목청껏 기도했다. 떨어져 가는 태양이 아쉬운듯, 먼 곳을 향해 연신 발을 동동 구르며 소리를 지르던 선생들이 흥분해서 말했다.

"아~ 아~ 선생님 멋있습다! 멋있습다! 우리 하나님이 이렇게 멋쟁인 줄 몰랐습다. 아이고 선생님, 이제 우린 죽어두 진짜루 진짜루 여한이 없습다!"

해가 떨어진 후 산꼭대기 바로 아래에 있는 산장에 숙소를 잡고, 순교 선생 팀 8명 형제들을 선생으로 임명하는 예배를 드렸다. 두렵고 떨리는 마음으로 주님 앞에 세워지던 그 순간, 어떤 선생은 감격하여 울었다.

"하나님은 정말 고마우신 분입다! 우리 한번 생각해 봅시다. 우린 정말 찌꺼기 같은 인생들이었습다. 그런데 이젠 아닙다! 이제는 북한 선교의 첫 장막을 여는 사람들입다. 이게 다 누기 때문임까? 우리 하나님 때문이 아닙까? 우리가 저 쓸데없는 김정일이를 위해서두 총폭탄이 되겠다구 날뛰구 다녔는데, 이제 하나님을 위해 못할 것이 뭡까? 아까울 게 뭐 있습까? 우리 다 함게 한번 해 봅시다. 북한 선교해 봅시다!"

이날 밤 선생들은 잠을 자지 않았다. 계속해 찬송을 부르다가 기도했고, 기도하다가 다시 찬송했다. 한겨울 산꼭대기에 위치한 산장이라 손님은 우리뿐이었다. 마당에는 눈이 수북이 쌓였고, 방은 몹시 추웠다. 하지만 찬송과 기도의 뜨거운 열기는 아무것도 의식하지 못하게 했다. '내가 이제 살아도 주 위해 살고, 이제 내가 죽어도 주 위해 죽네' 밤새 숙연한 마음으로 부르고 또 불렀던 이 찬송의 가사 한 구절 한 구절이 바로 우리의 진실한 고백이었다.

산장에서의 겨울 밤은 깊어만 갔다.

북송되는 두 선생

"선교사님, 저희들을 파송시켜 주십쇼. 저희들은 예수님을 위해 목숨이라도 내놓겠슴다."

화산華山에서 선생 임명 예배를 드린 후, 이제나 저제나 파송을 기다려 오던 순교 선생 사역장 선생들이 나를 볼 때마다 하는 말이었다. 이들은 이미 충분히 준비되어 있었다. 통독 훈련, 기도 훈련, 설교 훈련, 리더십 훈련뿐 아니라 파송을 대비해 각자 장기 금식까지 마친 상태였다. 하지만 이들을 파송한다면, 또다시 이들 중 어떤 사람은 체포될 것만 같아 나는 망설이고 있었다. 단 한 명도 체포되지 않고 무사히 돌아올 수 있는 방안을 마련한 후 파송하려고 기다리고 있었던 것이다. 하지만 이들은 계속 강하게 요구했다.

"선교사님, 우린 이미 하나님 꺼지 우리 꺼가 아님다. 그렇게 목숨이 아까워서 갈 데도 못 가고 이러고 있다면 어떻게 북한 선교함까? 이제껏 우리는 일하기 위해서 훈련을 받았지, 이렇게 계속 공부만 하자고 훈련 받은 거 아님다. 선교사님 빨리 보내 주시오! 한 명도 안 잡히고 다시 올 수 있슴다."

단호한 이들의 태도를 보며 파송하기로 결정하였다. 파송 예배를 드린 후 간곡히 부탁했다.

"지금 북한 보위부와 중국 공안은 우리 사역장에 대해 아주 잘 알고 있고, 우리 사역장을 찾아내려고 많은 노력을 기울이고 있어요. 부디 안전에 각별히 유의하고 또 유의하세요. 학생들을 모집할 때 특히 조심하세요. 절대로 완전히 신원 파악이 안 된 학생의 요구대로 움직이면 안 됩니다. 1기 때 칼빈 선생과 요한 선생도 그러다 납치되어 갔어요. 그러니 부디 조심 또 조심하세요. 한 걸음 걸어도 주님, 두 걸음 걸어도 주님, 모든 것을 주님을 의지하고 꼭 주님께 기도하고 일을 진행하세요."

"선교사님, 일없슴다. 너무 걱정 마십쇼. 주님이 있지 않슴까? 성경에서 무서워하는 건 믿음이 아니라구 예수님께서 말씀하셨슴다. 우린 무서워하지 않슴다."

말은 이렇게 하지만 이제 헤어지면 다시는 못 볼 수도 있었다. 무릎을 꿇고 서로 손을 잡고 기도하는 모두의 눈에 눈물이 그득했다. 하나님 안에서 예수의 피로 맺어져 한솥밥 먹으며 희로애락을 함께 나누던, 정이 듬뿍 든 형제들이었다. 울며 서로를 부둥켜 안고 잘하자고 결의를 다지는 모습에, 파송 예배 때면 늘 그랬듯 나는 또 한 번 울컥 격정이 일었다.

서안西安역으로 그들을 배웅하고 한 선생 한 선생 안아주며 무사히 잘 다녀오라 했지만 왠지 마음이 무거웠다. 2001년 3월 13일, 이렇게 이들은 연변延邊으로 떠났다. 이들이 떠난 후, 학생 모집 진행 상황을 지휘하고 선생들이 체포되지 않을 안전한 학생 모집 방안을 강구하기 위해 나도 곧 뒤따라 갔다.

그러나 순교 선생 팀은 시작부터 난관에 부닥쳤다. 다급한 전화가 왔다.

"선교사님, 이걸 어떡함까? 효선 선생과 봉희 선생이 체포되었슴다. 빨리 손 좀 써주십쇼 예? 그 선생들 북한에 잡혀 나가면 죽슴니다 죽어요. 어떻게 키운 선생들인데…."

순교 선생은 전화하며 내내 울었다. 연변에 도착하기도 전에 기차 안에서 두 선생이 체포되어 버렸던 것이다.

황망히 북한 접경 지역인 도문圖們에 계신 ○○○장로님께 전화를 드렸다. 두 선생이 북송된다면 반드시 이 곳 변방 구류소를 거쳐가기 때문에, 이곳의 유력 인사들을 알고 계신 장로님께 두 선생이 북송되지 않게 도와달라고 간곡히 부탁드렸다. 하지만 장로님의 각고의 노력에도 불구하고 두 선생은 곧장 북송되고 말았다.

순교 선생 팀은 기차에서 효선 선생과 봉희 선생을 잃어버리고, 나머지 신소광, 김기철, 김예진, 박에녹, 신재록, 이우열 선생들은 무사히 연변까지 도착했다. 예진 선생은 눈 치료 때문에 당분간 학생 모집을 않기로 했다.

연길延吉에 도착한 순교 선생은 조선족 이우열 선생의 누나 집을 근거지로 삼아 제자 선생들을 지휘했다. 하지만 며칠 후, 공안들이 밤에 갑자기 들이닥쳐 순교 선생과 소광 선생, 우열 선생 그리고 매형을 도와 함께 학생 모집을 하던 소광 선생의 처남을 체포해 갔다. 우열 선생의 매형이 한국 선교사인 나를 신고해 돈을 받아내려고 공안인 친구와 사전에 합의한 것 같았다.

공안들이 우열 선생의 매형을 앞장 세워 급습했을 때, 나는 이미 그곳을 떠난 후였다. 그날 저녁, 내가 그곳에 이르자 순교 선생과 소광 선생이 서안西安에 있는 많은 사람들을 위해 나는 절대로 체포되면 안 된다며 다시는 오지 말라고 등 떠밀어 보냈기 때문이다.

공안들은 내가 있는 곳을 캐내기 위해 순교 선생과 우열 선생, 소광 선생과 소광 선생 처남을 수갑에 채워 파출소로 끌고 갔다.

"소광 선생, 이제 우리는 건져 줄 사람도 없구, 공안에 잡혔다구 돈 내고 빼줄 사람도 없어. 우리 이대로 모든 것을 안고 북한까지 가게 될 거 같아."

안색이 어두운 소광 선생을 위로하는 순교 선생의 말이었다. 그러나 소광 선생도 순교 선생 못지않게 의외로 담담했다.

"그런 거 같습다. 그렇지만 어찌 보게 되면 하나님의 무슨 계획이 있는 거 아니겠슴까? 순교 선생님."

"그래 소광 선생, 무슨 하나님의 계획이 있겠지… 우리 한번 푸욱 믿구 가는 데까지 가봅시다 뭐!"

순교 선생은 오히려 즐겁게 말했다. 여느 때 같으면 멀리서 공안 차만 보아도 가슴이 두근거렸지만 이상하게 조금도 두렵지 않았다. 오히려 마음속으로부터 알 수 없는 평안이 가득 차오르고 있었다. 이런 위기의 때에 곁에 서로가 있다는 것이 새삼 더 귀하게 여겨졌다. 이것도 하나님의 계획의 일부려니 생각하며 모든 것을 하나님께 맡기기로 하였다.

파출소에 도착하자 조선족 우열 선생은 곧장 풀려났고, 공안들은 내가 있는 곳을 대라고 순교 선생과 소광 선생을 계속 심하게 때리며 추궁했다. 이들은 내가 있는 숙소의 위치도 내 핸드폰 번호도 다 알았지만, 가혹한 매질에도 나를 보호하기 위해 한마디도 하지 않았다. 이들은 하룻밤을 파출소에 있다가 곧바로 흥안興安 간수소로 넘겨졌다.

간수소로 넘겨진 다음날부터 주州 공안국에서 파견된 공안들이 계속 취조했지만, 이들의 대답은 한결 같았다.

"우리가 성경 공부를 한 것은 사실이구, 선교사님도 연길延吉에 나왔지만 우리는 모룬다! 선교사님은 전도하시느라 한 곳에 있지 않구 항상 여러 곳으로 옮겨 다닌다. 우리로서는 어디 있다고 말할 수도 없구, 설사 안다 해도 말할 수 없슴다."

"이 새끼들아 말하라면 말하지 무슨 말들이 많아!"

공안들은 아무리 때려도 이들이 계속 같은 말만 반복하자 마지막에는 전기 곤봉을 동원했다. 몇 차례 전기 충격에 몸이 비틀어진 순교 선생이 고함을 질렀다.

"야! 니네들두 사람 아니냐? 그러문 니네두 스승이 있지 않았나? 한번 바꿔 놓구 생각해 봐. 니네라문 이렇게 막 때린다구 스승을 팔아 먹겠니? 우린 어차피 북한에 나가문 죽는다. 우리는 이래두 저래두 어차피 죽는다. 아무래두 죽는 거 우리 선생만은 살린다!"

그러자 공안이 이들의 뺨을 휘갈기며 취조를 포기했다. 그러나 간수소에 한 번 들어가면 무조건 40일을 채워야 한다는 중국 법 규정상 취조가 끝났음에도 이들은 그곳에 계속 갇혀 있어야 했다.

40일 후, 두 선생은 곧 북한으로 이송되었다. 소광 선생은 간수소에서 나오면서 그동안 한 번도 보지 못한 순교 선생과 처남을 처음으로 보았다. 머리를 빡빡 깎이고 죄수복을 입은 순교 선생을 보니 눈물이 났다. 그는 떨리는 목소리로 순교 선생을 불렀다.

"순교 선생님!"

"소광 선생!"

순교 선생의 목소리도 떨리고 있었다.

"우리 가는 것 같습니다."

"그래, 가는 것 같아."

간수들이 두 선생을 용정龍井 변방대로 이송하며 말했다.

"너희들 크게 죄 지은 것도 없는데, 갔다가 또 오라. 잡히지 말라."

두 선생은 이틀을 변방대 감방에 있다가 회령의 보위부 집결소로 이송되었다.

학생 모집을 위해 선생들을 연변延邊으로 직접 보내는 이런 방법은, 순교 선생과 소광 선생뿐 아니라 앞으로도 많은 선생이 체포될 것 같았다. 그래서 위험한 연변 지방에 선생들을 파송시키지 않고, 용섭 선생 한 사람만 조용히 보내 연길延吉에 상주하며 학생들을 연중 모집하는 방향으로 전환하고자 했다. 용섭 선생이 조선족 교회 전도사들과 협력하여 학생들을 모집해 보내주면, 서안西安 쪽에서 내가 그들을 맞아 선생들에게 인계하는 방식으로 새로운 사역장을 세워 가기로 했다.

순교 선생과 소광 선생이 체포된 후, 나는 새로운 학생 모집 시스템 마련을 위해 오랫동안 연길에 머물러야 했다. 그동안 서안에 있는 5개 사역장의 여러 일들은 성근 선생과 규홍 선생이 맡아서 잘 처리하였다.

영성 강의와 화산華山 기도회

연길에 한 달여를 머물며 새로운 학생 모집 시스템을 마련해 놓고, 4월 중순 다시 서안으로 왔다. 새로 세워진 3기생 선생들은 학생들을 인계받아 사역을 시작하기만 애타게 기다리고 있었다. 이들은 이미 성막 강의와 교회사 강의를 통해, 예수 그리스도의 복음 안에서 자신의 정체성을 발견하고 사명감에 충만한 북한 선교사로 준비되었다. 하지만 말씀과 함께 이들을 성령의 은사와 능력으로 무장시켜 주고 싶은 마음이 간절했다.

그래서 신학교와 신학대학원 선배인 표정훈 목사가 나의 부탁으로 한국에서 와서 영성 강의를 해주었다. 이번 강의의 대상 사역장은 모두 5개로, 누가 선생과 규홍 선생, 예진 선생과 정 선생, 성근 선생 사역장을 각각 한 그룹으로 묶어 각 그룹별로 한 주일씩 강의가 진행되었다. 장소는 다른 사역장에 비해 넓은 편인 규홍 선생 사역장 아파트였고, 어머니께서 직접 가셔서 목사님과 15~20여 명의 선생들 식사 뒷바라지를 도맡아 섬겨주셨다.

강의 첫날부터 우리 선생들은 고넬료가 자기 집안 식구들과 친구들을 불러 놓고 사도 베드로를 모시는 사모함으로 강의를 들었다. 아침부터 밤 12시를 넘어서까지, 하루 종일 강의가 계속되어도, 선생들은 지치지 않고 스펀지가 물을 빨아들이듯 했다.

참여한 선생 대부분이 신약 70독에서 100독 이상, 구약 30독 이상의 통독과 400~500절 가량의 말씀 암송으로 이미 말씀이 충만했고, 매일의 기도 훈련을 통해 마음밭이 충분히 기경된 상태였다. 목사님의 강의를 추수 날에 시원한 냉수를 마시듯 단 마음으로 들으며, 쌓여있던 이들의 성경 지식은 아름다운 건축물로 세워져 갔다. 영혼의 영성, 육체의 영성, 물질의 영성, 대인 관계의 영성, 성령의 이중적 사역 등의 강의를 통해 선생들의 편파적 성경 지식이 유기적, 통합적 지식으로 종합되었다.

한 그룹 강의가 끝나면, 일주일 강의가 영적 실제가 될 수 있게 화산華山으로 기도 훈련을 떠났다. 5개 사역장 선생들을 두 조로 나누어 두 번에 걸쳐 화산에 올라, 산상 기도회뿐 아니라 순교 선생 팀 3기 선생들처럼 그 곳에서 공식적인 선생 임명 예배를 드릴 예정이었다.

▶ 김순종, 강규홍 선생의 제자들이 화산 북봉에서 3기생 북한 선교사로 세워지던 날

이때 하진복 목사가 성경책과 여러 신앙 서적을 가지고 사역장에 들어와 함께 등반을 하였다. 봄이라 올라가는 돌계단이 미끄럽지 않아 지난 번보다는 훨씬 덜 고생스러웠다. 산 정상에 도착했을 때는 이미 저녁 무렵이었다.

지난 번처럼 산장 지하에 있는 큰 방에 모여 표 목사의 인도로 저녁 기도회가 시작되었다. 기도회가 시작되자, 성령님께서 먼저 표 목사에게 산에 오를 때 안내를 맡은 중국 자매에게 잠시 음란한 생각을 가졌던 죄에 대한 부담을 주어 형제들 앞에서 그 죄를 공개적으로 고백하게 하셨다.

목사님은 성령 세례를 받기 전에 먼저 하나님 앞에 깨끗해야 한다고 전부 회개 기도를 시켰고, 통성으로 기도하게 하며 한 사람 한 사람 안수해 주셨다.

그러자 주께서 부활 승천하신 후 제자들이 감람산에서 돌아와 마가의 다락방에서 전혀 기도에 힘쓸 때, 성령께서 급하고 강한 바람처럼 강림하심 같았다. 모든 선생들에게 각국 방언이 터지고 예언, 방언 통역 등 각양 은사가 임했다. 알코올 중독자인 최대중 선생은 방언을 받고 너무 좋아하며, 살아계신 하나님을 체험했으니 이제부터는 술 끊고 신앙생활 잘 하겠다고 다짐하였다. 하나님의 은혜가 놀라웠고, 사모하는 심령을 만족케 하시는 성령님께 감사드렸다.

기도회를 마무리하며 새로 세워진 3기생들을 선생으로 임명하는 예배를 드렸다. 설교는 새로 세워진 선생들이 한 사람씩 돌아가며 하였다. 이들이 기염을 토하며 부르짖는 설교 내용은 단순했지만 힘이 넘쳤다.

"하나님이 우리를 살려주셨다.
그러니 우리는 하나님을 위해 살아야 한다."

"하나님이 우리를 부르셨다.
그러니 우리는 하나님 뜻대로 살아야 한다."

"우리는 북조선에 복음을 전하도록 부름 받은 사람들이다."

이들은 이런 단순한 논리들을 나누며 열광했고, 자신들도 이제는 북한 선교사로 세워졌다는 것에 매우 감격해 했다. 나도 이들과 함께 어우러져 이들 식의 구호를 목이 터져라 외쳤다.
"하나님 만세! 만만세! 기다려라 북한아! 우리가 간다! 아~ 아~"
그리고 모두가 어린아이 같은 순수한 마음이 되어 '이 시간도 북한으로'를 뜨겁게 불렀다. 눈물을 흘리며 손에 손을 잡고 밤새 이 찬양을 부르고 또 부르고 또 불렀다.

"오늘도 멀리 타향 길에서 복음을 안고서
예수님 십자가 그 사랑 전하여 가노라
어려운 상황 속에서도 주님은 인도하시네
흰 눈길 밟아 가면서 이 시간도 북한으로

오늘도 또 가야 하는 길 복음을 안고서
새벽 미명을 깨뜨리며 진창길 밟아가네
예수님 사랑하는 불타는 마음을 안고
평화의 기쁨 전하려 이 시간도 북한으로

하나님 부르심 받들고 발걸음 가볍게
고난을 이겨가면서 즐겁게 찬송 부르네

예수님 재림 기다리며 환란을 이겨가면서
모든 것 주께 맡기고 이 시간도 북한으로

이 시간도 북한으로 이 시간도 북한으로."

이 노래는 98년 주광호 선생이 나를 만나기 직전, 길림吉林에서 같이 살던 김철수 '기다려라 동방의 예루살렘이여!' 라는 시를 낭독한 김철수 선생과는 동명이인임 라는 형제가 북한에 복음을 전하러 들어가기 위해 40일을 금식한 후 작사, 작곡한 찬양이었다. 철수 형제는 광호 선생에게 이 곡을 가르쳐 주고 곧장 북한으로 들어갔다.

광호 선생에게 배운 후 우리 사역장에서는 계속 이 노래를 불렀다. 새벽 기도 때, 저녁 기도회 때 불렀고, 기쁠 때, 슬플 때 불렀다. 양식이 떨어져 막막한 가운데 금식하며 불렀고, 공안의 호구 조사로 위험할 때도 이 노래 후에 서로 손 잡고 간절히 기도하였다. 이후 서안西安에서 76명이 체포되었을 때, 감옥에 갇혀 생사를 기약할 수 없는 막막한 가운데도 이 노래를 불렀다. 우리 사역장에서 가장 많이 불렀던 찬양이었고, 나와 모든 형제들의 신앙 고백이었다. 부를 때마다 많이 울었고, 듣는 이들도 많이 울었다.

표 목사님은 이 찬양을 듣고 즉석에서 북한이 하나님을 버렸기 때문에 "네 머리 위의 하늘은 놋이 되고 네 아래의 땅은 철이"신 28:23 되었으며, 하나님을 버린 북한과 주님을 잘 섬긴 남한과는 마치 심판과 축복을 구분해 놓은 것 같다는 말씀을 전해 주셨다. 또한 은혜를 주시는 것은 반드시 시험이 있기 때문이라는 애기를 여러 번 하셨다. 고난을 통해 영성이 깊어지며, 고난이 영성의 최고봉이라고 하시며 큰 시험이 있을 것이라고 하셨다.

그런데 이날 기도회와 함께 선생으로 임명된 선생들 대부분이 훗날 체포되어 북한 감옥으로 호송되었다. 하지만 이들은 북한의 감옥에서도 신앙을 굽히지 않고, 예배를 드리고, 찬송 부르고 기도했다고 한다.

나는 지금도 북한 선교는 북한 사람이 해야 한다고 생각한다. 북한 사람에게 복음을 가장 잘 전할 수 있는 사람은 바로 북한 사람 자신이기 때문이다.

▶ 기도지원군, 소록도 북성 교회

그들은 반세기 동안 우리와 전혀 다른 문화 속에서 너무도 다른 길을 걸어왔다. 내가 북한 형제들을 처음 만났을 때, 외국인도 모자라 하물며 외계인이라고 생각했을 정도로 그들은 우리와 전혀 다른 세상의 사람이 되어 있었다.

또한 아무리 신뢰 관계가 형성되었다 해도 북한 사람들은 한국에서 온 사람보다는 본능적으로 북한 선생이 해주는 말을 더 신뢰했다. 그래서 하나님께서 친히 키우신 한 사람의 북한 출신 선교사가 얼마나 귀한지 모른다. 생명의 위협 속에서 한 걸음 한 걸음 뗄 때마다 하나님의 능력을 체험하며 살아온 우리 선생들이 바로 그 사람들이다. 배운 것 없고 거칠고 사나운 이 사람들이 이름도 없이 빛도 없이 이 일을 해 내고 있었다. 정말 하나님의 놀라운 능력이다.

이제 우리의 사역은 바야흐로 4기 사역으로 접어들었다. 사역장 인원도 무려 500여 명으로 불어날 것이다. 나는 북한 선교의 새로운 역사가 시작되고 있음을 느낄 수 있었다.

순교의 기도 지원군, 소록도 북성교회

날로 확장되어 가는 사역을 생각하니 우리 사역을 위해 밤낮 없이 기도하고 계시는 소록도 북성교회의 남차웅 권사님이 보고 싶어졌다. 1992년 대구 신학교에 편입했을 때, 동기 전도사의 소개로 남 권사님을 기도의 어머니로 모시게 되었다. 그 이후부터 권사님은 나의 사역과 우리 가정을 위해 전적으로 기도해 주셨다. 그리고 북성교회의 수석 장로이신 남효선 장로님, 강석환 집사님 등 다른 성도들도 나를 위해 많이 기도해 주셨다.

중국으로 들어오기 전에 인사 드리러 갔을 때였다. 권사님과 장로님 그리고 성도님들을 만나 뵙고 인사를 드리니 장로님께서 나에게 말씀하셨다.

"순교의 각오 아니고는 할 수 없는 북한 선교 아닙니까? 선교사님은 현장에서 순교의 자세로 사역하세요. 우리는 여기서 순교의 자세로 기도할게요."

그 후부터 북성교회에 부탁하는 기도 제목들은 전부 응답이 왔다. 나는 조금이라도 힘든 일이 생기면 새벽 2시건 3시건 무조건 전화해서 기도 부탁을 드렸다. 밤낮 없이 혼신을 다해 올려주시는 이분들의 기도는 우리 사역에 가장 큰 힘이었다. 나는 혼자서는 도저히 감당할 수 없는 일이 닥칠 때마다, 소록도 북성교회에 중보 기도를 부탁하며 어려움을 이겨내곤 했다.

어머니가 온 몸이 마비되어 위독하실 때, 1기생 선생들 파송을 앞두고 칼빈 선생의 폐병으로 사역장 해체 위기 때, 칼빈 선생과 요한 선생, 선주 선생이 체포되었을 때, 제남濟南으로 가는 기차 안에서 권능 형제들이 체포, 북송되었을 때, 다윗 형제가 귀신들려 발악할 때, 2기 때 갑작스런 호구 조사로 사역장의 안전이 매우 위험해졌을 때, 3기 때 사역장을 한 번에 여러 개 세우며 많은 물질이 필요했을 때 등등 소록도 성도님들의 기도와 함께 그 어려운 고비고비를 넘어올 수 있었다.

한국에 올 때마다 다른 곳은 몰라도 북성교회는 꼭 들렀다. 선교 상황을 자세히 보고하며 성도님들의 기도를 통해 형제들이 안정을 찾고 변화되어 가고 있다고 감사의 말씀을 드리면, 모두 자기 자식 일처럼 기뻐하셨다. 그리고 지금까지 수십 년 동안 많은 기도 부탁을 받고 많은 사람을 위해 중보 기도를 해왔지만, 북한 사람들 한 영혼 한 영혼을 붙잡고 기도하는 이 일보다 더 귀한 일이 어디 있겠냐고 오히려 나에게 고마워하셨다.

나름대로 작은 선물이라도 드리며 성의를 표시하려고 하면, 중국 가는 여비와 사역비에 보태라며 오히려 나를 더 많이 물질로 섬겨주셨다. 70세가 넘은 분들에게 정부에서 매달 30,000원씩 지급하는 돈을 모아두었다가 주시는 피눈물나는 돈이었다. 소록도에 들릴 때마다 이분들의 헌신적 기도와 사랑에 매번 큰 위로와 힘을 얻었다.

사역장의 형제들도 내가 한국에 갈 때마다 남 장로님을 비롯하여 북성교회 성도님께 편지를 써주었다. 형제들은 사역장이 안전하고 말씀의 은혜가 매우 큰 것이 장로님과 많은 성도님들이 24시간 쉼 없이 올리는 중보 기도의 열매라고 감사를 드렸다.

형제들은 병마와 싸우고 있는 성도님들에 대한 눈물나는 소식을 들으며 매일 아침저녁으로 중보 기도를 드렸다. 기도 속에서 매일 영으로 교제를 나누다보니 한 가족같이 친근하게 느껴졌다. 그래서 어떤 형제들은 꼭 우리 친척, 형제, 부모님께 편지를 쓰는 것 같다고 하였고, 남 장로님의 이름을 따서 붙인 최효선 형제는 장로님을 아버지라 부르고 싶다고 했다.

형제들은 "의인의 간구는 역사하는 힘이 많다"약 5:16는 말씀을 믿고 많은 기도 제목을 써 보냈다. 하나님의 사랑 안에서 살며 그리스도 안에서 형제를 사랑할 수 있도록, 영적으로 성장할 수 있도록, 기도하는 주님의 종이 되도록 기도해 달라고 부탁했다. 사역장 형제들의 이름과 구체적인 형편을 자세히 적어 보내며 꼭 잊지 말고 기도해 달라고 간곡히 부탁하는 선생들도 있었다.

또한 이 사역이 순조롭게 진행될 수 있도록 사역을 책임진 나를 위해 전날보다 더 많은 기도를 해달라고 부탁하였다. 아울러 앞으로 북한에 복음의 불길, 말씀의 불길, 성령의 불길이 세차게 타올라 북한의 모든 영혼이 구원받으며 북한 땅에 기근과 저주가 끊어지도록 힘써 기도해 주시기를 부탁드렸다.

하나님께서 성도님들의 기도를 들으시고 북한에 놀라운 변혁의 역사를 일으켜 주실 것이라고 그분들의 기도의 수고를 위로하였고, 탈북자들을 통해 복음의 씨앗이 북한 땅에 뿌려져 저 땅이 다시금 동방의 예루살렘으로 부흥할 것이라고 자신들의 간절한 소망을 나타내기도 했다.

여러 형제들이 많은 편지를 보냈지만, 조선족 김순종 선생의 편지를 소개한다. 순종 선생은 소록도 북성교회 성도들의 상황을 들으며 성도들을 위로하고자 자신의 신앙 간증을 편지에 써 보냈다.

조선족 김순종 선생의 편지

조   선   족   김   순   종   선   생   의   편   지

오늘도 소록도 북성교회와 함께 하시고 소록도 북성교회의 기도에 귀를 기울이사 응답해 주시는 하나님께, 또 모든 그리스도인과 함께 계시고 또 만유를 지으시고 만유를 통일하시고 또 우리 모두를 성령으로 하나로 만들어주신 하나님께 감사드리면서, 그리스도의 보혈로 거룩하여진 소록도 북성교회 남효선 장로님과 전체 성도님들께 주 예수 그리스도의 이름으로 문안드립니다.

우리를 이끌고 계시는 누가 선생님을 통하여 또 중국에 와서 선교하시는 최 선생님을 통하여 소록도 북성교회에 대하여 많이 들었고, 귀 교회의 기도에 역사하는 힘이 많음을 많이 들었습니다. 또 소록도 북성교회에서 저희들의 사역장을 위해서 24시간 기도하고 있다는 말도 들었습니다.

귀 교회의 정황을 말할 때 나는 울지 않을 수가 없었고, 소록도 북성교회 성도님들에 비하면 얼마나 행복한지를 몰랐던 나 자신이 너무나 부끄러웠습니다. 그래서 여러분의 신앙에 도움이 될 수 있을까 하여 귀 교회에 대한 감사와 기도 부탁과 아울러 나의 짤막한 신앙 중의 한 토막을 담습니다.

저는 김용○金容○이라고 합니다. 올해 27살이고, 1974년도에 하나님이 자주 사용하신 수인 12월 12일에 연변조선족자치주의 어느 한 농가에서 태어났습니다. 아버지는 농촌에서 소대회계를 10년 맡아 보시다가 자식들의 전도前道를 위해 소도시로 이사오기로 작심하고, 저희 가정 식솔을 모두 데리고 연변 룡정시의 조양천진朝陽川鎭에 이사왔습니다. 그래서 나와 나의 동생은 이곳에서 학교를 다녔고, 아버지와 어머니는 장사를 하면서 살림을 이끌어 갔습니다.

이러던 중 아버지는 91년도 즈음에 예수를 믿었고, 또 주님의 종으로 사역하며 교회 개척을 위해 힘도 많이 썼지만, 결국에는 술로 인하여 즉 술을 끊지 못한 것으로 해서 중풍에 걸리셨습니다.

나는 95년도에 아버지와 같이 예배 드리러 다녔는데, 아버지는 그때 자그마한 처소교회중국 지하 가정교회 목회자였습니다. 그러나 나는 예수 믿는다지만 제대로 신앙생활 아니하고 술, 담배, 도박, 오락에 빠져 살았댔는데 어느 하루 이렇게 계속 살아서는 안 되겠다는 생각이 섰습니다.

그때부터 성경 보기 시작했고 성경 공부도 다니고 신학 공부도 다니면서, 주님을 전하고 주님의 나라를 확장해야겠다는 뜨거운 마음이 내 속을 불태워 98년 5월부터 교회 개척을 위해 뛰어다녔습니다. 그때는 왕복 80리 길을 자전차를 타고 비가 오나 바람이 부나 눈이 오나를 막론하고 다녔고, 비가 올 때는 마을에 들어서서 자전차를 메고 다니기도 했습니다.

그런데 이 때에는 단지 마음의 뜨거움으로 했지 성경에 대해서는 잘 몰랐고 설교도 잘 못했고 기도도 잘 못했습니다. 소명 받았는지 또 사명이 무엇인지도 모르고 단지 예수를 전하자는 뜨거운 마음밖에는 없었습니다. 그런데 그때 무엇을 전했는지 몰라도 하여튼 뜨겁게 전했고, 모두들 은혜를 받았고, 시력이 나쁜 사람이 시력이 회복되어 성경을 보는 역사와 여러 가지 일들이 있었댔습니다.

그러나 이로써는 나를 하나님의 일꾼으로 만들 수가 없었는가 봅니다. 어느 하루 저의 아버지가 뇌출혈로 병원에 입원하게 된 것입니다. 아버지는 3일 동안 의식을 못 차렸고, 의식을 차린 후에는 오른쪽 팔다리를 못 쓰는 반신불수가 되었습니다. 그런데다가 언어 장애가 와 가지고 말도 제대로 못하였고, 그의 말에서 한마디를 알아들으면 잘 알아들은 것이었습니다. 그러나 아버지의 청각은 정상적이어서 우리가 말하면 아버지는 손시늉으로 옳다는 표시는 할 수 있었습니다.

이렇게 우리는 병원에서 15일간 있다가 입원비용이 없으므로 출원 出院(퇴원) 수속을 밟기로 결단했습니다. 저는 동맥경화로 인해 사지가 꽛꽛 하고뻣뻣하고 아직도 의식이 정상적으로 회복되지 못한, 아들의 이름도 못 부르시는 아버지를 업고 집으로 왔습니다. 출원 시에 나는 올라오는 눈물을 가까스로 참으면서 어머니께 "생명을 살려주신 하나님께서 아버지의 병도 고쳐주심을 믿읍시다." 하고 출원했습니다.

이때로부터 시작하여 하나님은 나를 하나님을 전적으로 의지하도록 기도의 사람으로 만들었습니다. 아침마다 아버지를 위해서 눈물을 흘리면서 기도하자, 아버지의 병은 날로 날로 큰 약도 아이 썼는데 하나님의 치료하심으로 호전되어 갔습니다.

때때로 하나님은 의사도 보내주셔서 무료로 봉사하게 하셨습니다. 그 사이에 수많은 의사가 와서 무료로 안마도 해주고 침구도 해주고 약도 져주고 했습니다. 또 쌀이 떨어질 때에는 쌀도 가져다주고, 돈이 필요할 때에는 하나님은 돈도 사람을 통해 가져다주게 했습니다.

이때로부터 나는 비바람을 맞을 수 있는 병아리로 성장하게 된 것입니다. 아버지는 전에 장사를 하면서 빚을 인민폐人民幣로 만 원 넘게 졌습니다. 그것으로 인해 저희들은 본래 그 돈의 이자돈만 해도 한 달에 칠, 팔백 원은 내야 했는데, 하나님은 이 돈도 다 면제하게 해주시고 본전만 갚으라는 것입니다. 너무나 하나님의 은혜에 감사했습니다. 이와 같은 하나님의 역사를 수없이 겪으며, 나는 하나님이 쓰시는 일꾼으로 성장하게 되었습니다.

제일 잊을 수 없는 나날은 작년 성탄절 며칠 전과 며칠 후였는데, 그때 나는 두 개 처소교회를 목회하고 있었습니다. 그때 면바로正面으로 저의 삼촌 집에서 언 명태를 씻어서 말리는데 내가 없으면 일손이 딸려 면바로 성탄절 기간에 명태를 씻게 된 것입니다. 그때 내가 이것을 포기하자니 삼촌이 예수를 모욕할 것 같아 하겠다고 했습니다. 새벽 3시부터 나가 삼촌의 일손을 돕고, 낮에는 예배 드리고 저녁 예배 마친 후에는 또 밤 12시까지 야경夜警을 섰습니다. 이튿날에는 또 다른 처소교회로 가서 예배를 인도하고 오후와 저녁에는 성탄 경축 오락 만회晩會를 가지고 또 와서 야경을 섰습니다. 새벽에 나가서는 삼촌의 일손을 돕고 아침밥을 짓고 또 나가서 낮일을 했는데 그런 중에도 하나님은 나에게 건강과 힘을 주셨다는 것입니다.

이렇게 한편 목회를 하면서 성경 학습과 신학 학습을 한 번도 빠지지 않았고, 시간을 타서 아르바이트를 하면서 살림을 이끌며 나갔댔습니다.

그러던 중 어느 학습 중에 북한 형제를 대상하여 성경 통독을 하는데 1년에 100독, 말씀 1,000구절 암송할 수 있다는 것을 같이 학습하러 온 전도사한테서 들었습니다. 그래서 그에게 상세한 것을 물어보고 집에 와서 곰곰이 생각해보니, 내가 현재 목회를 하면서 시간이 없어 성경을 못 읽는데, 앞으로 가서는 읽을 수 있을까 생각을 거듭거듭 해 보았습니다. 생각 끝에 내린 한 가지 결론은, '내가 가서 성경을 먼저 읽자.' 였습니다. 현재 나의 목회도, 부모도, 애인도, 동생도 중요하겠지만은 그보다 중요한 것은 내가 먼저 하나님 말씀을 뚜렷하게 이해해야 하겠다는 생각이 들었습니다.

그래서 나는 여러 사람의 만류와 반대 속에서 여기로 오게 된 것입니다. 떠나기 전 눈물로 가슴을 들먹였던 애인을 플래트홈플랫폼에 남겨두고 그리움과 더불어 기차역을 떠나 온 것입니다. 여기에 오고서야 나는 사단이 내가 여기 오는 것을 얼마나 막았는지를 느낄 수가 있었습니다.

나는 이곳에 정말로 잘 왔음을 더욱 깨달았고 하나님께 감사했습니다. 이곳에서 21세기를 진동하는 훌륭한 목사의 꿈, 주님 하신 일보다 더 큰 일을 하고 싶은 소망, 세계에서 제일 큰 목회를 하는 목회자의 비전을 더 한층 굳게 잡았습니다.

그리고 여기서 더욱 힘을 가진 것은 훌륭한 기도의 동역자들이 있다는 자부심인 것 같습니다. 사회에서는 어떻게 대우받는지는 잘 모르지만, 약한 자를 들어서 강한 자를 부끄럽게 하는 하나님의 역사가 바로 소록도 북성교회에서 일어남을 들은 것입니다.

진실이 점점 소실되어 가는 이 때에, 비록 수십만 명의 기도의 단체가 아닐지라도 하나님은 진실로 융합된 소록도 북성교회의 기도를 들으시고 수많은 응답들을 내리신 줄로 믿습니다. 그 증거라면 내가 현재 소속이 되어 있는 사역장에 결핵병 환자가 있는데, 여러분의 24시간 집중적 기도에 지금은 기침을 짓지 않고 각혈을 하지 않고 있습니다. 5일 동안 닝겔링거 주사를 하루 3통씩 맞을 때는 매일 기침 나고 각혈이 심했는데, 여러분의 기도 위에 하나님의 보좌가 움직이고 하나님의 치료의 광선이 이곳을 비추신 것이 아니시겠습니까? 부디 더욱 큰 힘과 신심을 가지시기 바랍니다.

아래에 소록도 북성교회 기도가 역사하는 힘이 많은 줄을 믿고 기도 부탁 몇 가지를 드리려고 합니다.

1. 말씀의 지혜의 은사, 지식의 은사를 주사 말씀을 정확무오하게 깨달아서 가르치는 자가 되게 하시기를 위해서
2. 21세기의 잠자는 영혼을 깨우는, 주님이 하신 일보다 더 큰 일을 하는 훌륭한 목사가 되기를 위해서
3. 내가 가야 할 신학대학과 신학원과 및 학비를 위해서
4. 아버지의 병을 위해서 – 아버지가 다시금 일어나서 주님의 일을 할 수 있기를 위해서
5. 나와 애인의 결혼 비용을 위해서

(나의 애인은 올해 29세인데 중국에서는 이 나이의 처녀가 시집 못 가면 아주 수치가 됩니다. 인간의 수치는 괜찮은데 예수님의 이름이 팔리는 것 때문에 명년 이 학습이 끝나면 파송 받고 인츰에 결혼하고 다시 돌아와서 사역을 시작하고저 합니다. 그리고 될 수만 있다면 나의 애인도 이 곳에 와서 하나님의 말씀을 통독할 수 있도록 기도해 주십시오. 저의 애인은 아주 오고 싶어하는데, 상황이 잘 안 되어 있는지 올 수 없다고 여기 선생들이 말합니다. 기도해 주셨으면 감사하겠습니다.)

수많은 기도 부탁을 드리고 싶지만 이만큼 하고, 할 말은 많지만 앞으로의 편지 내왕과 더욱이 상봉을 그려보면서, 남효선 장로님을 비롯한 여러 성도님들의 옥체 건강을 하나님께 간절히 빌면서 아쉬운 필 놓습니다.

敬礼

2000. 9. 30.

한참 후배인 부족한 주의 종

김용○김순종으로부터

기다려라 북조선아
우리가 간다

북한 선교 앞이 훤히 보였습니다

중국에는 이런 말이 있습니다. '정부에는 정책이 있자만, 하부에는 대책이 있다.' 그런데 정책도 대책도 없

그 광활한 땅에서 그 많은 사람들을 거느려야 여러 일 중에서도 가장 힘들고 위험할 일, 가장 엄중한 처벌을 받

되는 일을 하는 사람이 있었습니다. 정책과 대책은 없이 말입니다. 오직 정책이 '잘다인 하나님 아버지'가 그의 정책

고, 용기가 작정한 순간 기도가 그의 대책인 셈 말입니다.

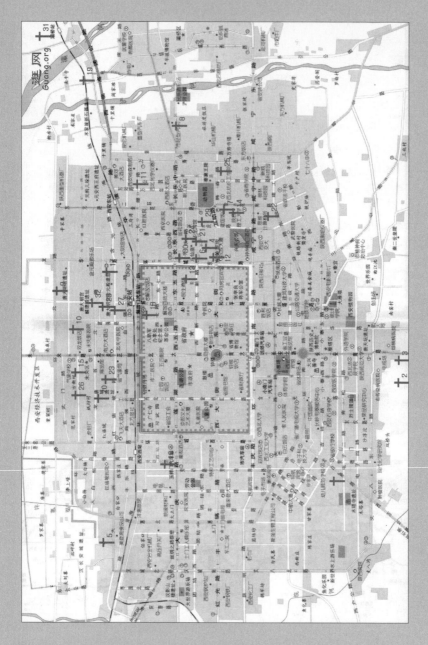

▶ 서안 사역장 지도

기다려라 북조선아 우리가 간다

북한 선교 앞이 훤히 보였습니다

북한 선교의 장대한 서막이 열리다

주님은 절대로 우리를 시험하지 않으신다. 우리 앞에 고난과 역경이 오면, 그것은 우리를 훈련시키는 하나의 도구일 뿐이다. 아무리 힘든 일이라도 지난 후에는 그것을 통해 주님이 이루어 놓으신 아름다운 것들을 발견할 수 있다.

소나기가 아무리 세차도 그친 후에는 아름다운 무지개가 뜬다. 빗물에 씻긴 맑은 하늘에 떠 있는 그 무지개는 무서웠던 소나기의 기억을 다 잊게 한다. 그처럼 나는 내일에 예비해 놓으신 무지개의 약속을 기대하며, 어제의 아픈 기억들을 떨쳐버리고 다시 일어설 수 있었다.

3기 사역을 시작할 때 많은 반대에 부딪쳤다. 우선, 우리 사역을 꾸준히 지원해 주시던 김의환 목사님께서 사역비 문제로 사역 확장을 반대하셨다. 그리고 많은 목사와 선교사도 북한 선교의 위험성 때문에 더 이상의 사역 확장을 반대했다. 그러나 나는 주님만 의지하며 2기생 선생들을 파송하였다.

하지만 첫 걸음부터 정모세 선생을 잃어야 했고, 연이어 이현수 선생과 유칼빈 선생을 다시 볼 수 없는 아픔을 겪어야 했다. 그리고 이 모든 아픔을 간신히 이겨내며 3기 사역을 진행하던 중, 장만식 아바이를 잃어야 했다. 장아바이의 체포처럼 나와 모든 선생들을 통곡하게 한 사건은 전 사역 기간중 한 번도 없었던 것 같다. 그만큼 그의 체포는 우리 사역장에 많은 여운을 남겼다. 또 그렇게 믿고 아꼈던 권능 선생이 나의 사역 방식에 불만을 품고 사역장을 떠났다.

이런 고비들을 넘을 때마다 너무너무 힘든 나머지 이 사역을 포기하려고 했다. 그러나 그때마다 주님은 이 사역을 통해 새롭게 자라나는 생명들을 보게 하셨다. 조금씩 푸르름을 더해가는 생명의 새싹들은 정말 아름다웠다. 모든 눈물과 수고와 아픔들을 넉넉히 덮고도 남을 감격이요 기쁨이었다.

한 걸음 한 걸음 옮길 때마다 주님만 의지해야 하는 힘겹고 위험한 사역이었지만, 이제 3기 사역에서 세워진 선생들에 의해 4기 사역장이 생겨나기 시작했다. 순교 선생 사역장의 김기철, 박에녹, 신재록 선생이 서안西安으로 왔을 때 많은 선생들이 역으로 마중 나가, 체포되지 않고 무사히 학생들을 모집해 온 이들을 축하하고 격려해 주었다.

이후에는 용섭 선생이 보내주는 학생들을 서안에서 인계받아, 3기 사역장에서 준비된 선생들을 팀장으로 임명하여 새로운 사역장을 꾸리게 하였다. 용섭 선생이 한 주에 한 팀씩 꼭꼭 보내주어 매주 새로운 사역장이 하나씩 생겨났다. 선생들이 체포될 우려도 없고 비용도 훨씬 적게 드는 이런 좋은 방법을 주신 하나님께 감사하며, 나는 늘어나는 사역장들로 흐뭇하기만 했다.

용섭 선생은 예상했던 대로 역시 훌륭한 활동가였다. 그는 연변의 여기저기를 혼자서 조용히 다니며 학생들을 모집해 9, 10명 가량이 되면 팀을 만들어 서안으로 보냈다. 그가 얼마나 노련했던지 북한의 보위부나 중국의 공안들이 우리 선생들을 찾아내기 위해 애를 많이 썼지만 그의 활동에 대해서는 마지막까지 전혀 몰랐다고 한다.

신재록 선생 팀에는 장 아바이 사역장에 학생으로 있던 유에녹 형제가 다시 학생으로 내려왔다. 그는 그 사역장 학생들이 공안에 전원 체포될 때, 아내 금자 자매와 함께 연변延邊으로 갔었다.

이들은 연변에서 낮에는 일을 하고 밤에는 가지고 간 테이프로 성경 통독을 하며 지냈다. 한번 말씀의 맛을 경험한 이 부부가 말씀을 얼마나 귀하게 여겼는지, 조선족 교회 전도사가 중국 돈 3,000元을 줄 테니 통독 테이프를 팔라고 여러 번 부탁했는데도 팔지 않았다. 돈보다 하나님의 말씀을 읽어야 되기 때문에 팔지 않고 계속 성경을 읽었다고 한다. 중국 돈 3,000元이면 우리 돈으로 40~50만 원 정도 돈으로 탈북자인 이들 부부에게는 엄청나게 큰 돈이었다.

다른 형제들도 말씀을 어느 정도 경험한 후에는, 개인 사정으로 사역장을 떠나게 되면 꼭 통독 테이프를 가져가려 했다. 정 선생 사역장의 김주명 형제가 사역장에 3개월 있다 아내 성온유 자매와 함께 떠날 때였다. 사역장 형제들이 모두 역으로 그를 배웅하러 나가 사역장이 비어있는 사이 아내를 시켜 사역장에 한 질밖에 비치되어 있지 않던 QA 주석 전권을 가져오게 했다. 들여오기 힘든 주석 전권을 훔쳐간 것은 괘씸했지만, 훔쳐서라도 가져가려 했던, 말씀을 사모하는 마음만은 참으로 귀하게 여겨졌다.

학생들이 오자, 성근 선생 사역장 선생들부터 학생들을 인수받고 사역을 시작하게 하였다. 제일 먼저 이선장 선생이 학생들을 인계받아 사역을 시작했다. 그 다음 조선족 이욱 선생이, 뒤이어 신수재 선생이 사역장을 꾸렸다. 누가 선생이 떠난 후 김순종 선생이 이어서 맡았던 사역장의 조복화 선생과 조선족 김광철 선생도 각각 8명의 학생들을 인계받아 사역을 시작했다.

그와 함께 성근 선생과 나의 할 일도 끝없이 늘어갔다. 새벽 6시부터 이 사역장 저 사역장 돌아다니며 추가로 필요한 사역비와 옷가지들을 지급하고, 수시로 발생하는 문제들을 처리했다. 또 새롭게 세워진 4기 선생들에게 사역에 필요한 경험들도 이수해줘야 하고, 계속해서 오는 학생들이 들어가

▶ 죽어가는 내 형제

살 집을 미리 찾기 위해 도시의 여기저기도 돌아 다녀야 했다. 새벽 2시까지 팽이처럼 돌아도 일은 계속해서 쌓여만 가 지치고 힘겨웠지만, 그 어느 때보다도 더 기쁘고 감사하고 행복했다.

이제 3기생 선생들 모두가 이렇게 사역장을 꾸린다면, 대략 400~500명 가량의 학생들로 제4기 사역이 시작될 것이다. 이젠 북한 선교의 대문이 활짝 열린 것이다. 나는 하나님께 감사하고 또 감사하였다.

저 죽음의 땅 북한은 이제 우리 손에 달렸다. 사망의 그늘에서 신음하는 수많은 북한의 동포들에게서 이제 더 이상 눈물이 흐르지 않을 것이다. 나는 흥분과 감격을 주체할 수 없었다.

나는 마음속으로 조용히 외쳤다.

'기다려라 북조선아! 이제 우리가 간다!'

자매 사역장의 설립

98년 사역을 시작하고 몇 달이 지나지 않아, 많은 분들에게서 자매 사역도 좀 해야 하지 않느냐는 권면을 들었다. 사역장의 형제들도 자매 사역장을 세우자고 여러 차례 내게 건의했었다. 그러나 자매건 형제건 사역장 하나가 세워지려면 그 사역장을 이끌 수 있는 선생과 그를 지도해 주고 지원해 줄 선교사가 반드시 필요하다. 형제 사역장을 이끌어 가며 필요한 재정을 공급하는 것만도 힘에 부쳐 자매 사역장은 엄두도 내지 못했다. 또한 사역장을 이끌 수 있는 선생으로 세워지려면 아무리 짧아도 10개월에서 1년은 강도 높은 훈련을 받아야 하는데 그렇게 훈련된 자매 선생이 없었다. 그래서 갈 곳 없어 떠도는 북한 자매들을 만날 때마다, 자매 사역을 하는 다른 선교사에게 소개시켜 보내곤 했다.

하지만 2기 때부터, 학생으로 들어오는 형제들 중에 어머니나 아내, 여동생 등 자매 가족이 있는 사람들이 많았다. 이들은 나를 볼 때마다 자기 가족들을 어떻게 좀 돌봐줄 수 없느냐고 통사정을 했다. 그러던 중 연변延邊으로 파송되어 갔던 정용철 선생이 나의 지시고 뭐고 상관없이 아들과 딸을 데려왔고, 정 선생 팀의 김예진 형제도 아내를 데리고 왔다. 장만식 선생 사역장 학생으로 들어온 유에녹 형제도 아내인 금자 자매와 함께 왔다. 금자 자매는 우리 집에서 우리 가족과 함께 생활하며 성경 통독을 했다. 또 김주명 형제도 성경 공부시키고 싶어 아내를 데려온 것을 돌려보낼 수 없어 역시 우리 집에 있게 했다. 하지만 문제는 여기서 끝나지 않았다. 이용섭 선생이 아내 문제로 상담을 해와 그의 아내 차 이모도 우리 집으로 오게 되었다.

그러나 그들을 받아들여 끝도 없이 우리 집으로 데려 갈 수도 없는 노릇이었다. 우리 가족만 해도 일곱 식구에 정 선생의 아이들인 은혜와 봉구, 일을 돌봐주던 조선족 문 이모까지 대가족이었다. 아내는 여섯 아이들을 키우는 것만도 힘에 겨운데 북한 자매들에게 성경 통독까지 시켜야 하니 몹시 힘들어했다.

학생들 한 사람 한 사람이 이런 문제로 상담해 올 때마다, 최대한 자매는 받지 않으려 했던 나의 입장은 난처하기만 했다. 생각 끝에 우리 사역장에 연고가 있는 자매들만 학생으로 받아들여 자매 사역장 하나를 운영하기로 했다. 중국에 있는 탈북자의 절반이 자매인데 형제 사역만 해서 그동안 마음에 늘 부담이 있다가 자매 사역장을 세우게 되어 감사했다. 주로 자매들을 통해 복음이 전파되고 교회가 부흥되었던 한국 교회사를 생각하며, 이들 중에서도 하나님께서 귀히 쓰시는 자매 북한 선교사가 세워지기를 기대했다.

우리 집에서 5개월 동안 성경 통독을 하다가, 연변에 갔다가 다시 온 금자 자매를 자매 사역장 선생으로 세웠다. 그리고 은혜 자매, 김예진 선생의 아내 김온유 자매, 이선장 선생의 여동생 지혜 자매, 새로 4기 학생으로 들어온 장 형제의 아내 김겸손 자매까지 모두 4명의 자매들로 자매 사역장을 만들었다.

▶ 화청지에서 자매 사역장의 자매들

자매 사역장이 만들어졌다는 소식은 이내 전체 사역장에 퍼졌다. 사역장에 들릴 때마다 선생들과 학생들은 궁금증을 참지 못하고 물어왔다.

"선교사님, 자매들이 몇 명이나 됨까?"

"곱슴까?"

"다음 번 축구 대회 때면 만날 수가 있슴까?"

어떤 형제는 아예 노골적으로 부탁해 오기도 했다.

"선교사님, 저 지금 30세임다. 거 자매 사역장에 맞춤한 자매님 한 분 좀 어떻게 못함까? 헤헤."

나는 자매 사역장을 두 개의 가정 사역장과 함께 서안西安에서 버스로 3시간 가량 떨어진 보계寶鷄시에 세웠다. 안정된 마음으로 공부하는 총각 형제들의 마음에 괜히 불을 붙여 놓을 것 같아서였다. 하지만 자매 사역장을 보계시에 세운 것 때문에 그들의 목숨을 구하게 될 줄은 상상도 못했었다.

체계적으로 훈련받지 못하고 선생으로 세워진 금자 자매는 사역장을 이끌며 매우 힘들어했다. 북한 자매들은 형제들 못지않게 사나워 한마디로 '여전사들'이다. 이들이 사납게 선생을 공격하며 사사건건 따지고 불순종하니, 금자 선생은 여러 번 울며 더 이상 사역을 못하겠다고 연락을 하였다. 그때마다 자매 사역장으로 가서 금자 선생을 위로하고 용기를 북돋아 주고, 아직 하나님을 모르는 자매들과 대화하며 그들의 생각을 정리해 주었다. 그러면서 자매 사역장 하나가 잘 훈련된 선생이 이끄는 형제 사역장 7, 8개보다 더 힘들다는 생각을 여러 번 했다.

그러나 이러한 여전사들이 모인 자매 사역장도 세워진 지 2개월이 지나면서부터는 성경 통독과 기도를 통해 점점 안정을 찾아갔다. 이들은 밤마다 사역장 근처 강가로 나가 북한 복음화와 전체 사역장을 위해, 북한에 두고 온 가족들을 위해, 또한 행방불명된 지혜 어머니를 위해 함께 기도하였다. 하루가 다르게 변화되어 가는 자매들을 보며, 이렇게 7~8개월 더 훈련하면 북한 출신 자매 선교사도 여러 명 배출될 것이라는 큰 기대를 가졌다.

사람을 꼼짝 못하게 다루는 능력

4기 사역이 시작됨과 동시에 선생과 학생들 간의 술, 담배 전쟁도 어김없이 시작되었다. 나를 도와 여러 개 사역장을 관리하던 성근 선생은 이제 막 선생으로 세워진 기철 선생이 힘하디 힘한 탈북자들을 어떻게 다스려낼지 늘 염려스러워했다. 기철 선생은 아직 사역에 대한 경험이 없을 뿐 아니라, 북한에서 박사원우리의 대학원에 해당함까지 졸업하고 북한 과학연구소에서 연구만 하다 온 사람이었기 때문이다. 아니나 다를까 며칠이 지나기가 무섭게 기철 선생에게서 전화가 왔다.

"성근 선생, 큰 일 났다. 이 일을 어쩌면 좋습까? 예?"

"왜 그럼까 기철 선생? 무슨 일이 생겼습까?"

"나 하마터면 학생들한테 맞아 죽을 뻔했소. 그 죽일 놈들이 내가 술, 담배를 못하게 한다구 글쎄, 여럿이 달라붙어 사역비고 뭐고 다 빼앗구 내쫓지 않고 뭡까? 아이쿠, 이 일을 어쩌면 좋습까?"

기철 선생은 아직도 마음이 진정되지 않는지 간간이 말을 더듬었다. 그는 머리끝까지 화가 나 있었다.

"그 새끼들이 나보구 뭐라는지 암까? 거 영남이라는 새낀 나보구 '너 이 새끼, 조국과 김정일 장군님을 배반하고 남조선 괴뢰도당하고 맞붙어서 지금 뭐하는 거야? 거 남조선 괴뢰도당을 이리로 빨리 데려오라. 갈기갈기 찢어놓겠다.' 이러면서 나를 막 때리려고 하는 걸 겨우겨우 도망쳐 나왔습다. 거 힘센 학생들 좀 데려다가 이 종간나 새끼들을 손 좀 봐야겠소."

엄격한 사역장 생활을 견디다 못한 5명의 형제들이 공부를 포기하고 연변延邊으로 돌아가려고 작당하고 나선 것이다.

성근 선생도 김정일 장군 운운한 영남이라는 놈을 만나 박살내고 싶었다. 영남 형제가 했다는 말은 김정일에 대한 원한이 하늘에 사무친 그를 비롯한 모든 탈북자들을 가장 격분케 하는 말이었다. 중국에까지 와서 '김정일 장군'을 외쳐대는 자식을 가만두고 싶지 않았다. 성근 선생은 한국에 있는 내게 전화해서 사건의 자초지종을 설명했다. 그때 나는 새롭게 확장되는 4기 사역에 필요한 재정 마련을 위해 한국에 나가 있었다.

"선교사님, 그 말을 한 자식만은 꼭 붙잡아서 도륙을 내고 싶습다."

화가 나서 거칠게 말하는 그의 마음이 충분히 이해가 갔다. 그러나 이 말이 다른 사역장에 알려진다면, 기철 선생 사역장은 정말 큰 일이 날 것이다. 북한 정권에 대한 분노가 극에 달한 사람들에게 영남 형제 말은 마른 장작에 던지는 불씨나 다름없었다.

"성근 선생, 절대로 다른 선생들이나 학생들에게 이 사실을 알리지 마세요. 절대로요."

"그러면 나 혼자 어떻게 함까?"

성근 선생이 발끈해서 물었다.

그렇다고 깡패들처럼 떼거리로 몰려가 몰매를 때려서는 더욱 안 될 일이었다. 군복무 10년씩의 경력을 가진 그들을 성근 선생이 감당한다는 것은 불가능하게 보였다. 나는 기도 많이 할 테니 성근 선생이 기도하고 알아서 처리하라고 했다.

성근 선생은 이러지도 저러지도 못해 답답했지만, 일단은 부랴부랴 사역장으로 달려갔다. 기철 선생은 사역장에 들어가지도 못하고 조선족 형제와 함께 길가에 앉아 있었다. 몹시 피곤해 보이는 기철 선생은 그를 보자마자 대뜸 소리부터 질렀다.

"아?! 성근 선생, 어째서 혼자 왔소? 힘 센 학생들을 좀 많이 데려오지 않구 뭐 함까? 혼자 와서 뭘 어쩌겠다는 검까? 지금 쟤들이 얼마나 미쳐 날뛰는지 암까? 쟤들 중에 거 영남이와 명철이라는 새끼는 특수 부대에 10년이

나 복무하구 와서 그런지 얼마나 무서운지 어… 아, 아직도 막 떨리네."

아직도 잔뜩 겁 먹고 있는 기철 선생을 보니 저들의 살기가 어느 정도였는지 짐작이 갔다. 이어서 조선족 형제가 말을 했다.

"그리구 쟤들이 지금 뭐 하고 있는지 암까? 기철 선생한테서 빼앗은 돈이 모자라니까 성근 선생과 최광 선교사가 오기만 기다리고 있슴다. 성근 선생이 평소에 돈 많이 가지고 다니니까 붙잡아서 돈 뺏고 족쳐놓고 도망치자고 합데다."

이 말을 들은 성근 선생은 섬뜩했다. 전체 사역장을 관리하느라 많은 돈을 가지고 다닌다는 것은 누구나 다 아는 사실이었다. 기철 선생이 와락 성난 어조로 말했다.

"아, 뭐 함까? 가서 다른 선생들 데려 오지 않구. 저 새끼들이 지금 우리 사역장이 얼마나 큰지 몰라서 저럼다. 가서 몽땅 박살내 버립시다. 나보고 김정일이를 배신한 배신자라고 떠드는 놈 새끼들을 싸그리 박살내 놉시다. 에이 X할."

성근 선생은 매우 당황스러웠다. 사태가 이렇게까지 험악할 줄은 미처 생각지 못했던 것이다. 그저 사역장 생활이 힘들어 잠시 투정삼아 부린 난동인 줄 알았는데 그게 아니었다. 그는 기철 선생과 조선족 형제에게 말했다.

"나도 어떻게 해야 할지 모르겠소. 근데 다른 형제들을 데려다가 저들을 작살내는 방식으로는 안 됨다. 만약 우리가 그렇게 한다면 우리는 순수하게 성경만 배우고 하나님 나라를 위하는 선한 무리들이 아니라 조직적인 깡패집단으로 전락하게 될 검다. 또 다른 사람들의 힘을 빌려 해결한다면 훗날 저들은 우리를 믿지 않을 검다. 하나님을 믿는 사람들도 세상 깡패들과 똑같이 일을 처리한다구 말임다. 우리가 하나님의 사람들이라면 하나님을 믿고 하나님의 방법으로 해결해야 함다. 우리 함께 기도해 봅시다."

그는 기철 선생과 조선족 형제의 손을 잡고 기도하기 시작했다.

"하나님, 이걸 어떡하면 좋슴까? 우린 연약하고 저들은 사납슴다. 하나님, 방법을 가르쳐 주십시오. 하나님은 저들도 다 주님을 믿게 해서 구원 받게 하시려구 이곳으로 보냈는데, 우린 어쩔 바를 모르고 있슴다. 방법을 알려주십쇼."

세 사람은 길가에 앉아 지나가는 사람들이 쳐다보는 것도 아랑곳하지 않고 한참을 기도했다. 작은 기도 모임이 끝났지만, 세 사람 중 누구에게도 이렇다 할 대안이 떠오르지 않았다. 그러나 여기서 물러선다면 그들의 행동 하나하나를 지켜보는 학생들이 실망할 것이고, 그만큼 사역에 미치는 큰 해는 없을 거라는 생각에 성근 선생은 용기를 내었다.

"뭐, 다니엘 선교사는 하나님 믿고 사자굴에도 들어갔다구 하는데, 우린 그래두 사람 무리 속에 들어가지 않슴까? 다니엘 선교사보다는 한참 낫지 않슴까? 뭐 들어가 봅시다."

"난 싫습니다. 싫습니다. 들어가려면 두 선생이나 들어가쇼. 난 안 들어갑니다."

조선족 형제는 두 손을 홰홰 내저으며 소리쳤다. 결국 성근 선생과 기철 선생만 사역장으로 들어갔다.

사역장에 들어서니 사역장은 완전히 돼지우리 같았다. 담배 연기가 방마다 자욱했고, 금방 술 파티가 끝났는지 모두 술이 거나하게 취해서 카드놀이를 하고 있었다. 기철 선생에게서 빼앗은 돈으로 술 사 마시고, 담배 사 피우고, 카드 판을 벌인 것이다.

성근 선생과 기철 선생은 아무 말 없이 통독실로 들어가 기도를 시작했다. 학생들은 성근 선생이 와서 통독실에 들어가 있기만 하자 호기심이 생겼는지 한 명 두 명 통독실로 모여들었다. 한참 후에 성근 선생이 눈을 떴을 때, 모든 학생들이 통독실로 들어와 말없이 앉아 있었다. 하지만 모두 조용히 앉아 있기만 할 뿐 아무도 말이 없었다. 침묵, 침묵, 무거운 정적만 방 안 가득 흐르고 있었다.

누가 어떻게 말문을 여느냐에 따라 사태가 전도될 판이었다. 사태를 수습하려면 자기가 먼저 입을 떼야 한다는 것을 느낀 성근 선생은 웃으며 내키는 대로 말을 시작했다.

"우리 앉았던 김에 예배나 드립시다."

생각 없이 아무렇게나 던진 말이 이렇게 나와 버렸다. 하지만 형제들은 아무 반응도 없이 심드렁한 기색으로 그를 쳐다보기만 했다. 무서운 이 사람들이 갑자기 왁 일어나 자기와 기철 선생을 메다꽂고 돈을 빼앗아 도망갈 것만 같았다. 그는 애써 태연한 웃음을 지으며 담담하게 말을 이어나갔다.

"모두 힘들다는 거 암다. 나도 이 사역장에 와서 선생을 때려눕히고 도망갈 생각을 많이 했슴다. 근데 거 때려 부수는 건 문제가 아닌데 갈 곳이 없습데다. 다시 연변延邊으로 돌아간다구 해봐야 반기는 사람도, 친구도, 집도 없지, 그렇다고 말도 모르는 이 중국 대도시 한복판에서 살아가기도 막막하구. 그래서 악쓰고 참고 참았던 적이 많슴다. 리해가 됨다."

여전히 학생들은 말이 없었다.

"지금은 이 사역장에서 우리가 왜 이 생고생을 해야 하는지 리해가 가지 않을 겁다. 제가 이야기 하나 해줄 테니 한번 잘 들어보시오. 그냥 심심풀이 삼아 들어 보세요. 지루하진 않을 겁다."

이렇게 앞 뒤 찬송도 없고 기도도 없는 예배가 시작되었다. 성근 선생은 리처드 바크의 소설 '갈매기의 꿈'에 나오는 이야기를 들려주었다. 일전에 교회사 강의를 위해 오셨던 구창안 목사님이 해주신 얘기였다.

조나단 리빙스턴이라는 한 용감한 갈매기가 자연의 저항을 이겨내고 높이 더 높이 날아오르다가 새로운 세계를 발견하고, 함께 살던 갈매기들을 하나 둘 그곳으로 데리고 간다는 내용이었다. 신앙의 새로운 세계에 대해 우화적으로 묘사하여 듣는 이로 하여금 그 세계에 대한 동경을 불러일으키는 이야기였다. 이야기가 계속될수록 사역장의 살벌한 기운이 서서히 걷히고 있었다.

한참 후, 얘기가 다 끝났지만 학생들은 여전히 말이 없었다. 그러나 처음과 같은 무거운 침묵은 아니었다. 두 선생은 아무 말 없이 일어나 사역장 여기저기 널려 있는 담배꽁초며 카드며 술병들을 치우기 시작했다. 그러자 나 몰라라 하고 앉아 있던 학생들도 하나 둘 통독실에서 나와 이들을 따라 사역장을 정리했다. 두 선생은 저녁 때까지 학생들에게 아무 말도 하지 않았고, 학생들도 그들에게 말을 걸지 않았다. 성근 선생과 기철 선생이 저녁이 되어도 사역장에서 나오지 않자 조선족 형제도 눈치를 보며 슬그머니 들어왔다.

다음날 아침, 성근 선생은 아무 일도 없었다는 듯 학생들을 깨우고 여느 때와 다름없이 하루 일과를 시작했다. 아침 6시에 일어나 기도하고, 아침을 먹고 12시까지 통독하고, 점심을 먹고 다시 통독하고, 기도하고 말씀 암송하고 큐티를 했다. 학생들도 아무런 반항 없이 일과 진행을 잘 따라왔다.

다음날 성근 선생은 기철 선생에게 다시 사역비를 지급하고 자기 사역장으로 돌아갔다. 학생들이 빼앗아 간 돈에 대해서는 일체 언급하지 않았다.

하지만 주님의 역사는 그 이후부터 일어나기 시작했다. 이 사건을 주동했던 명철 형제가 완전히 뒤집어진 것이다. 모두가 명철 형제에게 말했다.

"와! 진짜 신기하다. 어쩌면 사람이 저렇게 해까닥 변할 수가 있을까?"

명철 형제는 자기들이 돈을 빼앗을 계획을 하고 있다는 것을 알고도 자기들을 내쫓거나 다른 선생들을 데리고 와서 혼을 내지 않은 성근 선생이 이상하게 생각되었다. 그의 상식으로는 도저히 이해하기 힘들었다. 그가 아는 세상 원리는 '이에는 이, 눈에는 눈'이었다.

그가 보기에 성근 선생은 정확히 뭐라 말할 수는 없지만 확실히 뭔가 달랐다. 그는 훗날 사역장에 찾아온 성근 선생에게 물었다.

"아, 거이, 성근 선생! 나두 군대 때 특수 부대에서 복무하면서 사람 꽤나 다뤄봤는데 성근 선생은 어느 군대에서 복무했시여? 나이두 어린데 어디서 그렇게 말 한마디 안 하구 사람 다루는 법을 배웠소? 나도 좀 가르쳐주시오."

성근 선생이 웃으며 말했다.

"난 군대라고는 문턱두 넘어보지 못한 사람임다. 중국 오기 전까지 학생이었는데 사람 다루는 법을 배울 데가 어디 있슴까? 근데 거 성경에 보면 예수라는 분이 나옴다. 그냥 거, 예수라는 분이 하던 대로 했을 뿐임다."

그러자 그의 눈이 커졌다.

"성경 어디에 예수라는 분이 나옴까? 나한테도 알려주면 안 되오?"

성근 선생은 4복음서에 대해 차근차근 설명해 주었다. 그러자 그는 다음 날부터 통독 시간 외에도 틈만 나면 성경을 읽기 시작하더니 갑자기 성경에 대해 질문이 많아졌다.

"기철 선생, 거 예수라는 사람이 십자가에 왜 매달렸시여?"

"그거 제사장들은 왜 요로케두 모질게 예수님을 안 좋아했시여?"

명철 형제는 기철 선생이 대답하지 못하는 문제들은 수첩에 꼬박꼬박 적어두었다가 간간이 사역장을 돌아보러 오는 성근 선생이나 나에게 물어왔다. 그리고 성경을 읽다가 멍한 눈빛으로 뭔가 생각하기도 하고 고민에 잠기기도 했다. 통독 시간에 예수님이 십자가에 처형되는 대목을 읽을 때면, 괜히 눈물을 감추려고 코를 쿵쿵거리다가 화장실로 도망치듯 나가버렸다. 얼마 후부터 그는 누가 시키지도 않았는데 앞장서서 기철 선생을 도와주며 사역장의 형제들을 좋은 방향으로 이끌었다.

"암만 생각해봐두 이렇게 해야 거 예수님한테서 용서받을 수 있을 거 같아여. 내가 전번에 얼마나 큰 죄를 지었시여? 내 정말 이제부턴 예수님을 위해서라문 어떤 일이라두 마다하지 않을 거라우 기철 선생."

한 달 후 기철 선생 사역장은 모범 사역장이 되었다. 성근 선생과 기철 선생이 자기도 모르게 이들에게 보여준 것은 오른뺨을 맞으면 왼뺨도 들이대라는 말씀의 실천이었다. 하나님은 능력 있는 사람이 아니라 순종하는 사람을 찾으신다.

감옥에서 살아 돌아온 소광 선생

소광 선생과 순교 선생은 용정龍井 변방대로 옮겨진 후, 30명의 탈북자들과 함께 북한으로 이송되었다. 중국 군인들은 이들을 용정 삼합三合에서 함경북도 회령 세관으로 연결되는 중국과 북한의 국경 교두에서, 북한 보위부 군인들에게 인계했다. 그리고 손목에 채웠던 수갑은 중국 물건이었기에 모두 풀어 가지고 중국으로 돌아갔다.

"야! 야 ! 이 간나 새끼들아 한 줄로 맞추어 서라!"

"빨랑빨랑 안 움직여! 죽구 싶어!"

보위부 군인들은 조금이라도 굼뜬 사람들을 사정없이 때렸다. 총탁으로 내리치고 군홧발로 짓뭉갰다. 겁에 질린 사람들이 급히 한 줄로 서자 군인들이 다시 소리질렀다.

"차례로 자기 이름 하구 살던 주소를 대라! 여긴 중국이 아니다! 허튼 이름들 대지 말고 진짜 이름과 주소만 대라. 거짓말 하면 죄가 더 가중된다!"

이들 속에는 노인과 여자, 아이들도 있었다. 보위부 군인들은 이름을 다 받아 적은 후 다시 소리쳤다.

"주머니 안에 있는 것들은 모조리 꺼내서 앞으로 던져라!"

"신발 끈과 허리끈도 모조리 풀어서 앞으로 던져라!"

신발 끈과 허리끈이 없으면 뛸 수 없으니 도망치지 못하게 하려는 조치인 것이다.

잠시 후, 줄줄 흘러내리는 바지 허리춤을 붙잡고 한 줄로 서 있는 사람들에게 의사들이 들어와 주사를 놓았다. 에이즈나 전염병을 예방하는 주사였다. 주사를 맞을 동안 총을 든 군인들이 앞뒤로 지켜 서 있었다.

주사를 다 맞자 군인들은 이들을 보위부 집결소까지 일렬로 행진시켰다. 회령 세관에서 회령 보위부 집결소까지 걸어서 30분 가량 가야 했다.

"야, 이 새끼들아! 대가리들 까라!"

지나가던 사람들 모두가 엉거주춤 일렬로 행진하는 이들을 구경했다.

보위부 감옥에 도착하자 군인들은 모든 사람을 의자에 앉혔다. 갑자기 한 무리의 보위부 군인들이 우르르 몰려나와, 총탁과 군화로 때리고 밟고 하자 사람들이 아우성치며 쓰러지고 이리저리 굴렀다.

"야, 이 새끼들이 소리쳐! 한 번 더 소리쳐봐라!"

군인들은 아파서 소리치는 사람들의 입에 군홧발을 밀어 넣으며 한참을 때리다 물러났다. 군인들은 또다시 벼락같이 고함을 질렀다.

"한 줄로 서!"

"모두 옷들을 벗어라!"

공포에 질린 사람들은 부끄러운 것도 모르고 서둘러 옷을 모조리 벗었다. 조금이라도 굼뜨면 다시 사정없이 총탁이 날아오고 군홧발이 날아오기 때문이다.

보위부 군인들이 탈북자들이 벗어놓은 옷을 수색하기 시작했다. 옷 솔기까지 세밀히 수색해 돈이나 귀중품이 나오면 모조리 회수했다. 옷 수색이 끝나자 다시 보위부 군인들이 소리 질렀다.

"하나 둘 크게 소리치면서 다같이 뽐푸 운동 시작한다! 시작!"

사람들은 구령에 맞추어 앉았다

▶ 취조 받기 전에 옷을 벗고 있는 사람들

일어섰다 하는 기합을 받았다. 이 운동을 2시간 정도 시키면 사람들의 항문 안에나 여인들의 질 속에 숨겨 넣었던 돈이 모조리 흘러나온다. 이 돈은 중국 감옥에 있을 때 면회 온 친척들이 준 100元짜리 지폐 3~5장을 돌돌 말아 비닐에 싸서 항문에 넣거나 삼켜둔 것이었다. 그나마 아무것도 먹지 않고 물만 먹고 일주일을 견디며 배설을 하지 않아야만 나중에 꺼내 쓸 수 있다. 이렇게 기합 받다가 돈이 나오면 그 사람은 거의 반 주검이 될 정도로 다시 맞아야 했다. 그래도 대부분의 사람들은 돈을 내놓지 않았다. 가지고 있는 돈마저도 빼앗기면 설사 보위부 감옥에서 무사히 나갔다 해도 굶어 죽을 수밖에 없었기 때문이다.

기합이 끝나고 한 명씩 취조가 시작되었다. 소광 선생이 취조실에 불려 들어가니 두 명의 군인들이 각목을 들고 서 있고 책상 뒤에 보위부 지도원이 앉아 있었다.

"교회 갔었나?!"

보위부 지도원이 막 앉으려고 하는 소광 선생에게 다짜고짜 소리를 질렀다. 앉은 후에 대답하려고 잠깐 뜸을 들이는 순간, 각목이 사정없이 그의 머리로 날아왔다.

"꽝!"

순간 눈앞이 갑자기 캄캄해지더니 무수히 많은 별들이 번쩍거렸다. 그는 그 자리에서 머리를 싸쥐고 쓰러져 대굴대굴 굴렀다.

"야 이 새끼야, 무순 생각을 했나?! 무순 맘 먹었나? 빨리 말 안 하나?!"

"꽝!"

또다시 그의 눈앞에 무수히 많은 별이 날아다녔다. 이런 무차별 구타는 묻는 질문에 대해 잔머리를 굴려 대답하지 못하게 하기 위한 방법이었다.

"이 새끼가 말 안 하네?"

보위부 군인들은 소광 선생이 머리를 싸쥐고 굴러다니기만 하자 이번에는 옷을 발가벗겼다. 그리고 아예 각목으로 그의 등을 나무 패듯 패기 시작했다. 군인들은 쉴 새 없이 때렸고 보위부 지도원은 조금도 틈을 주지 않고 계속 질문을 퍼부었다.

"교회 갔었나?!"

"안 갔습다! 안 갔습다!"

"진짠가? 다시 말해봐! 진짠가?"

"악! 아야! 진짬다. 선생님 진짜로 안 갔습다."

"종교를 믿나?"

"안 믿습다. 안 믿습다!"

"한국 사람은?"

"못 봤습다. 진짜루 코빼기도 본 적이 없습다! 악! 아이쿠! 악!"

그가 대답할 동안 각목은 계속해서 내려찍혔다.

"이 새끼가 거짓말하네. 야, 좀더 세게 찍어라!"

보위부 지도원은 오직 종교에 관한 것만 계속 질문했다. 매질을 견디다 못해 한국 사람을 만났다고 하면 더 이상 때리지 않는다. 대신 그 사람은 조용히 어디론가 다른 곳으로 끌려간다. 북한 보위부에서는 한국 사람을 만났다고 하면 무조건 한국 국가정보원 요원들을 만난 것으로 생각하며, 자본주의 사상에 오염된 것으로 간주한다. 그리고 머리에서 자본주의 사상을 빼낸답시고 오랫동안 정치범 수용소나 보위부 감옥에서 혹독한 강제 노동형을 치르게 한다. 그러니 아무리 때려도 한국 사람을 만났다는 말은 절대 해선 안 된다.

그래서 대부분의 사람들은 산 속에서 돼지 먹이다 왔다, 숯구이 하다 왔다, 나무 끌어내리는 일을 하다 왔다, 과수원에서 일하다 왔다 등등 생계를 위한 단순 탈북에 중국에서 일만 하다 잡혀왔다고 우겼다. 그러나 보위부 지도원들은 탈북자들의 90% 이상이 교회를 가거나 한국 사람들을 만나 도움을 받는 것을 안다.

"뭐하다 왔어?"

그의 정신이 혼미해지기 시작하자 보위부 지도원이 다시 물었다.

"과수원에서 일하다가 잡혀 왔습다! 아이고 진짬다. 제발 때리지 마십시오. 진짬다. 진짬다."

"내가라!"

각목으로 무차별 구타를 하던 보위부 군인들이 그를 질질 끌어 감방에 던져 넣어버렸다. 그러나 감방 안의 규율은 고문보다 더 무서웠다. 소광 선생이 간간이 신음 소리를 내자 문 앞에 지켜 서 있던 군인이 소리쳤다.

"너 낑낑대는 새끼 나와!"

그는 겨우 비칠거리며 걸어 나와 쇠창살 앞에 섰다.

"손 내밀어!"

그는 두 손을 내밀었다. 보위부 군인은 총신을 청소할 때 사용하는 가늘고 딱딱한 강철 쇠줄로 그의 손등을 사정없이 내리쳤다.

"으악!"

너무너무 아파 숨이 꺽 막혔다.

"이 새끼가 소리를 쳐? 다시 올려놔!"

아파도 절대로 소리를 지르거나 피하면 안 된다. 그럴 때마다 매가 더 불어나기 때문이다. 그래도 한 번 두 번 맞으면 요령이 생긴다. 맞는 순간에 온몸에 힘을 주고 온 손가락에 힘을 준다. 힘을 안 주고 있으면 뼈가 어긋나거나 부러져버린다.

감방 안에서는 앉아 있을 때도 앞뒤 좌우로 반듯하게 줄을 맞추어야 했다. 하루 종일 앞 사람과 어깨가 서로 수평이 되게 줄을 맞추어 앉아 있어야 했다. 조금이라도 자세를 흐뜨리면 다시 손등을 강철 쇠줄로 맞아야 한다.

순교 선생은 산 속에서 나무 끌어내리는 일을 하다 왔다고 우겨 간신히 살아남았다. 그래도 소광 선생이 보위부 감옥에서 나가면서 본 순교 선생은 뼈밖에 남지 않은 모습이었다.

일주일 후, 회령 보위부는 소광 선생이 탈북하기 전에 철도 계통에서 일한 사람이라는 것을 알고 철도 보위부에 넘겼다. 북한은 철도 부분을 군대와 거의 같이 취급하기 때문에, 철도는 사회에서 완전 독립된 시스템을 가지고 있다. 보위부도 철도 보위부가 따로 있기에 일반 사회 보위부는 철도 사람을 취조할 권한이 없다. 그를 인계받으러 온 철도 보위부 지도원은 그를 보자 꽥 소리를 질렀다.

"야, 이 새끼야! 너까지 도망치냐? 임마, 니가 도망가면 니가 데리고 있던 애들은 다 도망간 거나 같아!"

탈북하기 전 그는 철도 차량 부속품 공장의 120명의 청년들을 이끄는 청년동맹 조직비서였던 것이다. 그는 청년동맹 비서 시절, 철도 보위부 지도원과 서로 잘 알고 지내던 사이였다.

철도 보위부 지도원은 그를 철도 보위부로 호송해 가서 다시 취조했다. 그러나 과수원에서 일만 하다 잡혀왔다고 계속 같은 말을 반복하자 더 이상 죄를 캐내는 심문은 하지 않았다. 평소 그와 잘 알고 지내던 보위부 지도원은 중국에 대해 궁금한 것들을 물었다.

"야, 중국이 잘 살더나?"

"예!"

길게 말하다간 괜히 꼬리 잡힐 것 같아 최대한 짧게 대답했다.

"어디마이 잘 살던?"

"중국 사람들은 다 이밥만 먹고 삽데다. 그리구 집집마다 자전거가 하나씩 다 있구, 텔레비두 전화기두 다 있습데다. 그리구 승용차가 있는 집두 있습데다."

"정말이가?"

보위부 지도원의 눈이 커졌다. 아무래도 믿기 어렵다는 표정이었다.

"예, 진짬다."

이런 이야기를 하면서도 적당한 선에서 해야 한다. 마음 놓고 함부로 이야기하다가는 엉뚱하게 다시 죄를 뒤집어 쓸 수도 있다.

"내가 보기에 너는 별로 나쁜 사람도 아니고, 죄 지은 것도 없네. 나가두 되겠다."

보위부 지도원은 그에게서 다른 죄를 찾지 못하자 3일 후에 내보냈다. 그러나 정치적 혐의만 없다고 인정받았을 뿐, 보위부에서 나온다 해도 석방이 되는 것은 아니다. 그는 다시 안전부로 이관되었다.

안전부에서는 중국으로 탈북한 동안 국가에 일하지 않은 죄를 물어 그에게 강제 노동을 시켰다. 5월이라 한창 파종 철이었다. 그는 다른 죄수들과 함께 안전부 부업 밭을 여기저기 다니며 파종을 했다. 그렇게 보름간 일하다가 감시가 소홀해진 틈을 타서 도망을 쳤다.

아내와 아이가 있는 집이 지척이었지만 들어가 보지 못하고 다시 중국으로 도망을 가야만 했다. 만약 집에 들렀다 도망치면 도주 분자를 방치했다고 아내가 또 불려 다니며 고생을 하게 되기 때문이다. 그는 몇 년 만에 와보는 집을 산 속에서 내려다보며, 아내를 생각하고 아이를 생각하며 울었다.

"하나님 저 갑니다! 다시 갑니다!"

집을 뒤로 하고 두만강을 향해 가면서 그는 내내 울었다. 내 목숨만 귀중

▶ 두만강에 떠내려 가는 시신

하다고 아내와 아이를 두고 떠나는 그의 마음은 찢어질 것만 같았다.

두만강 물에 들어서자 마음은 벌써 서안西安에 가 있는데 발은 좀처럼 앞으로 나가질 않았다. 아직 장마철이 안 되어서인지 두만강 물은 그리 깊지 않았다. 차가운 물이 허리에서 조금 더 올라왔다. 그래도 물살은 센 강이라 자칫 발을 헛디뎌 넘어지기라도 하면 그대로 물살에 밀려가 버릴 수 있었다. 낮에도 건너기 어려운 강을 밤에 건너자면 죽음을 각오해야만 했다. 갑자기 그의 앞에 소용돌이가 나타났다. 순간, '죽었구나!' 생각했지만 다행히도 소용돌이는 그를 비켜갔다. 중국 쪽 강둑에 한 발을 턱 올려놓는 순간, 그는 감사로 목이 메었다.

"하나님, 감사함다. 하나님, 정말 고맙슴다."

하염없이 눈물이 나왔다. 무사히 강을 넘은 기쁨과 함께 강 너머에 두고 온 아내와 아이 생각에 마음이 찢어질 듯했다.

그는 중국의 개산툰開山屯에 도착하여 연길延吉에 있는 용섭 선생에게 전화했다. 그런데 신기한 것은 그렇게 머리를 얻어맞아도, 간수소에서도, 보위부 감옥 안에서도, 안전부 부업 밭에서 파종을 할 때도 절대로 그 핸드폰 번호가 잊혀지지 않은 것이었다. 그렇지 않으면 중국에 와도 우리와 연결될 길이 없기 때문이다.

"용섭 선생님, 저 소광임다. 저 살아서 다시 돌아왔슴다. 나 빨리 서안西安으로 돌아가게 해 주십시오. 선교사님 보고 싶어 미칠 지경임다."

그는 용섭 선생에게 전화해서 너무 반가워 엉엉 울면서 말했다.

일주일 후에 그는 용섭 선생이 모집해 놓은 6명의 학생들을 데리고 서안으로 내려왔다. 서안역으로 마중 나가 소광 선생을 만나자 멀리 떠났던, 죽은 줄 알았던 아들이 다시 살아 돌아오는 것 같았다. 그는 나를 와락 끌어안고 아무 말도 하지 못하고 꺼이꺼이 울었다.

"그래, 그래, 죽은 사람도 살려주시는 하나님이 아무럼 우리 소광 선생을 버릴 수가 없지… 우리 전 사역장에서 소광 선생이랑 순교 선생 돌아오게 해달라고 얼마나 기도했는데… 하나님, 소광 선생 다시 보내…."

나는 목이 메어 더 이상 말이 나오지 않았다.

소광 선생 소식이 전해지자 사역장의 모든 형제들은 자기 일처럼 기뻐했다. 그리고 그동안 두 선생을 위해 기도했던 자기들의 기도가 응답되었다고 무척이나 기뻐했다.

이렇듯 소광 선생이 무사히 돌아올 수 있었던 것은, 이 때로부터 1년 전에 있었던 남북정상회담 이후 북한 정부에 많은 변화가 일어났기 때문이다. 2000년 순교 선생 사역장을 시작으로 4월 말부터 세워지기 시작한 3기 사역장이 꽤 여러 개로 늘어날 무렵, 남북정상회담 개최 소문이 들려왔다. 당시는 사역장에 있던 형제들이 간혹 북한으로 끌려가면 바로 총살을 당하거나 정치범 수용소에 가는 상황이었기 때문에, 우리는 정상회담이 성사되기를 간절히 바랐다.

우리 사역장은 이미 98년 8월부터 남조선, 북조선, 중국 조선의 3개 조선족이 하나님의 말씀 안에서 완전한 통일을 이루어 서로 사랑하고 축복하는 생활을 해왔다. 날마다 김대중 대통령과 한국을 위해, 김정일 위원장과 북한을 위해, 또 중국 조선족을 위해 기도했다. 우리의 비전이 복음을 통해 북한이 복을 받게 하고, 우리 전체 조선 민족을 하나님 안에서 하나 되게 할 수 있는 지도자를 양육하는 것이었기 때문이다.

우리는 정상회담이 이루어진다는 소문을 듣고 이것이 하나님께서 우리 민족에게 베푸시는 은혜의 서곡이라고 믿고, 회담을 통해 남북한 전체가 정치적으로 하나 되어 잘 사는 나라가 되기를 간절히 기도했다. 그리고 회담을 통해 남북 간 화해 무드가 조성되면 더 안전하게 사역할 수 있으리라 생각하고 더욱 간절히 기도했다. 6월이 시작되면서 회담의 성사를 위해 전 사역장이 아침 금식 기도를 했고, 정상회담이 열리기 하루 전에는 전 사역장이 하루 종일 금식하며 기도했다.

6월 정상회담 이후, 회담의 성과로 인한 북한의 변화를 피부로 느낄 수 있었다. 그 해 6월 말에 북한으로 잡혀나갔던 정칼빈, 최노아 형제가 10월쯤 무사히 사역장으로 돌아왔는데, 이들은 감옥에서도 그다지 큰 고생을 하지 않았다고 했다. 탈북했던 사람들이라 할지라도 붙잡혀 오면 욕이나 구타를 하지 말고 돈도 빼앗지 말고 조서만 받고 석방해 주라는 김정일 위원장의 특명이 내려져 탈북했던 사람들이 고문받거나 죽을 염려없이 쉽게 풀려 나오게 되었던 것이다.

2001년부터는 북한에 더 큰 변화가 생겼다. 중국에서 한국 사람을 만나거나 성경 공부를 하고 예수를 믿었다 할지라도, 간첩 활동을 하지 않은 탈북자들은 조서만 받고 석방해 주라는 김정일 위원장의 특명이 또다시 내려졌다. 그래서 2001년 6월에 대거 체포되었던 우리 선생들 중 많은 이들이 석방되어 재탈북하여 한국으로 들어올 수 있었다. 2000년 남북정상회담으로 인한 북한의 변화를 생생하게 현장에서 느끼게 하는 부분이었다.

최후의 만찬

처남 나태효 목사가 다시 사역장을 방문하였다. 3기 사역장들과 새롭게 시작하는 4기 사역장 여러 곳을 돌아보며 북한 형제들과 많은 이야기를 나누었다. 그리고 그들을 보며 많은 도전을 받고 앞으로 북한 선교를 하겠다고 결심했다. 나는 나 목사를 복화 선생 사역장으로 안내하여 복화 선생을 돕게 하였다.

온 사역장을 기쁨에 넘치게 했던 소광 선생 일도 있었지만, 가끔씩 불안

한 소식도 들렸다. 김순종 선생 사역장 형제들이 토요일에 서안西安 중심광장中心廣場에 놀러 갔는데 어떤 사람이 대뜸 이렇게 말했다고 한다.

"야, 이 자식들아, 너희들 왜 아직도 여기 있어? 빨리 서안에서 도망해라. 안 그러면 너희들 다 잡힌다."

그 사람은 이 말만 하고 곧장 어디론가 사라져 버렸다. 와글대는 중국인들 속에서 밑도 끝도 없이 이런 말을 들은 형제들은 순간 어안이 벙벙해졌다.

또한 김광철 선생 사역장 주변에 이상한 사람들이 나타나서 사역장을 감시하다가 돌아가곤 한다는 보고도 들어왔다.

그리고 보니 새삼 우리가 서안에서 사역했던 시간이 너무 길었다는 생각이 들었다. 2기 사역 말인 2000년 초부터 시작해서 1년 넘게 이곳 한 곳에서만 사역했던 것이다. 너무 많은 사역장이 서안에 밀집해 있어 여러 문제들이 발생하는 것 같아, 권위 선생이 총괄하던 4개 사역장과 용섭 선생 사역장을 정주鄭州로 이사시키기도 했었다.

하지만 4인조 복면강도가 사역장들 주변에 있던 은행을 습격하여 400만 元을 털어 도주하는 사건이 발생해 공안들이 범인을 잡기 위해 그 주변 일대 아파트를 샅샅이 조사하는 바람에, 급히 서안으로 돌아올 수밖에 없었다. 안전을 위해 한 도시에서 길어야 1년 이상 사역하지 않는 것이 나의 원칙이었지만, 3기 사역 때부터는 사역장 수도 많아지고 인원도 많아지다 보니 한 번 이사한다는 것이 쉽지 않았다. 이사에 드는 비용도 비용이지만 많은 사람들이 대량으로 이동하면 기차에서 체포될 위험이 컸기 때문이다.

그렇지만 이상한 소문들을 접한 이상 빨리 이곳을 떠나야 했다. 우리 사역장이 총 인원 130명을 넘어서는 대규모 조직이었으니, 북한 정부에서도 촉각을 곤두세울 수밖에 없었다. 하루라도 빨리 이사해야 했지만 그만한 큰 돈이 없었다. 사역 대기중인 3기 선생 사역장들과 새로 세워진 4기 사역장들까지, 전체 사역장이 이사하려면 못해도 족히 1,000만 원은 있어야 했다.

나는 소록도 북성교회 성도님들께 기도 부탁을 드리고, 가족들과 사역장 선생들과 함께 이사 비용을 위해 기도하기 시작했다. 우리의 사정을 아시고 우리의 필요를 누구보다 잘 아시는 주님께서, 북한 사람들을 사랑하시고 이 사역을 기뻐하시는 주님께서 주시지 않을 이유가 없었다. 역시 기도를 시작하고 이틀 후 S시에 계시는 국 집사님으로부터 우리 사역장에 헌금하려고 10,000달러를 내 통장으로 입금했다는 전화 연락이 왔다. 그리고 S시 한인 교회에서도 500만 원을 우리 사역장에 헌금하기로 결정하였으니 곧 송금하겠다고 연락이 왔다.

다음날인 6월 11일 저녁, 사역비 지급과 이사에 관한 논의를 위해 선생들을 한 자리에 모이게 했다. 특별히 이번에는 이제까지 고생을 많이 하면서도 말없이 사역을 잘 이끌어온 선생들을 위로도 할 겸 시내 한 호텔에 모이게 했다. 마침 연길延吉에 있던 용섭 선생도 학생들 12명을 데리고 그날 서안西安에 도착한 참이라 이 자리에 함께 하였다.

3기 사역장 선생들로는 강규홍, 정용철, 김순종 선생이 왔고, 4기 사역장 선생들로는 신소광, 신재록, 이욱, 이선장, 신수재, 김기철, 조복화 그리고 조선족 김광철 선생이 참석했다. 여기서 성근 선생과 용섭 선생과 나까지 모두 14명이 크고 둥그런 상에 둘러앉았다.

나는 곧 700元짜리 식사를 주문했다. 우리 돈으로 하면 기껏해야 10만 원쯤 되는 식사였을 뿐인데, 선생들은 너무너무 좋아하면서 모두들 이렇게 화려하고 멋있는 식사를 해보기는 일생에 처음이라고 했다.

"우와! 선교사님! 이런 데는 첨 들어와 봄다. 너무 화려해서 몸이 다 으스스 떨림다."

"히야~ 김정일이두 아마 이런 덴 못 들어와 봤을 검다. 선교사님, 우리가 하나님 일을 하니까 이런 델 다 들어와 봄다."

특히 정 선생의 말을 듣고 너무 가슴이 아팠다.

"선교사님, 난 이제 죽어도 원이 없슴다. 하나님 말씀을 통해 구원 받구, 두 아이 이곳에서 학교 공부 잘하구, 이렇게 호화로운 식당에서 밥을 먹어 보니 말임다."

내가 보기에는 한국의 규모 있는 일반 식당 정도였지만, 이들에게는 이렇게 큰 충격이라고 생각하니 마음이 아파 또 눈물이 났다.

우리가 앉은 방은 상이 두 개 놓여 있는 조그마한 연회실로, 방 안에는 우리 일행들밖에 없어 식사를 하며 회의를 하기에 좋은 장소였다. 주문한 요리가 나오기 전에 이사에 대해 의논하였다. 우선 어디로 이사를 갈 것인가에 대해 광동성廣東省의 광주廣州로 가자는 선생들도 있었고, 절강성浙江省의 항주杭州로 가자는 선생들도 있었다. 하지만 호북성湖北省의 무한武漢과 호남성湖南省의 장사長沙가 내륙이면서 성省의 수도여서 여러 면에서 아주 적합하겠다고 의견이 모아져 그 곳으로 이사가기로 결정했다.

다음 문제는 어떤 방식으로 이 많은 사람이 이동하는가 하는 문제였다. 이미 사역을 시작한 4기 사역장들이 먼저 떠나고, 이들의 이동이 끝나면 대기 중인 3기 사역장들이 떠나기로 의견의 일치를 보았다. 굵직굵직한 문제들에 대해 의논이 잘 마무리되어 즐거워하며, 식사 기도를 마치고 다같이 눈을 떴을 때였다. 갑자기 우리가 있는 방문이 벌컥 열리며 중무장한 공안 30여 명이 우르르 쏟아져 들어왔다.

서안西安 사건

"别动! 别动!(꼼짝 마라! 꼼짝 마라!)"

너무도 갑자기 들이닥친 공안들 앞에서 우리는 넋을 잃었다. 완전 무장을 한 공안 30여 명이 한꺼번에 몰려들어, 아무 저항도 하지 않는 우리를 발로 마구 차고 몽둥이로 사정없이 때리기 시작했다. 선생들의 비명 소리에 방 안은 순식간에 아수라장이 되어버렸다.

공안들은 우리들의 웃통을 홀떡 벗기더니, 벗긴 옷으로 머리를 빙빙 돌려 감고 손을 뒤로 돌려 수갑을 채웠다. 그리고 한 사람당 3명의 공안이 소경이 되어버린 우리를 붙들고 짐승처럼 밖으로 질질 끌고 나갔다. 우리가 있던 방 2층 복도에서부터 1층에 대기한 미니버스까지 끌려가는 동안, 무장 군인

100여 명이 통로 좌우를 지키고 있었다. 공안들은 1층으로 끌어낸 우리를 차에 짐짝처럼 던져 사람 위에 사람을 포개 실었다. 밑에 깔린 사람이 숨이 막혀 머리를 조금이라도 움직이면 몽둥이와 전기 곤봉으로 사정없이 내리쳤다.

공안들의 미니버스에 실려 어디론가 알 수 없는 곳으로 가며 눈앞이 캄캄했다.

'하나님, 이게 무슨 일입니까? 어떻게 이런 일이 있을 수 있습니까? 그러나 어떻든 감사하겠습니다.'

영문도 모른 채 그러나 감사하면서, 한참을 가서 우리가 도착한 곳은 서안西安시 군부대의 차고였다.

공안들은 흙바닥으로 된 차고에 우리들을 와르르 내려놓고 입구를 군인들과 함께 지켜 섰다. 그리고 머리를 땅에 처박고 엉덩이를 치켜드는 자세로 벽을 따라 빙 돌려 세웠다. 조금이라도 몸을 움직이거나 소리를 내면 인정사정없는 매질이 날아왔다.

그렇게 1시간 가량 지나니, 온 몸의 피가 얼굴로 쏠리면서 눈알이 빠져나올 것같이 고통스러웠다. 몇몇 선생들은 고통에 신음하다 견디지 못하고 기절해 쓰러져 버렸다. 그러자 공안들은 쓰러진 선생들을 다시 원래 자세로 일어나게 하려고 무자비하게 몽둥이질을 해댔다. 그런 중에 나는 계속 하나님께 감사하며, 옆에 있는 선생들에게도 감사하자고 격려했다.

잠시 후 복화 선생 사역장 형제들과 나태효 목사가 잡혀 왔다. 모두들 이미 무지막지하게 구타를 당해 여러 곳이 시퍼렇게 멍들어 있었다. 나 목사는 도착한 지 얼마 지나지 않아 호흡 곤란으로 실신해 쓰러졌다.

한 30분쯤 지나자 우리가 갇혀 있는 차고로 또 한 대의 트럭이 들이닥쳤다. 우리와 마찬가지로 꽁꽁 묶인 광철 선생 사역장 형제들이 짐짝처럼 부려졌다. 어떤 학생은 절망감에 사로잡혀 엉엉 울며 끌어내려졌다.

광철 선생이 제일 늦게 차에서 내려 차고로 들어왔다. 그는 들어오자마자 내 옆에 무릎을 꿇고 엎드리며 말을 건넸다.

"선생님··· 너무 상심하지 마십시오. 괜찮을 겁니다."

"예. 감사합시다. 감사하세요. 우리 기도합시다."

내 말이 끝나기가 무섭게 군인들이 광철 선생을 발로 차고 밟고 하며 마구잡이로 매타작을 했다. 나는 긴장이 되어 잔뜩 움츠러들었다.

이들이 잡혀 오고 2시간 가량 지나자, 공안들은 원산폭격 자세로 더 이상 있게 하는 것은 무리라고 생각했는지 모두 무릎을 꿇고 앉게 했다. 그러나 너무 매를 많이 맞은 상태에서 한참을 무릎 꿇고 앉아 있으려니 말할 수 없이 고통스러웠다.

밤 10시가 조금 지나, 나는 조사를 받기 위해 군부대 사무실 5층 취조실로 끌려갔다. 그 곳에는 서안西安 공안국 외사과 조사관 2명과 몽둥이를 든 군인 2명, 통역을 위해 대기시킨 조선족 여성 7,8명이 기다리고 있었다.

먼저 이들은 국적, 주소, 직업을 묻고, 언제 서안에 왔으며, 현 거주지는 어디며, 이렇게 많은 사람을 먹이고 재우고 공부시키는 데 드는 돈은 어디서 공급되느냐고 물었다. 나는 하나하나 다 사실대로 대답했다. 그러자 이어서 서안에 몇 개 팀이 있으며, 각 사역장에 북한 사람이 몇 명이나 있으며, 사역장의 위치는 어디인지 물었다.

"잘 모르겠습니다."

"우리는 이미 다 알고 있소. 당신이 이 서안시에 몇 개의 사역장을 조직해 놓고 있으며, 전체 사역장의 총 인원은 얼마며, 선생은 누구누구라는 걸 말이오. 그리고 오늘 호텔 식당에서 체포된 사람들은 각 사역장의 팀장들이며, 오늘 이사가기 위해 모였다는 것도 다 알고 있소. 그러니 솔직하게 모든 것을 다 말하시오."

나는 우리 사역에 대해 공안들이 어떻게 이렇게 자세히 파악하고 있는지 도무지 알 수가 없어 머릿속이 복잡해졌다.

"우리는 당신들을 한 달 전부터 감시하고 있었소. 그러다가 당신들이 내일부디 이사간다고 하고, 거기에다 모든 팀장들이 모인다고 하기에 체포한 것이오. 그러니 빨리 사역장들의 위치를 말하시오. 당신들에 대해 우리는 무장 테러 단체로 신고를 받았소."

그제야 나는 우리를 체포하는 데 왜 그렇게 많은 무장 군인들과 공안들이 동원되었는지 이해가 갔다. 통역하는 조선족 여성을 통해 조사관들에게 설명했다.

"우리는 성경 공부하는 사람들이고, 성경을 공부하고 중국과 중국 사람들을 위해 축복하고 기도하고, 북조선과 한국과 김정일 위원장과 김대중 대통령을 축복하며 기도하는 일이 우리가 했던 일 전부입니다. 우리는 중국을 사랑하고 중국 사람들을 사랑합니다. 그러니 중국 정부에서 우리에게 벌이 아니라 도리어 상을 주어야 할 것이오."

내 말을 듣고 조사관들은 한동안 웃었다.

"그래요? 좋습니다. 우리들을 위해서도 기도해 주시오. 다 좋은데 먼저 내 질문에 대답이나 하시오. 우리는 김광철이라는 사람의 신고를 받아서 이미 모든 걸 다 알고 있소."

조사관은 연길延吉 공안국에서 서안西安 공안국으로 보낸 40쪽이 넘는 협조 공문을 내 앞에 내밀었다. 나는 도저히 믿기지 않았다. 그 시간에도 차고에서는 끊임없는 비명 소리가 들려왔다. 내가 입을 다물고 아무 말도 하지 않자 통역하는 조선족 여성이 큰 소리로 재촉했다.

"빨리 솔직하게 다 말하세요."

"나는 말하지 않겠습니다."

그러자 몽둥이를 들고 있던 군인들이 나를 때리려 위협하고, 조사관들도 한참 동안 협박을 했다. 그래도 내가 고집스럽게 입을 다물자 한 수사관이 내 뺨을 세차게 두 번 휘갈기며 의자에서 내려가 무릎 꿇고 앉으라고 했다. 그렇게 오랜 시간이 흐른 후, 다시 조사를 시작하며 조사관이 물었다.

"답변을 잘 할 수 있겠는가?"

나는 통역에게 말했다.

"나는 중국인이 아니고 외국인이지 않습니까? 그리고 중국말도 잘 못합니다. 나는 한국 사람이니까 한국 영사를 불러 주세요. 한국 영사가 참관하는 가운데 조사를 받겠습니다."

설령 현장범이라도 외국인은 그 나라 영사가 참관한 가운데 조사받게 되어 있다. 조사관들은 수사를 멈추고 옆에 있는 군인들을 밖으로 내보냈다. 그리고 조금 전과는 전혀 다른, 아주 부드러운 태도로 나왔다.

"그러면 이제부터는 때리지 않게 할 것이오. 차 한 잔 드시겠소?"

"차는 됐고, 한국 영사나 좀 불러주시오."

"영사는 조사를 다 마친 후에 감옥에 들어가면 그때 불러주겠소. 좋게 상대해 줄 테니 조사를 받을 수 있겠소?"

"나는 영사가 입회하지 않으면 조사를 받지 않겠습니다."

내가 단호하게 말하자, 대답하지 않고 시간을 끌면 죄가 가중된다고 했다. 나는 통역하는 조선족 여성에게 말했다.

"나는 남조선 사람이고, 당신은 중국 조선족이고, 나와 함께 있었던 사람들은 북조선 조선족입니다. 우리 다 같은 민족 아닙니까? 같은 민족인 우리 가운데서도 북조선 사람들은 잡히면 순교도 하고 엄청나게 많은 고난을 당하게 됩니다. 그런데 저들을 가르쳤던 내가 어떻게 저들을 잡히게 할 수 있습니까? 4일만 기다려주세요. 선생들이 다 잡혀서 행방불명이 됐고, 4일이 지나면 각 사역장마다 양식이 다 떨어지기 때문에 학생들이 모두 흩어질 겁니다. 그리고 나면 내가 알고 있는 것은 하나도 빠짐없이 다 이야기하겠습니다. 그러나 4일 동안에는 말할 수 없습니다."

그러자 통역이 말했다.

"나도 잘 알고 있습니다. 그러나 그런 이야기를 내가 어떻게 통역할 수 있겠어요?"

"이야기를 해도 좋고, 그렇지 않으면 한국 영사를 불러달라고 해주세요."

통역이 조사관에게 뭐라고 하자 조사관이 말했다.

"그렇게 할 수는 없소. 시간을 끌고 지연시키면 죄가 가중되니 빨리 대답하시오."

"만약 말하지 않는다고 나를 사형시키면 그것도 주님께 감사하고, 10년,

20년 징역을 살게 된다 해도 감사하니 나는 대답할 수 없습니다."

12일 새벽 2시 반까지 1차 조사를 받고, 다시 차고로 끌려 내려갔다. 내가 취조를 받고 있는 동안 연길延吉 공안국 공안들과 연변延邊 변방대 군인들 120여 명, 그리고 서안西安 공안국 공안들과 서안 군부대 군인들 200여 명은 각 사역장들을 돌아다니며 학생들을 체포, 연행해 왔다. 조복화 선생, 김광철 선생 사역장에 이어 이선장 선생, 이욱 선생, 신수재 선생, 신소광 선생, 김순종 선생, 정용철 선생 사역장까지 모든 사역장들이 줄줄이 잡혀 들어왔다. 내가 차고로 내려갔을 때는 이미 우리 선생들과 학생들로 차고 안이 가득했다.

이날 신재록 선생 사역장과 서안에서 멀리 떨어진 자매 사역장과 두 곳의 가정 사역장은 체포되지 않았다.

잠시 후, 나는 병원에 실려 갔다 온 나 목사와 함께 북한 사람과 격리되어 다른 곳으로 옮겨졌다. 한 쪽 벽에 낡은 책상 하나와 의자 두 개가 놓여있고, 양 옆으로 장의자가 놓여있는 작은 방이었다. 조사를 받기 위해 불려나갈 때와 화장실에 갈 때를 제외하고는, 줄곧 그 장의자에 꼼짝도 못하고 앉아 있어야 했다. 공안 2명과 군인 2명이 우리 곁을 한순간도 떠나지 않고 밀착 감시하였고, 약 3분 간격으로 군인 간부들이 방문하여 우리가 무사한지 확인하였다.

새벽 5시쯤, 너무 피곤해 의자에 앉은 채로 깜빡 졸자 공안이 모기, 파리 등 벌레를 잡는 살충제를 내 코에 확 뿌렸다. 너무나 비인간적인 대우에 참다못해 어떻게 사람의 코에 살충제를 뿌릴 수 있냐고 항의하자, 공안은 내 말은 들은 척도 않고 졸지 말라고만 윽박질렀다.

나는 사도들이 "그(예수) 이름을 위하여 능욕 받는 일에 합당한 자로 여기심을 기뻐하"행 5:41였던 것같이 나 자신에게 주어지는 어려움들은 얼마든지 기뻐할 수 있었다. 그러나 차고에 가득 들어와 있는 우리 선생들과 학생들 그리고 북한 선교를 생각하면 차라리 항의라고 해야 할 기도를 하지 않을 수 없었다.

"하나님, 이게 웬일입니까? 어떻게 이런 일이 있을 수 있습니까? 저들은 북한으로 잡혀 가면 죽습니다. 하나님, 이 모든 것을 잘 아시지 않습니까? 그런데 왜 이러십니까? 하나님! 하나님! 저들이 체포되어 가면 북한 선교는 누가 합니까? 북한 출신 선교사가 이제 몇 명이나 된다고 이렇게 잡아가면 어떻게 합니까? 5,000명 북한 선교사 어떻게 하시겠습니까? 하나님, 이러시면 안 됩니다. 하나님, 이러시면 안 됩니다. 정말 안 됩니다. 하나님, 제발 저들을 살려 주세요. 제발 하나님….”

새벽 6시가 되자 갑자기 차고 쪽에서 “주여! 주여! 주여!” 하는 함성에 이어 우렁찬 기도 소리가 들려오기 시작했다. 그러고보니 각 사역장마다 새벽기도 시간이었다.

이어 형제들의 기도 소리에 당황한 공안들의 호루라기 소리와 혹독한 매질 소리가 요란하게 들려왔다. 그러나 형제들은 매를 맞으면서도 계속해서 기도하다가 이어 찬송으로 넘어갔다.

“천부여 의지 없어서 손들고 옵니다… 하늘 가는 밝은 길이 내 앞에 있으니… 이제 내가 살아도 주 위해 살고 이제 내가 죽어도 주 위해 죽네… 오늘도 멀리 타향 길에서 복음을 안고서….”

다같이 여러 곡의 찬송가를 반복해서 부르고 마지막으로 ‘이 시간도 북한으로’를 부르더니 다시 부르짖기 시작했다.

“하나님! 우리를 살려 주세요! 하나님! 우리를 살려 주세요! 하나님! 기적을 보여 주세요! 살려 주세요! ….”

목이 터지도록 외치며 기도하는 소리가 계속 들려왔다.

그와 동시에 한 무리의 군인들이 우르르 그 쪽으로 몰려가는 군홧발 소리가 시끄럽더니, 이어 또다시 악악 소리를 내며 잔인하게 매질을 해대는 소리가 들려왔다. 무차별로 쏟아지는 사나운 매질 속에서도 형제들의 찬송과 기도 소리는 끊이지 않고 2시간 이상 계속되었다.

나는 감사와 감격으로 통곡하며 의자에서 내려와 시멘트 바닥에 꿇어 엎드렸다. 그리고 저들을 사도행전 20장 32절, “주와 및 그 은혜의 말씀께 부탁”하며 기도했다.

"하나님, 모든 것이 다 맞습니다. 하나님, 저는 할 수 없습니다. 제가 제 지식을 가르쳤으면 제가 실망도 낙심도 기대도 하겠지만, 저들이 하나님 말씀으로 다듬어지고 세워지고 스스로 깨닫게 하셨으니 저들을 통해서 하나님 영광 받으십시오. 저들이 중국 감옥, 북한 감옥, 설령 순교의 자리에 이른다 해도 저들이 가는 곳마다, 서는 곳마다 하나님 영광 받아 주십시오."

순간 나의 어깨와 등 쪽에서 큰 바위 같은 짐이 떨어져 나가는 것이 느껴졌다.

새벽이 지나고 아침이 되었다. 공안들이 물과 빵을 가져왔지만 먹지 않고 돌려보냈다. 체포될 때 앞으로 오랜 시간 감옥에 있게 된다면 40일은 금식하며 기도할 테니 이 사건을 통해서도 하나님의 뜻과 일을 이루어 주시라고 기도했기 때문이다. 내가 아무것도 먹지 않자 공안들은 왜 먹지 않느냐고 야단을 치며 매 끼마다 여러 번 찾아와서 먹으라고 종용했다. 그때마다 지금 기도중이니 걱정하지 말라고 했지만, 금식 기도가 뭔지 모르는 이들은 기도를 하더라도 먹으면서 하라고 했다. 이들은 내가 죽으려고 단식하는 줄로 생각하는 것 같았다.

낮에 다시 2차 조사가 있었다. 계속 캐묻는 것은 각 사역장마다 북한 사람이 몇 명인가 하는 것이었지만, 며칠만 기다리면 모든 것을 사실대로 다 얘기하겠다는 대답으로 일관했다.

주님, 저는 이제 어디로 가야 합니까?

다음날 공안 4명과 함께 여권을 가지러 집으로 갔다. 나는 그들 중 조선족 공안을 통하여 이 일의 자초지종을 알게 되었다.

벌써 한 달 전에 조선족 김광철 선생이 연길延吉에 있는 북한 보위부 출장소에 우리 사역장을 밀고하였다. 그는 서안西安에 있는 8개 사역장의 탈북자 전원을 체포하도록 돕는 대가로 20,000달러를 요구하였다. 그러면서 돈을 더 받을 목적으로 우리 사역장을 무장 훈련을 받는 테러 집단으로 신고했던 것이다. 당시 서안에는 자매 사역장과 두 곳의 가정 사역장을 포함하여 모두 12개의 사역장이 있었지만, 모든 사역장이 비밀 점 조직 형태로 되어 있었기 때문에 광철 선생은 선생이면서도 모두 8개의 사역장이 있는 줄만 알았다.

그가 연길 보위부 출장소에 계속 전화를 걸어 재촉하자, 보위부에서는 연길 공안국에 합동 작전을 요청하였다. 중국 내에서 보위부 단독으로 활동하는 것은 불가능하기 때문이다. 그러나 연길 공안국에서는 중국 내에서 일어난 사건이므로 자신들이 처리하겠다며 보위부를 따돌렸다고 한다.

이렇게 지연되자 광철 선생은 돈 기다리기가 애가 타 다시 연길 공안국에 전화를 걸어 8개 사역장 전원을 체포할 수 있게 해주는 대가로 10만 元의 거금을 요구했다. 그리고 연길 공안국에 계속 전화해 협박도 하면서 사역장들에서 일어나는 모든 일을 세세히 다 통보해 주었다. 언제 학생들이 내려오고 어느 선생이 그들을 맡게 되는지, 언제 이사를 갈 계획인지 그리고 이사 준비를 위해 11일에 나와 선생들이 한 자리에 모인다는 것까지 모두 통보해 주었던 것이다.

고발 방법도 가룟 유다가 예수님을 고발한 것과 비슷했다. 체포되기 하루 전에 예배를 인도해 달라며 나를 자기 사역장에 초청해 공안들에게 내 얼굴을 익히게 했다. 그리고 성근 선생과 규홍 선생도 그의 사역장에 초청해 예배를 인도하게 하는 방법으로 공안에게 얼굴을 기억하게 했다. 공안들은 두 선생의 뒤를 미행하면서 각 사역장의 위치를 알아냈다. 그러나 보계寶鷄시에 있는 자매 사역장과 두 곳의 가정 사역장 위치만은 두 선생이 가지 않으니 미처 파악하지 못했던 것이다.

조선족 공안에게서 이런 이야기를 들으면서도 처음에는 반신반의했다.

그러나 광철 선생이 1,800元을 그에게 맡겼다는 대목에서 더 이상 의심의 여지가 없었다. 체포되기 전날 밤 광철 선생 사역장에 예배를 인도하러 들렀다가 그에게 사역비로 1,800元을 주었고, 이것은 나와 광철 선생 두 사람만 아는 일이었기 때문이다.

연길延吉 공안국에서는 여러모로 이 작전을 수행하고 싶지 않았다. 다른 바쁜 업무를 다 제쳐두고 많은 군인들과 3일간 기차를 타고 서안西安까지 내려간다는 것도 귀찮고 복잡할 뿐 아니라, 기껏 작전을 수행한다는 것이 불쌍한 북한 사람들 붙잡아 국경 지대까지 호송하는 일이니 썩 내키지 않았던 것이다. 그러나 밀고자 김광철이 하도 독촉 전화를 하고 협박을 하는 통에 더 이상 미룰 수가 없었다고 한다. 그리고 혹시 보위부의 테러로 불상사가 생길까 해서 군부대 차고에 우리를 감금시킨 것이라고 하였다.

조선족 공안이 또 하는 얘기가, 광철 선생이 자신은 체포되어 가지 않겠다고 했지만 빨리 빼주겠다며 공안들이 억지로 그를 밀어 넣었다고 한다. 공안들끼리 작전 수행 전에 회의를 하면서, 밀고자 김광철을 어떻게 처리할 것인가 몇 번이나 의논했다는 것이다. 그제야 나는 광철 선생이 차고 감옥으로 들어오며 내 옆에 와서 말을 건넬 때, 군인들이 왜 마구잡이로 그를 구타했는지 이해가 되었다.

나는 때때로 그의 영혼을 생각해 본다. 함께 하나님의 이름을 부르며 동고동락했던 수많은 동역자들과 제자들을 체포, 북송시키고 이제 하나님 앞에 가서 그 죄의 대가를 어떻게 치를지 안타깝기 그지없다.

하지만 3년간 따라다니며 예수님의 모든 것을 보고 들었던 수제자 베드로도 예수님이 체포되었을 때 예수님을 세 번이나 부인하지 않았던가. "내가 주와 함께 죽을지언정 주를 부인하지 않겠나이다"막 14:31. 호언장담했던 그가 마지막엔 저주하고 맹세하며 예수님을 모른다 하지 않았던가.

그래도 그가 닭 울음소리에 심히 통곡하며 회개했던 것처럼, 광철 선생도 주님 앞에 심히 통곡하며 돌이켜 새롭게 되기를, 그리하여 베드로 사도만큼이나 귀하게 쓰임 받기를 기도한다.

이렇게 해서 1998년 8월부터 2001년 6월까지 만 3년간 확장에 확장을 거듭하던 우리 사역은 2001년 6월 11일, 나와 나태효 목사와 조선족 형제들 10여 명을 포함한 76명이 체포됨으로 막을 내렸다. 새롭게 4기 사역장이 세워진 지 얼마 되지 않은 때였고, 76명 중에는 용섭 선생을 따라 그날 서안西安에 막 도착한, 아직 아무것도 모르는 12명의 형제들도 있었다.

수갑에 채여 공안들과 함께 집으로 들어서자, 가족들은 혼비백산했다. 체포되지 않은 신재록 선생 사역장과 자매 사역장을 해산시키고, 집에 있는 모든 돈을 털어 그들에게 차비로 나누어 주라고 어머니께 얼른 부탁했다. 공안들은 나의 여권을 찾아 신원을 확인하고는 다시 군부대로 나를 데리고 돌아갔다. 군부대로 돌아오니 공안들이 북한 사람들을 모두 어디론가 실어가고 있었다.

"저들을 어디로 데려 가요?"

조선족 공안에게 물었다.

"갈 데가 있소? 연변延邊 쪽으로 데려가 북한에 넘겨야지. 저들을 어쩐단 말이오?"

그 말을 들은 나는 "내가 들었으므로 내 창자가 흔들렸고 그 목소리로 인하여 내 입술이 떨렸도다… 내 뼈에 썩이는 것이 들어왔으며 내 몸은 내 처소에서 떨리는도다"합 3:16라는 하박국 선지자의 탄식밖에는 나오지 않았다.

다음날, 다시는 탈북자 사역을 하지 않겠다는 서약과 앞으로 16년간 중국에 입국할 수 없다는 조건으로 조서가 마무리되었다. 공안들은 북한 보위부의 테러를 염려해 나와 나태효 목사를 밀착 감시하다가 그날 오후에 삼엄한 경계 가운데 시내 호텔로 이송하였다.

호텔에 도착한 후, 조사관들은 3층에 2개의 방을 잡아 그 중 하나에 우리를 보내며 두 사람을 대통령 모시듯 할 테니 걱정 말고 푹 쉬라고 했다. 우리 맞은편 방에는 4명의 공안이 문을 열어 놓고 밤새 우리를 감시했고, 나머지 6명의 공안은 3층 복도, 호텔 정문, 프론트에 2명씩 경비를 섰다.

다음날 아침 식사 후, 공안들의 호위를 받으며 우리는 서안西安공항으로

옮겨졌다. 공안들은 기내 좌석까지 동승하여 우리를 감시하다가 비행기 이
륙 직전에 조용히 떠났다. 잠시 후, 감았던 눈을 뜨니 인천공항이었다. 계획
에 없던 갑작스런 추방에 너무도 막막했다.

이 시간도 북한으로

체포와 추방 이후 : 제2의 평양 대부흥을 꿈꾸며 갑니다

중국에는 이런 말이 있습니다. '상부에는 정책이 있지만, 하부에는 대책이 있다.' 그런데 정치도 대책도 없이

그 황량한 땅에서 그 많은 사람들과 지냅니다. 여러 일 중에서도 가장 힘들고 위험한 일, 가장 엄중한 책벌을 받

는 일을 하는 사람이 됐습니다. 실패도 내게도 많이 많습니다. 오직 이것이 있다면 하나님 아버지께서 그의 크

고, 확고로 작정한 일한 기뇨거 그대로채운 채 합입니다.

이 시간도 북한으로

체포와 추방 이후 : 제2의 평양 대부흥을 꿈꾸며 갑니다

형제들의 북송과 한국으로의 구조 사역

한국으로 추방되어 온 후, 연변延邊의 감옥에 있는 우리 선생들을 구조하기 위해 이리저리 뛰어다녔다. 우선, 중국 은행 통장에 S시 국 집사님으로부터 입금된 10,000달러를 연길延吉 공안국에 안면 있는 유력한 분에게 보내면서 북송되었을 때 생명이 매우 위험한 17명의 선생들 명단을 주었다. 그러나 이용섭, 김성근 그리고 연길에서 체포된 1기생 유기풍 선생 세 사람만 석방되고, 나머지는 모두 북송되고 말았다.

나는 생명을 쏟아 부으며 사랑했던 선생들이 북송되어 순교하거나 정치범 수용소에 가거나, 또 그렇지 않다 하더라도 중형을 선고받을 것을 생각하니 견딜 수가 없었다. 그리고 너무나 그들이 보고 싶어 어떻게든 다시 중국으로 들어가려고 여러 가지 방법을 모색했다. 합법적으로는 중국으로 갈 수 없으니 베트남이나 몽골을 통해 여권 없이 중국으로 들어가는 탈남자脫南者가 되어 보려고도 했다. 하지만 하나님께서 그렇게 할 수 있는 경비를 허락해 주시지 않아 끝내 들어가지는 못했다.

▶ 도문변방구류소

서안西安에서 함께 체포되었던 우리 형제들 74명은 내가 한국으로 추방되어 나오던 날 전원 연변延邊의 도문圖們 변방구류소로 이송되었다. 그곳에서 두 주 동안의 심문과 조선족 선별 작업 후, 북한 형제들 59명만 온성 보위부로 이송되었다. 그때가 2001년 6월 29일이었다.

북한 보위부는 학생들과 선생들을 철저히 구별해, 학생들은 몇 달간 노동단련대에 보내어 교화 노동을 시킨 후 석방시켰다. 그러나 사역장의 선생들이었던 정용철, 조복화, 강규홍 선생 그리고 신용재 선생에게는 5~15년의 중형이 선고되었고, 이선장, 김기철, 김철수 선생에게는 종신형이 선고되어 정치범 수용소로 보내졌다.

이후 2001년 말경부터 북한으로 끌려갔던 학생들이 한 사람씩 다시 중국으로 넘어오기 시작했다. 그와 동시에 나는 중국에서 석방된 용섭 선생에게 북한에서 돌아오는 학생들을 모아 사역을 감당하게 하였다. 형제들의 건강을 회복시키는 일부터 하면서 신소광 선생, 임경철 아바이, 조선족 신재록 선생 그리고 체포되지 않은 유에녹 선생을 통해 연길延吉, 왕청汪淸, 도문에 사역장을 세웠다. 그러나 연변 지역에서 탈북자 신분으로는 사역을 한다 해도 한계가 있고, 한국으로 귀순해 들어올 수 있는 길들이 열리면서 점차 이들의 인식도 달라져 갔다.

그래서 이들을 한국으로 데리고 오는 쪽으로 방향을 바꾸었다. 30여 명이 두리하나 선교회를 통해 한국으로 들어왔고, 학생들 20여 명과 그들의 가족과 친구들 20여 명이 용섭 선생과 성근 선생을 통해 한국으로 들어왔다. 그러나 정작 용섭 선생 자신은 2001년 12월에 다시 체포되어 '타인비법월경조직죄'他人非法越境組織罪로 4년 형을 받고 중국 ○○감옥에 수감되어 있다가 작년에 북송되고 말았다.

나와 가족들의 어려움, 그러나 또한 갚아주시는 하나님

추방 이후, 나는 그동안의 중국에서의 사역으로 몸이 완전히 망가져 회복하는 데 많은 어려움을 겪었다. 그뿐 아니라 사고 체계가 거의 탈북자화되어 있어 한국 사회나 문화가 너무 복잡하게 느껴졌고, 한국 사람들과는 대화가 잘 이루어지지 않았다.

아이들도 중국에 있을 때 가정에서 주로 은혜, 봉구, 북한 이모들과 함께 생활했기에 북한 아이들처럼 변해버려, 한국 학교에 잘 적응하지 못했다. 큰 애가 중등, 고등 검정고시를 힘들게 준비하며 자기 또래들처럼 교복을 입어보고 싶다고 할 때, 나도 아내도 많이 울었다. 아이들은 계속 중국으로

다시 가자고 졸라댔지만 아침 먹고 나면 점심 끼니를 걱정해야 하는 형편이라 갈 여건이 못 되었다. 그렇다고 한국에 살자니 그것도 정착이 되지 않고, 이럴 수도 저럴 수도 없는 너무도 막막한 상황들의 연속이었다.

한국으로 들어온 형제자매들 중에는 잘 섬겨주는 사람들도 많이 있었다. 하나원북한 이탈 귀순자들의 사회 정착 지원을 위하여 설치한 통일부 소속 기관 졸업 후, 나에

▶ 두만강 강변에 세워져 있는 팻말

게 인사하러 와서는 정착 지원금에서 십일조와 감사 헌금도 하고, 비싼 옷과 컴퓨터도 사주었다. 어떤 형제는 자신이 타던 차를 내주기까지 했다. 그러나 한국까지 와서 돈도 없는 나를 만나서 뭐 하겠느냐고 여러 사람들을 모아놓고 선동하는 사람이 있는가 하면, 2년이 훨씬 지난 지금까지도 전화

한 통 없는 사람도 있다. 그리고 자기 생각대로 되지 않는다고 사납게 공격하며 나에게 저주를 퍼붓는 사람들도 있었다.

이런 상황 속에서, 나는 다시 사역 현장으로 가고 싶은 생각이 너무 간절하였다. 마침 신학대학원 후배 전도사를 통해 중앙아시아 카자흐스탄의 한 교회에 가는 일이 잘 진행되었다. 나는 이슬람권에서 중국에서의 북한 선교 사역과 마찬가지로 내 생명을 쏟아 부어 현지인 선교사들을 양육하고 싶었다. 그러나 무슨 이유에서인지 최종 결정선에서 거절되고 말았다. 하나님께서 나의 건강 상태나 영적 상태, 가족들의 상황 등 여러 이유로 길을 막으신 것이 아닌가 한다.

그 후 2003년 4월 대구 동도교회 정정란 권사의 헌신 가운데 김성근, 이빌립 선생을 중심으로 열방빛교회가 설립되어 오늘에 이르고 있다.

이제, 네 자녀도 하나님의 은혜와 인도하심 가운데 많이 회복되었다. 중국에 있는 동안 경제적 여건이 여의치 않아, 아이들이 주로 집에 있으면서 5개월 정도 함께 생활하던 월금 자매에게 중국어를 배웠다. 당시에는 이것이 너무 큰 아픔이었고 눈물이었는데 지금 와서 보니 오히려 아이들이 중국어를 빨리 배울 수 있는 기회가 된 것 같다.

큰 아이는 한국에서 중고등학교를 제대로 다니지 못했지만 올해 가톨릭대학 중어중문학과에 중국어 특기 전형으로 수시 입학했다. 둘째 아이는 재작년 2004년 9월에 전국 중학생 외국어 스피치 경시대회에서 중국어 부문 최우수상을 수상했다. 이를 통해 하나님은 악을 선으로 바꾸시며, 눈물을 웃음으로 거두게 하시며, 모든 것이 합력하여 선을 이루게 하시는 분이심을 다시 한 번 깨닫는다.

나는 이스라엘 백성이 가나안으로 들어가기 위해 요단강을 건널 때 언약궤를 앞세우는 장면을 통해수 3:1-6, 믿음은 기다리는 것이며 하나님의 말씀을 좇아가는 것이며 성결케 하는 것임을 깨달았다. 그래서 지금까지는 하나님보다 내가 앞섰으나 이제부터는 철저히 하나님께서 하시는 대로 따라가도록 기도하며 기다리고 있다.

중국에서의 3년간 사역을 돌아보며

1998년 8월부터 2001년 6월까지 3년간의 사역을 통해 350여 명의 북한 형제자매들을 먹이고 입히고 재우며 하나님의 사람으로 양육하였다. 그 중 250여 명이 예수를 믿게 되었고, 70여 명은 예수를 믿을 뿐 아니라 신약 성경 100~200독, 구약 성경 20~30독 통독, 말씀 300~1,200절까지 암송하고, 설교 말씀도 전할 수 있는 귀한 일꾼들로 세워졌다.

북한 선교를 시작한 다음 해인 1999년 4월 7일, 선교사로 세워진 북한 형제들 8명이 연변延邊으로 파송되어 53명의 북한 형제들을 직접 모집하였다. 이들이 중국 중동부인 산동성山東省 제남濟南과 하남성河南省 정주鄭州, 중서부인 사천성四川省 성도成都와 중경重慶에서 사역장을 꾸리고 1년 동안 23명의 새로운 북한 선교사들을 양육하였다.

이후 이들 23명의 2기생 선생들이 2000년 4월에 다시 연변으로 파송되어 130여 명의 학생을 모집하였다. 이들 2기 선생들은 중국 중서부인 섬서성陝西省 서안西安으로 와서 1년간 50여 명의 3기생 선생들을 양육해 내었다. 그 이후에 연길에 상주하던 이용섭 선생을 통해 2001년 4월 다시 50여 명의 4기 학생들을 모집하였다.

그러던 2001년 6월 11일 오후 6시 30분에 나태효 목사와 나를 포함하여 모두 76명이 중국 공안과 군인들에 의해 체포되었다. 나 목사와 나는 한국으로 추방되었고, 몇몇 선생들과 조선족을 제외한 59명의 북한 형제들은 북한으로 이송되었다. 이로써 탈북자를 북한인 선교사로 양육하는 3년간의 대장정은 막을 내렸다.

당시 탈북자를 북한 선교사로 세운다는 것은 열이면 열 사람 모두 불가능하다고 했다. 북한 선교를 하는 다른 한국 선교사는 물론, 조선족 교회 사람도, 심지어 북한 사람 본인까지도 그렇게 말했다. 북한 사람들은 어릴 때부터 김일성, 김정일이 하나님이라는 주체사상에 철저하게 세뇌되어 있었고, 험악한 탈북자 생활로 인격과 정서는 완전히 파괴되어 있었다. 또한 신분증이 없으니 생존의 위협 속에서 숨어 살며 도망다녀야 했고, 예수도, 성경도 전혀 알지 못했다.

그러나 북한 선교에 내 생명을 드리기로 작정한 후, 북한 선교에 대해 늘 고민하고 기도하면서 나는 북한 사람들을 북한 선교사로 세우는 방법밖에는 길이 없다는 결론을 내렸다. 탈북자 형제들과 몇 달을 함께 생활하며 이들이 변화되는 것을 보면서, 이것이 가능하다는 확신이 강하게 들었다.

하지만 선례가 없는 일이다보니 한 단계 한 단계 무에서 유를 창조하는 과정들이었다. 우선, 북한 선교는 너무 어렵다, 북한 선교는 안 된다는 대세를 뚫고 탈북자들을 지도자로 양육하기로 사역의 방향을 잡는 것부터 그랬다. 이들을 지도자로 세우기 위해 어떤 훈련을 시켜야 하며, 지도자로 세운후에는 어디까지 사역을 감당하게 해야 하는지 등등의 모든 것들을 기도하며 혼자 결정해야 했다.

그러다보니 감당하기 어려운 수많은 문제들이 매일 닥쳐왔지만 내게는 정말 아무런 대책이 없었다. 다만 주님 아니고는 방법이 없다고 고백하며 체포되는 마지막 순간까지 주님이 인도하시는 대로 따라갔다. 물론 어리석은 결정들도 있었겠지만 늘 하나님의 인도하심을 따르고자 최선을 다했다.

그렇게 3년간 여러 지역으로 옮겨 다니며 무려 90여 개의 사역장이 세워졌고, 지정된 재정 후원 단체가 없었지만 하나님께서 예비하신 사람들을 통해 3억 원 가까이 재정을 공급받을 수 있었다. 하나님께서 맡겨주신 영혼들을 사랑하고 양육하는 일에 전념하니, 하나님께서 직접 그 많은 물질을 공급해 주셨다. 그러나 당시에는 그저 간신히 세 끼 굶지 않을 정도의 물질에 불과했고 그것도 내내 울면서 공급 받아야 했다. 때론 그것도 없어 전 사역장이 3일 금식도 여러 번 해야 했다.

그러나 나중에 열매들을 보면서는 넉넉했으면 과연 이런 열매들이 나올수 있었을까, 부족했기 때문에 이 열매들이 가능하지 않았나 싶다. 돈이 많았다면 돈 잃고 사람도 잃어버렸을지 모르는데, 돈이 없었기 때문에 돈을 잃지 않아도 되었고 더군다나 사람을 잃지 않을 수 있었다. 돈이 없었기에 더 많이 금식하며 기도하였고, 또 그러할 때 하나님의 기적적인 공급하심을 체험할 수 있었다.

함께 했던 형제자매들은 지금

중국에서 함께 했던 350여 명의 형제자매들 중 한국으로 귀순하여 온 사람은 현재 50여 명에 이른다. 서안西安에서 함께 체포되었던 74명 중에서는 59명이 북송되어 그 중 20여 명이 다시 기적적으로 재탈북하여 한국으로 오게 되었다.

나는 한국으로 들어온 형제자매들을 만날 때마다 되도록이면 대학에 들어가라고 권면했다. 우선은 이들이 한국 사람을 잘 알고, 한국 문화와 사회에 잘 적응할 수 있게 하기 위해서였다. 그리고 북한도 알고 성경도 잘 아는 이들이 통일 시대에 민족을 이끌어 갈 지도자들이 되려면 대학 공부가 반드시 필요하다고 생각했다. 우리 정부에서 35세 이하의 탈북 귀순자에 대해서는 전액 학비 지원을 해주므로 경제적인 부담도 없었다. 이런 나의 권면에 힘입어 현재 15, 6명이 대학 재학 중이며, 이미 대학을 졸업한 사람도 여럿된다.

그 중에 바울 선생1기생, 성근 선생, 주명 선생은 올해 각각 총신대학교 신학대학원, 장로회신학대학교 대학원, 합동신학대학원에 입학하였다.

바울 선생은 2000년 4월 우리 사역장을 떠난 이후 하얼빈哈爾濱, 길림吉林 등 동북 3성 지역에서, 희귀 난치병인 근육병, 중풍, 심장병, 말기 암 환자 등 많은 병자들을 하나님의 은사와 능력으로 치유하였다.

기풍 선생은 2002년 말 한국으로 들어와 예수전도단 홍천 DTSDiscipleship Training School를 마치고 현재 캐나다에서 전 세계에 복음을 전할 귀한 선교사로 다듬어져가고 있다. 순교 선생 역시 총신대학교 3학년 재학 중 캐나다로 유학을 떠나 하나님께 귀히 쓰임 받는 선교사가 되기 위해 영어 공부에 매

진하고 있다.

권능 선생은 탈북자들을 한국으로 들여보내는 일을 하다가 중국 공안에 체포되어 12년 형을 선고받고 현재 중국 ○○감옥에 수감 중이다. 그는 한국으로 오는 실제 루트를 제일 먼저 발견한 사람이었고, 가능한 모든 방법을 다 동원해 적극적으로 오려고 했던 사람이었다. 그러나 자기는 맨 나중에 가겠다고 하며 올 수 있었던 길을 자꾸 다른 사람들에게 양보하다가 안타깝게도 체포되고 말았다.

북한 비전과 세계 비전

지난 2006년 6월 15일로 중국에서 추방된 지 만 5년이 되었다. 그동안은 중국에서의 사역에 대해 모두 지난 일로 생각하며 덮어두고 있었다. 그러다 보니 2000년 3기생들을 통해 130여 명의 학생들이 모집되는 것을 보며 갖게 된 '5,000명 북한인 선교사 양육'이라는 비전도 땅에 묻혔다.

이제 나 개인의 영적, 육적 회복과 충전, 가족들의 회복과 책 출간 등 여러 상황들을 보며, 이제는 일할 때가 되었다는 생각이 든다.

나는 세계 선교라는 시대적, 역사적, 민족적 소명을 성취하기 위해, 이제까지의 북한 선교 사역의 경험을 토대로 세상이 감당할 수 없는 예수 제자를 양육해 내고자 하는 소원이 있다. 예수께서도 "너희는 가서 모든 족속으로 제자를 삼아 아버지와 아들과 성령의 이름으로 세례를 주고 내가 너희에게 분부한 모든 것을 가르쳐 지키게 하라"마 28:19-20상고 명령하셨다.

이 시대에 마지막 남은 이슬람의 견고한 진을 뚫고 나아가려면 특수 훈련을 받은 특수 요원들이 필요하고, 순교의 자세로 자기 생명을 내걸고 나가지 않으면 안 된다. 나와 함께 5,000명 북한인 선교사를 양육하는 일에 자신의 생명을 불사르고자 하는 하나님의 사람들이 일어나기를 간절히 기도한다.

그리고 북한 선교를 위해 뜨겁게 중보하는 큰 무리의 성령의 사람들이 일어나기를 기도한다. 전방부대와 특공부대, 후방부대의 긴밀한 연합과 상호 협조 아래서만 날마다 승리할 수 있기 때문이다. 이를 위해 정기적으로 모여 함께 기도할 수 있는 귀한 장소를 하나님께서 허락해 주시기를 또한 기도하고 있다.

북한을 복음화할 뿐 아니라 영적 금광인 북한에서 많은 하나님의 사람들을 일으켜 세워, 이들을 통해 5대양 6대주 각 민족마다 성령 충만한 예수님의 제자들을 세우는 일에 많은 분들이 함께 하기를 간절히 바란다.

"내 이름으로 일컫는 내 백성이 그 악한 길에서 떠나 스스로 겸비하고 기도
하여 내 얼굴을 구하면 내가 하늘에서 듣고 그 죄를 사하고 그 땅을 고칠지
라" 대하 7:14.

김일성, 김정일 독재 체제 아래 처참한 포로 생활을 하는 북한 땅 가운데 놀라운 새 날이 오고 있음을 본다. 북한의 회복을 통하여 열방을 회복하심으로 그 영광과 능력을 친히 나타내실 우리 하나님을 찬양합니다. 할렐루야!!

감옥에서 온 편지 🌿

나 선생님께 드립니다.

선생님, 그동안 안녕하셨습니까?

권사님과 사모님을 비롯한 온 가정의 평안을 기도하며 이 글을 올립니다. 전번에 권사님이 병으로 입원하셨다는 소식을 듣고 기도 많이 했었습니다. 조그마한 방조帮助(도움)도 없이 기도만 한다는 것이 마음 아프고 허전했었습니다.

지금 권사님께서 회복되셨다니 너무 감사합니다. 앞으로 꼭 건강하셔서 제가 나가면 권사님과 사모님께서 저희들에게 손수 담가주셨던 김치를 맛있게 먹던 일들이랑, 권사님의 생신일을 맞으며 도강언都江偃에 가서 예배 드리며 감사했었던 날들이랑 옛말하고 싶습니다. 그때 있던 이들 중 많은 이들이 순교하고 또 이 세상에 없지만, 그때를 기억하며 감사의 예배를 드리고 싶습니다.

오늘 집에 전화했었습니다. 선생님과 사모님께서 오셔서 30만 원이나 부모님들께 주고 갔다고 아버지가 말씀하시더군요. 선생님 부탁입니다. 앞으로 제발 돈으로 저를 돕지 말아주십시오. 제가 선생님의 가정 형편을 모른 대도 이렇게 가슴 아프지 않겠습니다. 권사님 입원했을 때도 그 때문에 너무 고통스러웠답니다. 내가 너무 미웠고 너무 비참해 보이더군요.

선생님 앞에서 이런 소리했다가 물론 욕 먹을 줄은 알고 있지만 정말 내 심정 그대로는 그랬습니다. 그러니 앞으로는 권사님 건강과 사모님의 건강을 위해서 많이 신경 써 주시구요, 영니, 정니, 기현, 명현 이들의 공부에 사용해 주신다면 감사할 겁니다. 선생님 꼭 부탁합니다.

오늘 아버지와 통화했는데 술에 취하셨더군요. 제발 술 작게 드셨으면 좋겠는데 제일 근심입니다.

그리고 익두 선생이나 기풍 선생한테서는 어떻게 연락이 오는지요? 권사님 입원했을 때랑은 그들이 면회랑 갔었는지요?

제가 감옥에 들어온 후에 느낀 것인데요, 나도 그렇고 많은 이들이 작은 것 때문에 큰 것을 잊고 살아간다는 걸 느꼈습니다. 정말 많이 배우고 느낀 답니다. 이곳 생활은 나로 하여금 인생의 치욕과 영광에 대해서 알게 하구요, 사명을 더욱 굳게 하는 좋은 시간들입니다. 이곳의 많은 탈북자들도 이곳에 들어오길 잘했다고 한답니다. 하나님을 알고 사명을 가지게 되었다구요.

앞으로 5년이라는 시간을 열심히 살아갈 겁니다. 지금까지 어려운 중에도 항상 함께 하신 하나님께서 나의 인생의 마지막 순간까지 언제나 함께 하시며 힘주실 줄 믿습니다.

"많은 이들을 옳은 데로 돌아오게 한 자는 별과 같이 영원토록 비춰리라."

약속하신 하나님께서 선생님과 가정과 교회에 언제나 사랑과 능력과 평안 주시길 기도하며 이 글을 마칩니다.

○○에서 권능 올림

감옥에서 온 편지

최광 선생님께 드립니다.

선생님의 편지를 너무 반갑게 받아보았습니다.

오랜 세월이 흐른 것도 아닌데 많이 잊고 있었던 것 같습니다. 정말 아름다웠던 그리고 은혜스러웠던 시간들을 끝없이 그려보았습니다. 때도 맞추어 가을이네요. 죄수들은 가을을 좋아한답니다. 아마 지나온 과거를 기억하며 지금의 괴로움들을 위로하고 있는지도 모릅니다.

이곳 ○○ 날씨 역시 가을이 제일 좋습니다. 봄은 황사 바람이 너무 세고 그러다 여름이면 너무 덥고 겨울은 너무 춥구요.

전 사역 기간을 돌이켜 보는 동안 제가 다시 한 번 느낀 것은 제가 특별히 선생님의 사랑과 신임을 받은 것입니다. 열등감과 야심으로 뭉쳐 있던 저에게 긍지감과 그리고 책임감, 사명감을 알게 하여 주셨지요. 그것이 얼마나 내게 도움이 컸었는지.

9월입니다. 선생님 기억하시지요. 99년 9월 7일인가. 그날이 권사님과 우리 사역장 장 선생의 생신일이었는데 도강언都江偃에 가서 제가 설교했지요. 제가 제일 좋아하는 말씀 에베소서 2장 11-22절 말씀으로요.

지금에 와서 그 말씀들을 다시 읽으면서 더욱 뜨겁게 느낀 것은 우리가 하나 되기 위하여는 예수님의 희생의 십자가밖에 다른 방법이 없다는 것입니다.

제가 원하든 원하지 않든 간에 이 길을 걷게 하신 하나님께 영광을 올립니다. 어떤 때는 기운이 빠지고 주눅이 들다가도 선생님 말씀 기억하며 허리를 쪽 폅니다.

선생님 항상 이야기하셨잖아요. "허리 쭉 펴시오! 여러분은 이 세상에서 가장 귀한 하나님의 사람입니다." 북한말, 한국말 섞어 쓰시면서요. 그때가 많이 그립습니다.

비록 저는 감옥에 있습니다. 인생의 제일 밑바닥이라고도 하지요. 그런데 어떻게 불평을 할 수가 없네요. 내 주위에는 나보다 더욱 불행한 사람들이 많이 있기 때문이구요, 북의 보위부 구류장에 비하면 호텔이나 같기 때문이지요. 그리고 이곳에서 북에 두고 온 가족 근심을 하거나 석방 날을 기다리며 근심하고 있는 이들, 초보적인 일용품도 사서 쓰지 못하는 이들에 비하면 너무 행복하기 때문이지요.

그래서 너무 감사하는 한편, 마음도 무겁습니다. 나 때문에 다른 이들이 상처받을까봐서요. 이 문제들을 기도해 주십시오.

그리고 이용섭 선생님 문제를 시급히 해결해야 할 것 같습니다. 석방 날짜는 내년 7월이지만, 그 전에 빠르면 몇 달 내에 호송할 것 같습니다. 이것은 저의 느낌이 아닌 조금 근거 있는 이야기입니다. 감옥에서는 자기들은 집행기관이라 아무런 권리가 없기 때문에 이 선생을 호송하지 말라는 정부의 지시가 없으면 그대로 호송한답니다. 시간이 급할 것 같습니다. 기도 많이 하고 있습니다.

그럼 이만 쓰겠습니다.

언제나 하나님의 사랑이 열방빛교회 및 선생님과 가정에 함께 하시기를 기도하며.

제자 권능 올림

감옥에서 온 편지 🌿

나 선생님께 드립니다.

선생님, 그동안 안녕하셨습니까?

권사님과 사모님 그리고 영니, 정니, 기현, 명현을 비롯한 선생님의 가정과 열방빛교회의 성도님들께 주 안에서 문안 올립니다. 선생님과 가정과 교회에 임마누엘의 하나님께서 항상 함께 하시기를 기도하며 이 글을 씁니다.

선생님의 얼굴을 뵌 지도 어언 3년이 넘었네요. 긴 3년이었구 짧은 3년이기도 하네요. 앞으로 얼마만한 시간이 흐른 뒤 선생님을 다시 뵈올지는 모르지만 하나님께서 그 날은 꼭 허락하실 줄 믿습니다.

저는 이곳에서 선생님을 비롯한 친구들과 부모님들, 고마운 분들의 기도와 도움으로 감사하는 시간들을 보내고 있답니다. 이곳 생활은 군대 생활 같기도 하고 수도원 생활 같기도 하고 어떤 때는 정말 감옥 같기도 하답니다. 이런 생활은 아마 선생님과 함께 학습하던 때 일차적으로 훈련 받아서 익숙하기가 좀 쉬워졌어요. 이따금 선생님의 가르침 받으며 정주鄭州에서 학습하던 때가 떠오르곤 합니다. 정말 좋은 때였구요. 그런 이유에서 제가 탈북자들을 한국으로 보낼 때 정주를 중심지로 정한지도 몰라요.

그런 때가 다시는 없겠지요. 그러나 실망하지는 않아요. 그때의 은혜와 선생님과 친구들은 영원히 나의 마음의 기둥이 될 테니까요.

감옥이 인간 생활의 가장 밑바닥이고 인간 지옥이라고는 하지만, 제가 이곳에서 느낀 것이라면 '사랑이 있는 곳에는 지옥이 없다.' 는 것입니다. 그래서 성경 말씀에 거지 나사로의 비유로 하신 말씀의 뜻도 다시로 되새기게 되었답니다. 부자가 거지 나사로의 손의 물 한 방울을 요구한 것이 뜨거움으로 인한 갈증이 아니라 사랑의 갈증이었을 거라구요. 지옥의 뜨거움의 고통보다 사랑을 줄 수 없고 받을 수 없는 고통이라구요. 그렇기 때문에 제게는 인생의 밑바닥도 지옥도 존재하지 않습니다. 그런 나를 허락하신 하나님께 감사하구요. 복음으로 나를 낳아주신 선생님께 감사합니다.

저도 처음 이 일을 하다가 체포되었을 때는 힘들었습니다. 더욱 많은 일을 못하고 잃은 것은 너무 많은 것 같았거든요. 그러나 시간이 흐를수록 잃는 것보다는 얻은 것이 더욱 많아요. 앞으로 얻은 것이 너무 많아 건사하기 바쁘게힘들게 되면 하나님이 저를 내보내 주실 것 같아요.

제가 체포되어 검찰원 조사를 받을 때요, 검사가 하는 말이 "너는 영웅이다. 지금은 중국의 법을 어겼으니 판결을 받아야 하지만 역사는 너를 인정해줄게다. 너를 누가 가르쳤냐?"고 물었습니다. 뭐 듣기 싫지는 않더라구요.

그리고 선생님이 지어주신 권능이라는 이름 때문에 변방변방대이나 공안에서 저를 잡기 전에 뭐 대단한 놈인 줄 알았다나요. 하하, 잡고 나니 좀 실망이 되는지… 이름값 톡톡히 한 셈이에요.

선생님, 그리고 이 선생님과 통화할 때 저희들에게 풍족하게 해주시지 못하신다고 항상 마음에 걸린다고 하셨다는데 절대로 그런 부담 가지지 말았으면 해요. 저는 누구보다 선생님을 잘 알고 있지 않습니까? 저희들을 위하여 마음 쓰고 계시고 기도 많이 하고 계시는 줄 잘 알고 있습니다.

생활비용은 부모님들과 친구들 그리고 선생님께서 보내주셔서 풍족하게 살고 있습니다. 그렇지 않는다 해도 풍부와 결핍에 일체의 비결을 배웠노라고 고백하던 사도 바울처럼 저희들도 범사에 감사함으로 살 겁니다. 아무쪼록 선생님의 교회가 부흥하고 앞으로 열방의 빛이 되고, 특히 통일된 조국의 빛이 되는 교회가 되기를 기도하고 기도합니다.

앞으로 제가 나가면요, 선생님 모시고 소록도에도 가고 태백산도 가고 싶습니다. 권위, 순교, 성근, 빌립, 주명, 다윗, 기풍 선생들이 보고 싶군요. 이번에 익두 선생은 ○○에 와 유학하면서 제 일을 해주느라 고생 좀 했습니다. 하고 싶은 이야기 너무 많지만 이만 줄이겠습니다. 참 저번에 보내주신 편지는 받지를 못했습니다. 뭐 번역하고 어쩌고 하더니 잊어버린 건지… 앞으로 편지는 中国…로 해주시면 됩니다.

선생님과 가정의 평안을 하나님께서 지켜주시기를 기도하며 제자 권능 글을 마칩니다.

2004 11월 6일

감옥에서 온 편지

존경하는 최광 선생님께

그동안 안녕하셨습니까?

권사님의 건강이 회복되셨다니 너무 감사하구요. 사모님과 영니, 정니, 명현, 기현 모두 평안하신지요.

저는 이용섭 선생님이 북송된 후 너무 뜻밖이어서 많이 힘들었습니다. 그러나 지금은 마음의 평안을 주신 하나님께 감사하며 잘 지내고 있습니다. 힘든 곳에서 서로 힘주며 많은 의지가 되었는데, 이 선생님은 떠나기 전까지도 자기가 나가면 나 혼자 마음 여린 게 이 사람들 속에서 어떻게 살겠는가고 항상 근심해 주었습니다.

그가 형기가 다 되어 오면서 근심할 때, 저는 만일 하나님께서 이 선생이 북으로 호송되게 하셔서 순교하게 하신다면 나도 그렇게 되도록 해주시길 원한다고 이야기한 적이 있습니다. 그 말을 한 후에 저 스스로 내가 너무 지나치게 말하지 않았나 좀 근심도 했었구요. 그러나 믿음에는 잘못이 없다고 생각합니다.

그래서 오늘 이렇게 편지를 합니다. 제가 유엔이나 한국 정부에 제출했던 난민 신청을 취소하겠습니다. 하나님을 믿고 그의 뜻에 의지하지 않았던 제가 부끄럽습니다.

지금까지 여러 번 죽을 고비를 당할 때마다 하나님 앞에 조금만이라도 가치있게 하나님께 가게 해달라고 기도했었습니다. 그때마다 하나님은 저에게 기회를 주셨구요. 그러나 이제는 만족하겠습니다. 하나님 앞에 깨끗하게 큰일을 하고 가려면 천 년이 걸려도 다 할 수 없을 것 같네요. 더군다나 얼마 전 꿈속에서 "이만하면 됐다."라는 어디선가 들려오는 말씀을 들었습니다. 그래서 이제는 하나님께서 부르시는 그날까지 부끄럽지 않게 살려고 노력하려고 합니다.

어차피 선생님께서 저희들을 가르치실 때 "북한을 위하여 순교하자!"는 것을 저희들의 가장 큰 목표로 삼지 않았습니까? 그래서 저의 이름도 권능이라고 최권능 목사님의 이름을 지어주셨구요. 1기 사역으로부터 7년이라는 짧지 않은 시간 속에서 이제야 좀 깨닫는 것 같습니다.

1기 사역을 마친 후 어느 날인가 제가 선생님께 "사역 전의 저와 사역 후의 저를 비교해보니까 마치 성인이 돼서 유치원 때의 저를 생각하는 것 같습니다."라고 이야기한 적이 있을 겁니다. 또 지금이 그렇습니다.

선생님, 저는 저의 모든 생각과 각오를 선생님께서 적극적으로 지지해 주실 줄 믿습니다.

모든 것, 성경에서 말씀하신 얽매이기 쉬운 모든 것을 끊어버리니 마음이 평안해서 좋습니다. 하나님께서 우리 탈북자들을 돕지 않으면 나 스스로의 노력으로라도 일하겠다고, 앞으로는 이는 이로, 눈은 눈으로 하겠다고 몸부림도 쳐봤었는데, 모든 것을 포기하니 마음이 평안하고 그러다가도 탈북자들이 당하는 고통을 생각하면 또 괴롭고 이것이 제 마음 상태입니다. 그러나 하나님이 하지 않으시면 누구도 할 수 없음을 믿게 되었습니다.

앞으로 6개월간 이 선생님의 소식을 기다려 본 후에 그때까지 소식이 없으면 이 선생님이 순교하신 줄 알겠다고 기도하고 있습니다. 그리고 이번 감형 회의가 끝나면 이곳에서 탈북자 몇 명이 또 북으로 호송됩니다. 그들에게 이 선생님에 대하여 잘 알아보고 빨리 들어와 연락해 달라고 부탁해 놓았습니다. 모든 일이 주님의 뜻 안에서 협력하여 선을 이룰 줄 믿습니다.

끝으로, 하나님의 사랑이 언제나 열방빛교회에 함께 하심으로, 날마다 부흥하는 교회, 살아 움직이는 교회가 되어지도록 기도하겠습니다.

선생님의 가정에도 언제나 하나님의 은혜가 넘치도록 기도할게요.

안녕.

선생님과 열방빛교회를 사랑하는 권능 올립니다.

2005년 11월 24일

○○ 감옥에서

사명선언문

너희가 흠이 없고 순전하여……세상에서 그들 가운데 빛들로
나타내며 생명의 말씀을 밝혀 _ 빌 2:15-16

1. 생명을 담겠습니다
만드는 책에 주님 주신 생명을 담겠습니다.
그 책으로 복음을 선포하겠습니다.

2. 말씀을 밝히겠습니다
생명의 근본은 말씀입니다.
말씀을 밝혀 성도와 교회의 성장을 돕겠습니다.

3. 빛이 되겠습니다
시대와 영혼의 어두움을 밝혀 주님 앞으로 이끄는
빛이 되는 책을 만들겠습니다.

4. 순전히 행하겠습니다
책을 만들고 전하는 일과 경영하는 일에 부끄러움이 없는
정직함으로 행하겠습니다.

5. 끝까지 전파하겠습니다
모든 사람에게, 땅 끝까지, 주님 오시는 그날까지
복음을 전하는 사명을 다하겠습니다.

서점 안내

광화문점 서울시 종로구 새문안로 69 구세군회관 1층
02)737-2288(T) 02)737-4623(F)

강남점 서울시 서초구 신반포로 177 반포쇼핑타운 3동 2층
02)595-1211(T) 02)595-3549(F)

구로점 서울시 구로구 시흥대로 577 3층
02)858-8744(T) 02)838-0653(F)

노원점 서울시 노원구 동일로 1366 삼봉빌딩 지하 1층
02)938-7979(T) 02)3391-6169(F)

분당점 경기도 성남시 분당구 황새울로 315 대현빌딩 3층
031)707-5566(T) 031)707-4999(F)

신촌점 서울시 마포구 서강로 144 동인빌딩 8층
02)702-1411(T) 02)702-1131(F)

일산점 경기도 고양시 일산서구 중앙로 1391 레이크타운 지하 1층
031)916-8787(T) 031)916-8788(F)

의정부점 경기도 의정부시 청사로47번길 12 성산타워 3층
031)845-0600(T) 031) 852-6930(F)

인터넷서점 www.lifebook.co.kr